Sociétés contemporaines

La société française
I/1840-1914

Dans la même collection :

La société allemande
1871-1968
par Henri Burgelin

Prochains ouvrages à paraître :

La société française
II (1914-1968)
par Pierre Sorlin

La société britannique
par François Bédarida

La société américaine
par Claude Fohlen

La société russe
par François-Xavier Coquin

Sociétés contemporaines

Collection dirigée par François Bédarida
Directeur de la Maison française d'Oxford

Pierre Sorlin

La société française I/1840-1914

39 héliogravures
8 cartes

Arthaud

Préface

*P*EUT-ON *imaginer une histoire en apparence mieux connue, mieux explorée que celle de la société française contemporaine ? Innombrables sont les témoignages, les travaux, les monographies. Mais par-delà cette diversité des analyses, bien rares sont les synthèses. Au surplus, combien d'ouvrages, anciens ou récents, ne sont-ils pas entachés d'idées toutes faites et de préjugés, ou bien colorés en rose ou en noir selon l'école de pensée à laquelle se rattache l'auteur... C'est pourquoi, au lieu de chercher dans le passé un terrain privilégié de démonstration et de justification, le présent ouvrage, fidèle à l'esprit de la collection Sociétés contemporaines, se place sur le plan de l'analyse probe, patiente et désintéressée.*

A partir d'une telle démarche, Pierre Sorlin dresse un tableau original et neuf de la vie française entre le milieu du XIXᵉ siècle et 1914. Tout en respectant les diversités régionales et leurs nuances complexes, son livre aborde tout de suite les grands débats à l'échelle de la nation. Le problème tourne tout d'abord autour de la croissance et de ses rythmes. Deux visions, également traditionnelles, n'ont cessé de s'opposer ici. Les uns, privilégiant une France à prédominance rurale et bourgeoise, discernent le visage d'un pays peureusement douillet, recroquevillé dans une médiocre quiétude, peu soucieux d'aborder la houle et les vents salutaires du large : nation rhétoricienne, apte au combat des idées plutôt qu'aux conquêtes de la technique. Pour d'autres, ce masque trompeur doit céder la place à l'image d'un pays où le capitalisme, l'industrialisation, l'esprit d'entreprise ont pénétré plus tôt et plus profondément qu'on a bien voulu le prétendre et dont la modernisation peut, à tout prendre, se comparer à celle de ses voisins, même si les modalités et les apparences en furent autres. A la lumière de cette confrontation s'éclairent les débats sur le dynamisme ou la stagnation économique et démographique. Faut-il voir dans la faible poussée du nombre une cause ou une conséquence ? Le malthusianisme démographique est-il à mettre en parallèle ou en opposition avec les étapes et les degrés du développement économique ?

Si l'on se tourne vers les modes de vie concrets, vers les rapports de classe et les relations sociales, à la ville et à la campagne, comment ont évolué les structures — propriété, capital, techniques — et à quel rythme ? Comment l'innovation a-t-elle pénétré : par changements brusques ou bien par lente infiltration à peine perceptible d'une décennie à l'autre ? Telle est pour une large part la trame d'un livre où l'auteur s'emploie à analyser avec rigueur et subtilité la relation entre les permanences et le mouvement, entre ce qui demeure et ce qui bouge, entre les stagnations et les mutations.

L'image qui en ressort est celle d'une société diversifiée à l'extrême, morcelée en multiples catégories sociales, dont l'émiettement est encore accru par les micro-localisations par région, par terroir, par quartier. Néanmoins cette société s'ordonne autour de quelques pôles : groupes dominants de la bourgeoisie urbaine et des notables ruraux, contrastes d'activité et d'atmosphère entre grandes villes et petites villes, isolement du prolétariat ouvrier, lente modernisation des campagnes. Toutefois les divisions socio-économiques, loin de se voir renforcées et confirmées par les oppositions idéologiques et religieuses, se trouvent démultipliées par ces autres lignes de partage : d'où la violence et la complication des luttes entre la gauche et la droite. Querelles de régime et de parti, affrontements sur l'école, l'Église, l'armée, entretiennent les divisions et les blessures dans l'opinion. La nation, en dépit d'un patriotisme volontiers teinté de nationalisme, en dépit des éléments unificateurs de l'histoire et de la culture, ne cesse de se remettre en cause et la communauté nationale de s'entre-déchirer, sauf aux heures d'invasion où se recrée « l'union sacrée ». Le destin de notre société contemporaine, c'est à coup sûr celui de la France, mais c'est plus encore celui de quarante millions de Français.

François BÉDARIDA.

S'adressant avant tout à un public français, une histoire aussi riche et aussi complexe que celle de la France contemporaine pouvait difficilement se résumer en un seul volume. C'est pourquoi, contrairement aux autres ouvrages de la collection Sociétés contemporaines, la France bénéficie d'un ensemble de deux volumes : le premier couvre la période allant du milieu du XIXe siècle à 1914, le second partira de 1914 pour arriver jusqu'à aujourd'hui.

Avant-propos

L<small>E</small> livre est terminé. Il reste à le justifier, à lui donner cette autre conclusion qu'est une préface. Pour couper court aux explications, la tentation est forte d'avouer qu'après dix ans de recherches sur la Troisième République, j'ai eu envie de clarifier mes idées, de mettre en ordre et de généraliser des hypothèses formulées sur des points particuliers ; j'ajouterais même que j'ai commencé l'ouvrage avec curiosité et que j'ai trouvé un grand plaisir à l'écrire. De telles confidences risquent de laisser la plupart des lecteurs indifférents ; mieux vaut alors se résoudre à une présentation en règle.

L'histoire que nous apprenons — l'histoire que nous enseignons — est orientée autour de quelques temps forts. Nous restons prisonniers du dessin de la tragédie classique : les protagonistes une fois mis en scène, l'action se noue, progresse et culmine dans une crise, une révolution, une guerre. Depuis quelques décennies, le schéma s'est nuancé ; on y a introduit les classes sociales, les forces économiques, mais la conception générale n'a pas varié.

Pourtant, si nous examinons notre vie, celle de nos contemporains, il ne semble pas que les « grands événements » y tiennent une telle place. Imaginons un paysan du Gard, un mineur du Creusot qui, atteignant la soixantaine au début de ce siècle, auraient réfléchi sur leur destinée. Se seraient-ils arrêtés sur le 2 Décembre, la Commune, le boulangisme ? N'auraient-ils pas plutôt comparé leurs souvenirs d'enfance à la situation présente de leurs descendants, pour noter les différences ? Les moments historiques sont brefs ; l'existence humaine, couvrant à peu près deux tiers de siècle, est relativement longue ; elle est faite avant tout de durée, de lente transformation, et c'est d'abord ce mouvement continu qu'il conviendrait de faire sentir.

Il ne s'agit pas là d'une étude de la vie quotidienne. D'excellents volumes ont évoqué les travaux et les jours de telle ou telle communauté à une date déterminée ; ces descriptions sont souvent passionnantes, mais elles contribuent, elles aussi, à fixer un instant particulier de ce qui n'a cessé de changer. Négligeant les détails individuels, j'ai voulu montrer comment les groupes sociaux avaient évolué depuis un siècle environ.

Est-ce alors une étude de « structures » ? Si ce terme n'avait pas, aujourd'hui, valeur de manifeste, il faudrait répondre oui. Mais, dans la situation présente, cela reviendrait à promettre beaucoup plus que le livre ne peut donner. Laissant donc de côté les définitions et les drapeaux, je me contenterai de dire comment j'ai conçu le sujet.

Une société est un ensemble de personnes vivant sur un même territoire et partageant un certain nombre de traditions. En ce qui concerne la France, il semble inutile de s'attarder sur ces préliminaires : la géographie du pays est fixée depuis le XVIIIᵉ siècle ; elle a connu deux variations importantes, l'annexion de la Savoie, puis la perte de l'Alsace-Lorraine, qui n'ont cependant touché que sa périphérie et n'ont pas bouleversé son équilibre. Quant aux habitudes de pensée, aux règles de vie, aux coutumes, elles ont une origine très lointaine, qui remonte parfois au Moyen Age. Dresser le catalogue des « constantes » du milieu, évoquer la situation au « tournant du siècle » alourdirait sans profit le volume. Il suffira, ici ou là, de rappeler le poids de l'histoire.

Au sein de son hexagone, comment le groupe français évolue-t-il ? Il serait difficile de répondre à cette question pour une époque antérieure, car nous ne disposons que d'évaluations très douteuses ; mais, depuis 1821, la population est recensée tous les cinq ans, ce qui fournit une excellente base d'étude.

Dans la première moitié du XIXᵉ siècle, le nombre des habitants augmente régulièrement d'environ 4 à 5 $^o/_{oo}$ chaque année. Puis le mouvement se ralentit ; après 1851, le progrès est seulement de 1 à 2 $^o/_{oo}$; de quelque 36 000 000 d'âmes en 1851, on s'élève péniblement à 39 500 000 en 1911 (fig. 2). Encore ces données sont-elles influencées par une forte immigration : la France accueille beaucoup d'étrangers, tandis que la proportion de ses indigènes tend à diminuer ; en 1851, la natalité dépasse la mortalité ; en 1911, la tendance est inversée.

Étudier ce phénomène de façon abstraite, comme si la démographie fran-

ANNÉE	NATALITÉ	MORTALITÉ	ACCROISS^t NATUREL
1851	27,1 $^o/_{oo}$	22,3 $^o/_{oo}$	4,8 $^o/_{oo}$
1911	18,7 $^o/_{oo}$	19,6 $^o/_{oo}$	— 0,9 $^o/_{oo}$

1. Évolution des taux de natalité et de mortalité.

çaise constituait un ensemble uniforme, n'aurait pas de sens; il existe de très considérables différences suivant les régions et suivant les milieux; nous nous interrogerons ensuite sur la signification que revêt un tel recul dans les diverses classes sociales. Pour l'instant, ses conséquences seront seules à nous retenir.

Comparée à ses voisins, la France a d'abord l'air de s'enfoncer dans l'immobilisme; ne parlons même pas de pays encore très pauvres, tels que l'Espagne ou l'Italie, ou d'une nation particulièrement dynamique comme l'Allemagne; le parallèle avec la Grande-Bretagne suffit à marquer le retard de notre pays (fig. 3). Les voyageurs étrangers qui traversent la France à l'aube du XXe siècle sont frappés par le caractère particulariste de ses habitants : ils estiment que les Français vivent refermés sur eux-mêmes, ne connaissent que leurs propres affaires, ne cherchent pas à savoir comment évolue le reste du monde; dans la presse, les nouvelles de l'extérieur tiennent une place réduite et peu de journaux croient utile d'entretenir des correspondants au-dehors; disposant d'un vaste empire colonial, notre pays alimente un minuscule courant d'émigration, qui ne dépasse guère le bassin méditerranéen. En d'autres termes, l'atonie démographique s'accompagne d'une sorte de repliement psychologique; on vante la douceur et l'agrément du territoire national pour s'excuser de ne pas le quitter.

Une population stagnante a d'ailleurs tendance à vieillir; en 1851, les jeunes gens de moins de 20 ans représentent près des deux cinquièmes des Français, tandis que ceux qui ont dépassé la soixantaine ne forment pas même le dixième du total; en 1911, on recense 13 % de sexagénaires; le pays se partage alors en trois tranches égales : un tiers des individus ayant moins de 20 ans, un autre tiers de 20 à 42 ans, le dernier tiers dépassant 42 ans. Cette maturité accusée renforce le caractère casanier de la nation.

La France a ses aventures intérieures, ses révoltes, ses crises; l'atmosphère agitée de la vie politique ne doit pas faire oublier la profonde stabilité que révèlent les courbes démographiques. Celles-ci dénoncent un autre fait important : à l'aube du XXe siècle, les ruraux l'emportent largement sur les citadins (fig. 2); les villes ont grandi, comme dans le reste de l'Europe et, cependant, les campagnes n'ont connu qu'une faible décrue. Voilà un trait qui, pour avoir été maintes fois souligné, n'en garde pas moins une énorme importance : au XIXe siècle, le pays demeure avant tout paysan; pour comprendre son évolution, il faut tenir compte de la persistance d'un monde à part, traditionnel, celui des villages et des bourgs; nous prendrons donc cet univers en lui-même et nous consacrerons la première partie de l'ouvrage à essayer de définir son caractère comme son évolution.

Une majorité de cultivateurs, une population qui progresse mal : il y aurait là de quoi classer la France, *a priori*, parmi les pays en déclin. Il convient cependant de pousser la recherche, en se demandant quelle est la richesse des Français, autrement dit comment ont évolué le produit national, ensemble des biens produits annuellement, et le revenu national, c'est-à-dire les revenus distribués.

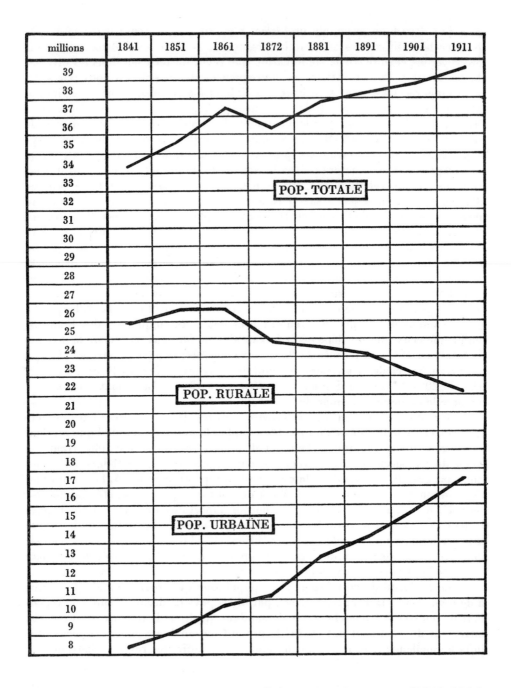

millions	1841	1851	1861	1872	1881	1891	1901	1911

POP. TOTALE

POP. RURALE

POP. URBAINE

La société française (1840-1914)

Nous sommes d'ailleurs beaucoup moins bien outillés en ce domaine qu'en ce qui concerne le peuplement; les évaluations des contemporains sont tellement arbitraires, tellement variables, qu'elles sont presque inutilisables. Les statistiques industrielles, excellentes pour les mines et la métallurgie, sont à peu près muettes sur les textiles. Il faut, en définitive, partir des cinq « Enquêtes agricoles » pratiquées entre 1840 et 1892, ainsi que des trois recensements industriels effectués de 1840 à 1872. Sur ces bases, en procédant à diverses interpolations, on parvient à reconstituer des séries complètes et vraisemblables, sinon exactes.

Le produit national semble avoir triplé de 1840 à 1913. Au départ, le produit de l'agriculture est supérieur de moitié environ au produit industriel, ce qui est naturel dans un pays où trois quarts des habitants vivent à la campagne. Durant une vingtaine d'années, le produit agricole augmente régulièrement, mais, après 1870, il est frappé d'une sorte de langueur qui dure jusqu'à la fin du siècle. La croissance du produit industriel connaît moins d'hésitations; elle est assez forte, sauf entre 1880 et 1892. En 1910, le produit industriel dépasse celui de l'agriculture. Le dynamisme des usines, leurs progrès contrastent donc avec la lenteur et les difficultés des exploitations agricoles.

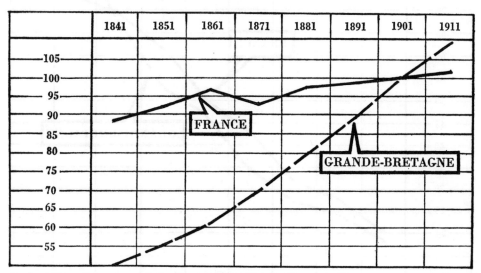

3. Accroissement comparé de la population de la France et de la Grande-Bretagne dans la seconde moitié du XIXe siècle.

Base 1901 = 100 (en 1901, les deux populations sont à peu près équivalentes : France 38 900 000, Grande-Bretagne 37 100 000).

Avant-propos   **13**

Pour la connaissance d'une société, le calcul du revenu est plus révélateur que celui du produit matériel. Les valeurs absolues ont peu d'intérêt, d'autant que les historiens ne proposent pas toujours des chiffres identiques; il est préférable de s'en tenir aux pourcentages de croissance, qui sont assez voisins dans les diverses estimations : le revenu national semble avoir doublé entre la fin de la Restauration et celle du Second Empire, puis de nouveau doublé entre 1870 et 1913, ce qui représente, pour cette dernière période, un gain moyen de 1,6 %

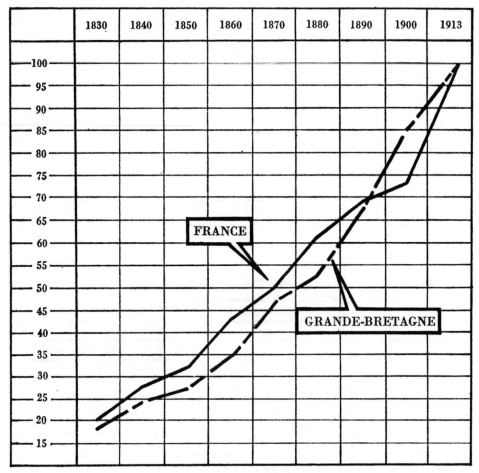

4. Croissance comparée du revenu national en France et en Grande-Bretagne durant la seconde moitié du XIXe siècle.

Base 100 en 1913.

La société française (1840-1914)

par an, nettement inférieur à celui des États-Unis ou de l'Allemagne, mais relativement comparable à celui de la Grande-Bretagne (fig. 4).

Qu'il s'agisse du produit ou du revenu national, la France se trouve ainsi bien placée dans la cohorte des puissances modernes. Sa situation est particulièrement favorable si l'on considère le revenu par tête ; les Français bénéficient, sur ce plan, de leur malthusianisme : ils sont toujours aussi peu nombreux à se partager des biens qui s'accroissent ; individuellement, ils s'enrichissent presque aussi vite que les Allemands, et ils devancent les Britanniques.

Ces données générales, importantes en ce qui concerne l'économie, paraissent abstraites quand on songe à la vie sociale ; elles ne tiennent pas compte des écarts entre catégories dont nous aurons à nous préoccuper longuement. Du moins donnent-elles de la France une image bien différente de celle que présentait la démographie. Il existe alors, dans notre pays, un secteur moderne dont l'essor contraste avec l'essoufflement du vieux monde rural ; il convient de considérer à part cette autre France à laquelle est consacrée la deuxième partie du volume.

On objectera que la division entre campagnes et villes paraît à la fois trop classique et trop rigoureuse. En fait, l'opposition n'est pas aussi simple ; elle ne se réduit pas à la présence ou à l'absence du phénomène urbain. Elle tient plutôt à un certain type d'existence, à une certaine forme d'activité. Il existe des cités qui ont fort peu changé au long du XIXe siècle et qui, vers 1900, restent proches du monde agraire ; en revanche, on rencontre des villages que l'industrie, le capitalisme, ont complètement bouleversés. Là se trouve la véritable ligne de partage ; la France juxtapose deux sociétés, deux univers sociaux et économiques ; c'est ce qui fait son originalité par rapport aux autres nations européennes.

Cette coexistence se manifeste clairement quand on étudie les « mouvements sociaux ». Les Français profitent très inégalement des progrès réalisés et de l'accroissement de la richesse nationale. Entre eux existe ce qu'on ne peut appeler autrement que des luttes de classes. Ces luttes atteignent-elles, au XIXe siècle, le degré de simplicité évoqué par Marx et Engels dans le *Manifeste communiste* ? Se réduisent-elles à un affrontement entre le prolétariat et la bourgeoisie ? Il semble impossible d'accepter un tel schéma pour la France. Dans les centres industriels, le conflit correspond aux descriptions de Marx. En revanche, il se complique dès qu'on se tourne vers les campagnes ; il n'existe pas un paysannat, mais une multitude de groupes paysans, ayant eux-mêmes leurs propres combats ; les problèmes régionaux demeurent ici prépondérants. A la relative unité de la société des villes s'oppose la diversité des sociétés rurales, ce qui nous ramène à notre point de départ.

Faut-il se résigner à considérer deux pays étrangers sur un seul territoire ? Ce serait faire bon marché du passé, de l'action du pouvoir, des difficultés créées par le voisinage avec d'autres États. La France du XIXe siècle hérite d'une longue tradition chrétienne. L'influence de l'Église est sans doute remise en cause depuis la Révolution, mais la religion a tenu une place trop grande dans les siècles précédents pour que l'on puisse l'éliminer ; à des degrés divers, tous les Français sont concernés par le conflit entre science et croyance, par le progrès de la connaissance. L'œuvre scolaire des gouvernements, l'essor des moyens de transport imposent un rapprochement, tandis que la défaite de 1870, la crainte de l'extérieur renforcent le sentiment national. Séparés par leurs modes de vie, par leurs activités économiques, les Français ont en commun les mêmes préoccupations intellectuelles et sentimentales. Leurs hésitations concernant la foi ou la patrie sont moins dépendantes de leur milieu : la dernière partie en dresse le bilan.

Puisqu'il s'agit d'un livre d'histoire, le lecteur voudra sans doute en connaître les limites chronologiques. A dire vrai, elles sont extrêmement imprécises. Le temps, les années, n'ont pas une signification identique suivant que l'on habite à Paris ou dans les Causses. Le point de départ se trouve fixé dans la période où apparaissent des changements radicaux : chemin de fer, capitalisme industriel, grande banque, émigration rurale. Ces transformations se sont propagées durant deux ou trois décennies ; ici, on les pressent dès 1830 ; ailleurs, elles attendent 1860 : tel est donc le début choisi. La première guerre mondiale sert de point d'arrivée. On butte sur une année déterminée, non pas parce que la France change brusquement avec les hostilités, mais parce que, dans cette « Grande Guerre », la majorité de la population se trouve concernée ; la conflagration européenne bouscule les barrières, les habitudes, impose à des millions de ruraux et de citadins un sort identique.

Les faits politiques sont évidemment laissés de côté ; ils interviennent uniquement s'ils éclairent un comportement ou une mentalité. Pour rassurer ceux qui tiennent à la continuité du récit comme à la succession des régimes, une chronologie se trouve placée en fin de volume ; elle met en parallèle les événements de l'histoire générale et les faits sociaux qui, seuls, sont l'objet du livre.

Ce travail n'est pas destiné aux spécialistes : il leur doit tout et ne leur apprendrait rien. Il a donc paru inutile de prévoir un appareil scientifique. Certains lecteurs aimeront peut-être s'informer des tendances actuelles de la recherche historique, sans pour autant vouloir se référer directement aux travaux récents. Les ouvrages mentionnés dans la bibliographie sont presque exclusivement des études spécialisées : par la simple lecture des titres, les curieux connaîtront les sujets sur lesquels on a particulièrement travaillé.

En achevant l'ouvrage, j'ai conscience de ses imperfections et de ses lacunes. Il est pour une large part le reflet d'une historiographie encore incertaine. L'exploration de l'époque contemporaine progresse lentement ; d'ici à une trentaine d'années, les perspectives seront plus claires, il semblera moins hasardeux d'entreprendre une synthèse. Cette esquisse est provisoire — mais comme toutes les choses humaines le sont également, il n'a pas semblé complètement vain de l'entreprendre.

Première partie

D'une France traditionnelle...

1. Les villages en mouvement

QUITTANT la vallée du Rhône, la route de Bessèges s'engage au long de l'étroite vallée de la Cèze ; à droite, à gauche, les pentes des Garrigues, couvertes de chênes rabougris, de buis, de cistes et de genévriers, semblent impénétrables ; on imagine mal que l'homme puisse s'y accrocher. Pourtant, le voyageur qui s'égare sur ces versants découvre qu'ils sont, de haut en bas, aménagés en terrasses ; au milieu du XIXᵉ siècle, céréales et oliviers y remplaçaient partout la végétation naturelle. Dans le Vivarais et en Uzégeois, comme dant tout le Midi, la terrasse est un élément traditionnel du paysage agricole ; mais l'aménagement s'est fait par périodes successives, et l'étape la plus importante s'est déroulée, approximativement, entre 1780 et 1830 ; pendant un demi-siècle, les paysans, manquant de terres, sont partis à l'assaut des collines et les ont entièrement transformées. Vers 1850, ces pays, maintenant déserts, connaissaient une intense activité ; les villages n'avaient jamais eu autant d'habitants et tous, propriétaires ou journaliers, s'acharnaient à faire pousser, dans des champs minuscules, du blé, des vignes, des arbres fruitiers.

Cette image provençale n'avait rien d'exceptionnel ; elle était au contraire courante au début du Second Empire. A la fin du XVIIIᵉ siècle, les campagnes avaient fourni une certaine émigration, mais les départs s'étaient ralentis avec l'Empire. Pendant la Monarchie censitaire, le monde paysan, fermé sur lui-même, dut recourir à des prodiges d'imagination pour nourrir un nombre de bouches croissant. Aux environs de 1860, la population rurale atteint son maximum en France, avec vingt-cinq millions et demi de personnes ; à cette date, sur trois Français, il n'y en a qu'un qui réside dans une ville, et 54 % de la population vit exclusivement des produits de la terre (fig. 5).

Les progrès techniques et l'enrichissement constatés au Siècle des Lumières n'avaient pas entamé la prépondérance des ruraux ; la Révolution, en supprimant une partie des grands domaines, en abolissant les charges seigneuriales, donna aux cultivateurs assez d'avantages pour les maintenir à la terre. On a peine à imaginer, aujourd'hui, combien nos campagnes étaient alors vivantes ; les premières cartes d'état-major, établies sous Louis-Philippe, en apportent un curieux témoignage : dans les Cévennes, elles révèlent un réseau de chemins qui se sont depuis lors complètement effacés ; en Picardie, elles indiquent des hameaux, Le Quesnoy, Harissard, Déronnes, dont la trace même a disparu.

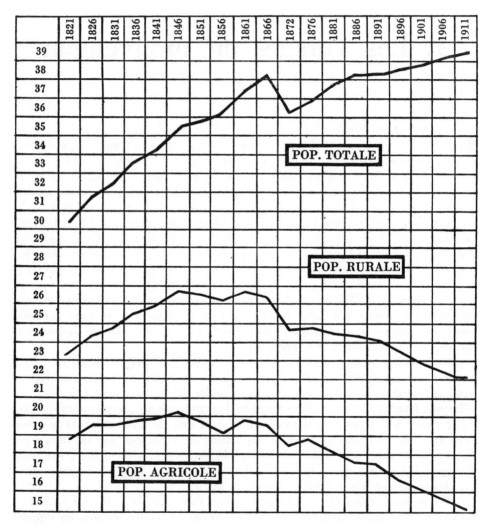

5. Population rurale et population agricole en France (en millions de personnes).

La société française (1840-1914)

Dans certaines régions, en particulier dans des pays de vignoble, comme celui de Chablis, là où le sol était extrêmement divisé, et depuis fort longtemps utilisé dans ses moindres recoins, on entendait parfois des plaintes, et les autorités encourageaient les départs vers Dijon ou Paris. Mais, beaucoup plus souvent, le petit artisanat, le travail à domicile du bois, du métal, des textiles, apportaient un complément de ressources et permettaient aux familles de subsister. Les densités étaient considérables : en Cambrésis, sans compter les villes, on trouvait 199 habitants au kilomètre carré.

Durant la seconde moitié du XIXe siècle, cet équilibre traditionnel, trop longtemps maintenu, commence à se rompre ; les villages sont contraints de s'éveiller à la vie de l'extérieur ; en trente ans, leurs assises sont bouleversées ; ainsi débute un changement essentiel pour toute la société française.

La passion de la terre

La transformation a été imposée du dehors ; dans leur majorité, les Français ne l'ont pas désirée. Alors que déjà l'agriculture était en plein recul, ils ont continué à considérer le sol comme le bien par excellence, celui pour l'acquisition duquel on devait tout sacrifier.

Dans les fortunes privées, la propriété foncière tient une place prépondérante. L'importance des impôts pesant sur la terre en est un premier indice, à vrai dire insuffisant, car, en l'absence de taxation sur le revenu, il est fatal que l'impôt foncier soit très lourd. Contrats de mariage et inventaires successoraux nous renseignent mieux ; on y voit toujours figurer des domaines, qui constituent la meilleure part de l'actif. Il nous faudra revenir sur cette façon qu'ont alors les Français d'employer leur argent, mais il convient, immédiatement, d'insister au moins sur un point : le prix de la terre s'est sensiblement accru entre 1840 et 1880 (fig. 6).

Les variations avaient été faibles durant le premier tiers du XIXe siècle et, dans plusieurs provinces, la valeur du sol n'a pas changé avant 1840 ; on a pu effectuer des calculs très précis dans un assez gros village de l'Yonne, Versigny : sous le Premier Empire, l'hectare a augmenté, mais, de 1815 à 1848, il a régulièrement coûté 2 000 francs. Ailleurs, la hausse a généralement débuté vers 1840 ; en Normandie, et surtout dans l'Orne, l'augmentation la plus considérable a été enregistrée dans les dernières années de la Monarchie de Juillet ; on a signalé un phénomène identique dans les départements alpins qui ont connu, avant 1846, une véritable frénésie d'achats et où les prix ont atteint un niveau jusque-là inconnu. La crise de 1846-1852 a freiné les transactions ; dans l'Orne, les grosses propriétés, difficiles à placer, ont perdu 20 % de leur valeur ; pour être moins marqué, le ralentissement a été également ressenti dans les Alpes. Puis la course a repris ; on n'a jamais retrouvé les progrès vertigineux enregistrés sous Louis-Philippe, la courbe s'est régularisée mais elle est restée orientée vers le haut. A Versigny, l'hectare valait 3 000 francs en 1873 et certaines parcelles atteignaient 3 600 francs. Dans le Morbihan, entre 1840 et 1870, les zones proches de la mer ont doublé ; en revanche, à l'intérieur, le gain moyen n'a été que de 30 %.

Une précieuse enquête, publiée en 1883 par le ministère des Finances, nous permet d'apprécier les changements intervenus durant le troisième quart du siècle. Sur l'ensemble du territoire national, la propriété non bâtie représentait, en 1851, une valeur de 90 milliards de francs ; en 1879, malgré la perte de l'Alsace-Lorraine, elle atteignait 92 milliards. L'augmentation moyenne a été de 11 % pour les bois, 33 % pour les terrains labourables, 90 % pour les vignes.

ANNÉE	VALEUR DE LA TERRE	VALEUR DU CHEPTEL	CAPITAL AGRICOLE TOTAL (terres, bâtiments cheptel, matériel)
1852	61,2	2,8	76
1862	96,3	4,5	110
1872			100
1882	91,6	5,8	106
1892	77,8	5,2	90
1902			80
1912			83

6. Le capital agricole français (en milliards de francs).

La valeur de la terre et du cheptel est indiquée d'après les enquêtes agricoles ; le capital agricole est calculé de façon approximative. Pour 1852, les données ne coïncident pas avec celles de l'enquête réalisée en 1883 par le ministre des Finances ; au contraire elles sont identiques pour 1879-1882.

Ces pourcentages n'ont qu'une signification assez vague ; il convient surtout de s'arrêter à des cas précis. Celui de la Sarthe est intéressant, dans la mesure où la spéculation foncière y a très peu joué ; entre les deux dates envisagées, l'hectare de terrain labourable y est passé de 1 358 à 1 888 francs, l'hectare de prairie de 2 250 à 3 000 francs. Cette plus-value de 30 % environ est celle qu'on enregistre normalement ; on la retrouve dans le Cotentin, dans le Finistère, en Vendée, dans le Lot, le Gers, en fait dans une cinquantaine de départements.

De nombreux facteurs ont contribué à cette ascension. Il y a eu, d'abord, l'amélioration des transports, qui a permis de mieux écouler certains produits. Le vignoble fournit la meilleure illustration de ce phénomène : dans l'Aude, où les vignerons ont bénéficié de l'amélioration du réseau ferré, la hausse des terrains a été de 142 % ; un progrès identique a été enregistré dans la« Ceinture dorée» de Bretagne et surtout autour de Saint-Brieuc. Des pays défavorisés, où le sol avait peu de valeur, Champagne pouilleuse, Montagne Noire, ont profité d'aménagements qui ont considérablement augmenté les prix. Mais la raison décisive a été la pression des acheteurs ; la demande a toujours été considérable ; le goût des Français pour la propriété foncière a maintenu les cours à un niveau élevé.

Il existe d'ailleurs d'autres symptômes, qui viennent confirmer cette tendance. La superficie cultivée n'a cessé d'augmenter. Individuellement ou en petits groupes, les cultivateurs ont défriché d'énormes surfaces ; dans les Alpes, 3 000 hectares stériles ont été, en vingt ans, mis en valeur sur le plateau de Valensole ; en Bourbonnais, l'assèchement des Varennes a permis de gagner plus de 2 000 hectares ; autour des Andelys, 3 700 hectares ont été défrichés entre 1840 et 1860 ; des conquêtes analogues ont été réalisées dans la Crau, dans le Var. L'État est intervenu de façon spectaculaire ; il a accéléré les travaux de bonification en Sologne et dans les Landes, parce que ces progrès répondaient à une attente générale. De 1850 à 1880, on a gagné environ 2 millions d'hectares à la culture ; il s'agit d'une extension considérable, représentant près de 5 % de la superficie utilisée au milieu du XIXe siècle et cette rapide transformation montre encore à quel point la terre intéresse la société française.

Un rapport adressé par le procureur général de Toulouse au ministre de la Justice, le 14 juillet 1856, insiste sur ce point :« Dans ce pays, agricole surtout, et où les capitaux qui se forment ne trouvent pas leur emploi dans des entreprises commerciales, les seuls placements en usage étaient jusqu'à présent des acquisitions de terre, des prêts sur hypothèque, un peu de banque locale et, depuis quelques années, des achats de rente sur l'État.»

« Jusqu'à présent» ? En réalité, les choses ne changent guère dans la décennie suivante. Les classes aisées manifestent un intérêt accru pour les revenus fonciers ; elles procèdent à de grosses acquisitions, s'efforcent de tirer un meilleur parti de leurs locations et, souvent, surveillent directement la mise en valeur de leurs biens.

Sous la Monarchie censitaire, beaucoup d'aristocrates se sont consacrés à l'amélioration de leurs domaines ; le fait a été spécialement marqué dans le Sud-Ouest, où Villèle donnait l'exemple ; en Aquitaine les nobles qui ne dirigeaient pas personnellement les cultures révisaient soigneusement leurs baux et, tel le marquis d'Aragon, possesseur de plus de 350 hectares aux environs d'Albi, en obtenaient de sérieux bénéfices.

Il en va toujours ainsi sous le Second Empire. Près de Toulouse, on voit Louis Théron de Montaugé prendre, en 1854, la charge d'un domaine de 120 hectares ; il y fait des travaux considérables, y améliore le cheptel, si bien qu'à la chute de Napoléon III, il a augmenté de 50 % ses revenus. On observe le même mouvement en Bretagne, en particulier en Loire-Inférieure et en Ille-et-Vilaine ;

Les villages en mouvement

dans le bassin de Rennes, un autre aristocrate, le comte de La Riboisière, veille à la transformation de ses étables, et l'achat de vaches de Jersey accroît de 30 % ses rendements.

La noblesse n'a pas toujours cette persévérance ; il lui arrive de se décourager en voyant quels efforts réclame la terre. Au contraire, la grande et la moyenne bourgeoisie se passionnent pour l'agriculture ; d'une extrémité de la France à l'autre, on retrouve cette tendance. Voici, à l'ouest de Montpellier, un gros négociant en vins, Marès ; ayant pris, à Launac, une propriété de 240 hectares, il se met à sélectionner les vignes, à améliorer les cultures céréalières ; il n'oublie pas l'élevage et il a bientôt huit cents moutons. Dans le Vaucluse, nous rencontrons Jacques Thomas, négociant à Avignon ; sous Louis-Philippe, il avait déjà une centaine d'hectares de sol pauvre ; il a commencé à augmenter ce premier lot et à l'irriguer ; au temps de Napoléon III, la valeur moyenne de ses biens fonciers a quintuplé.

Plus au nord, en Bourgogne, on découvre une expérience qui symbolise ce que la terre représente alors aux yeux des Français. Dans la commune de Festigny, un vaste domaine se trouve à vendre en 1846 ; un Lorrain, qui vit de ses revenus mobiliers et n'a, jusqu'alors, jamais eu de ferme, en fait par hasard l'acquisition. Il comprend vite le profit qu'il peut en retirer ; il réduit les jachères, achète du matériel, multiplie le nombre de ses bovins et leur adjoint des porcs ; en vingt ans, il modifie les conditions de l'exploitation au point que toute la commune se met à son école. Non loin de là, le Bourbonnais connaît des progrès notables après 1860, parce que des bourgeois fortunés, dont le type est Garidel, ont acquis des propriétés, souvent médiocres au départ, et les ont améliorées.

Si la possession du sol demeure l'un des buts principaux des classes riches, elle tient encore plus au cœur de la paysannerie. Dans le Peuple (1846), Michelet évoque cette « faim » de terre qui fait que l'agriculteur est prêt à n'importe quels sacrifices pour devenir propriétaire. Il ne s'agit pas là d'une simple impression et les faits confirment cette tendance.

L'étude des cotes foncières nous donne un premier aperçu de ce phénomène : leur nombre ne cesse d'augmenter, ce qui prouve à la fois que les transactions vont bon train et qu'il y a toujours plus de propriétaires ; de 1826 à 1871, les cotes inscrites progressent de 40 %, soit presque de 1 % par an ; en 1851, on en comptait douze millions quatre cent mille, en 1881, elles sont passées à quatorze millions trois cent mille.

Ce glissement a un double résultat. En premier lieu, la surface des propriétés diminue ; la contenance moyenne des cotes foncières est de 4 hectares en 1851 ; elle tombe à 3 hectares et demi trente ans après. En contrepartie, il y a moins de paysans privés de terre. Les deux enquêtes agricoles de 1862 et 1882 permettent d'utiles comparaisons. En 1862, il existe quelque quatre millions d'exploitants propriétaires mais plus de la moitié d'entre eux sont contraints de louer une partie de la superficie qu'ils entretiennent. En 1882, il reste seulement trois millions et demi d'exploitants indépendants, dont les trois cinquièmes vivent exclusivement de leurs biens propres. Une autre confrontation n'est pas moins éclairante; elle concerne la catégorie des petites propriétés, entre 1 et 10 hectares : dans les vingt années considérées, elle s'est accrue de 50 %.

Ces chiffres sont, toutefois, un peu abstraits. On doit les utiliser avec précaution; la statistique des cotes foncières, par exemple, ne tient pas compte du fait qu'une seule personne peut être inscrite dans plusieurs localités. Il convient donc de voir, dans la pratique, comment l'évolution s'est opérée.

Philippe Vigier a procédé à une telle recherche pour les cinq départements alpins, c'est-à-dire pour une zone très vaste, représentant environ 6 % du territoire français : à cette échelle, il est déjà possible de proposer quelques conclusions. L'ampleur des transactions foncières dans cette région apparaît immédiatement; le juge de paix du canton de Chabeuil (Drôme) note d'ailleurs, en 1848 : « Dans nos pays, presque tous les propriétaires ont acheté à terme; les ventes multipliées de terres en partie brisées les ont incités à joindre un lot de terres de plus à celui qu'ils avaient déjà. »

Deux points méritent de retenir l'attention. D'abord, si toutes les classes sociales se sont, à un moment ou à un autre, intéressées à ces ventes, ce sont des paysans qui ont le plus régulièrement acheté. Pendant les mauvaises années qui marquent le déclin de Louis-Philippe et la Deuxième République, les bourgeois se sont tenus sur la réserve et ont eu peur d'immobiliser leurs capitaux; au contraire, les petits exploitants et parfois les métayers, voire les journaliers, ont profité de ce que l'offre ne diminuait pas pour se rendre acquéreurs. D'autre part, on a vu augmenter simultanément le nombre des petites cotes et la contenance de celles-ci; dans l'Isère, les cotes de moins de 5 hectares représentaient 30 % du territoire approprié en 1826; elles sont passées à 40 % en 1869.

Aucune région n'est aussi bien connue que les Alpes, mais il est cependant possible de procéder à certains recoupements. L'augmentation des cotes foncières est un fait observable partout. Elle semble atteindre son maximum dans le Midi méditerranéen, en particulier dans les Bouches-du-Rhône, où elle est de plus de 50 % durant la période considérée, et dans l'Hérault. Des raisons particulières ont joué ici : les sols étant très variés, chaque cultivateur a cherché à posséder un lot dans les différents types de terroir et la division a atteint un degré extrême. Dans le Sud-Ouest et le Massif central, l'accroissement a varié entre 30 et 40 %.

Dans les provinces méridionales, l'amenuisement des propriétés est un fait constant. Entre 1851 et 1881, la contenance moyenne par cote tombe de 3,81 à 2,9 hectares en Haute-Garonne, de 5 à 4 hectares dans le Tarn. Certaines parcelles atteignent des dimensions ridiculement petites : à Cadenet, sept cents propriétaires se partagent cinq mille parcelles et les moindres d'entre elles ont parfois

3 mètres de largeur. En Provence intérieure, dans le Comtat, dans les Cévennes et l'Uzégeois, de petits exploitants, profitant de quelques bonnes années, ont épargné et acheté. Dans la plaine de la Garonne, les cultures spécialisées ont apporté un peu d'argent ; l'emploi d'une main-d'œuvre familiale a réduit les frais et ce sont encore des paysans propriétaires qui ont accru leurs lopins.

Au nord de la Loire, les choses se présentent de façon différente ; les ventes ne sont pas aussi nombreuses et elles ne favorisent pas toujours les paysans ; au centre du Bassin parisien, en particulier en Valois et en Beauce, au contraire de ce que nous venons de signaler, le nombre des cotes foncières a tendance à diminuer ; dans le Soissonnais, le Vexin, en Brie, les transactions ne sont pas rares, mais elles ne profitent jamais aux petits exploitants, dont la proportion ne cesse de diminuer avant 1880. Une tendance identique se retrouve en Caux et dans le pays de Bray. Il faut atteindre la Picardie pour voir le pourcentage des petits propriétaires se maintenir. Pour toute la Normandie occidentale, l'Orne est le seul département où les exploitants modestes enregistrent des progrès, au demeurant assez minces, puisqu'on passe de 150 000 propriétaires en 1850 à 162 000 en 1870.

Ce contraste entre le Nord et le Sud s'explique aisément. Au nord, les terres valent souvent fort cher : en pays d'Auge, les herbages montent à 5 000 ou 6 000 francs l'hectare ; en Beauce, 4 000 francs est un prix modeste. Ici, les biens fonciers constituent toujours un bon placement et la bourgeoisie fait main basse sur ce qui est à vendre. Dans le Bassin parisien et en Normandie, le paysan ne renonce pas à arrondir son exploitation, mais il a peu d'espoir d'en être propriétaire ; il cherchera plutôt à trouver une grosse ferme, dont il accroîtra peu à peu la superficie ; nous irons chercher, en Brie, une illustration de ce mode d'accession à la terre ; Léon Fontaine, fils d'un charretier du bourg de Fouju, est né en 1834 ; jusqu'à sa majorité, il a travaillé comme berger, puis comme valet ; il est ensuite devenu surveillant du personnel dans un gros domaine ; il a économisé sur ses gages pour pouvoir, à trente-six ans, prendre la charge d'une importante ferme dont il va désormais s'attacher à élargir les limites.

Dans le Sud, en revanche, le sol coûte généralement moins cher. Les classes riches n'en attendent pas les mêmes avantages. Nombre de bourgeois ont acquis des domaines sous la Monarchie de Juillet, mais se sont découragés en constatant combien une mise en valeur sérieuse était difficile ; des hobereaux qui vivaient dans leur propriété ont pris goût à l'existence urbaine et, petit à petit, se sont désintéressés de la campagne. Autour de 1860, dans l'Est aquitain, un propriétaire qui ne s'occupe pas personnellement de ses biens en tire seulement un revenu de 3 % : il lui semble préférable de vendre et de placer ailleurs son argent. On cite beaucoup de cas de semblables désertions ; s'il n'en faut retenir qu'un, on prendra celui du comte de Castellane : au milieu du XIXe siècle, il possède un énorme bloc de 800 hectares dans la commune d'Esparron-du-Verdon ;

mais la mauvaise période qui débute en 1846 lui est fatale, il ne parvient plus à tirer un parti suffisant de ses terres et il s'en débarrasse.

Le dépouillement des cadastres est un exercice austère. Il a pourtant semblé utile d'en donner plusieurs exemples, pour montrer combien les situations sont variées. Malgré de très fortes dissemblances, on perçoit un phénomène évident : les biens fonciers se vendent, s'échangent, et l'ampleur des transactions prouve que la société reste attachée aux valeurs terriennes. La petite propriété s'est beaucoup étendue dans les départements méridionaux ; au nord, ce sont surtout les domaines moyens qui ont grandi. Partout, les exploitants manifestent un désir identique : ils veulent acquérir le sol, augmenter, à tout prix, le lot dont ils disposent.

Résistance des traditions familiales

Ce réflexe apparaît chez les pauvres comme chez les riches. Sur le plateau picard, les journaliers mal payés économisent une fraction de leurs faibles salaires pour acheter 2 ou 3 ares de jardin. Dans le moindre village, on est à l'affût des parcelles à vendre. En bordure du Bassin parisien, arrêtons-nous à une bourgade moyenne du Laonnais, Sains ; les terres sablonneuses et par place fort humides n'y sont pas d'une merveilleuse fertilité si bien que les cours demeurent raisonnables ; tous les habitants sont propriétaires, mais le tiers d'entre eux a moins de 10 ares ; on peut s'attarder chez un exploitant moyen, père de deux fils, qui a 5 hectares en pleine propriété et consacre quelques heures à aider des voisins mieux lotis ; parents et enfants travaillent toute l'année, font, pendant l'hiver, des objets artisanaux que leur commande un marchand de Laon ; en se restreignant à l'extrême, ils économisent 200 ou 300 francs par an, de quoi acquérir un hectare de plus après une décennie d'efforts.

La condition paysanne change peu sous le Second Empire ; l'administration accuse la routine mais celle-ci compte moins que le désir d'épargner. Le logement ne se transforme à peu près pas ; vers 1870 une ferme de la Thiérache demeure ce qu'elle était cinquante ans auparavant ; elle comporte une seule grande pièce ouverte sur l'extérieur, qui sert à la fois de salle commune et de chambre pour les parents ; en annexe, elle possède une soupente où se trouvent la pierre d'évier et le lit des enfants ; les murs de moellons et la couverture d'ardoise sont de bonne construction, mais la terre battue sert de plancher.

L'alimentation n'a rien perdu de sa monotonie. Là où l'élevage a progressé, en Normandie, en haute Bretagne, la viande est moins rarement consommée ; pourtant, en 1884 encore, dans l'arrondissement de Châteaubriant, une famille de cinq personnes, réellement aisée, n'utilise la viande que trois fois par semaine ; dans le Morbihan, la ration est seulement de 10 kilos par personne et par an.

La farine et les légumes représentent le fond de l'alimentation quotidienne. L'accession à une certaine aisance ne change rien aux habitudes anciennes et, d'un foyer à l'autre, d'une province à une autre, les menus varient peu.

Prenons d'abord un foyer pauvre, à Saint-Quay, dans les Côtes-du-Nord; le père, la mère, leurs deux enfants exploitent un peu plus d'un hectare, ce qui leur permet d'avoir une vache; ils se louent à la journée, dans les fermes voisines; le matin, à midi et le soir, ils ont une soupe de légumes épaisse, du pain, et, un jour sur deux, une tranche de lard. Passons maintenant chez des éleveurs des Hautes-Pyrénées : leurs prés leur appartiennent et ils vendent sans peine leur lait à Cauterets; bien qu'ils aient de l'argent, ils mangent, à peu près comme les Bretons, le matin de la soupe aux choux avec du pain, à midi et le soir des pommes de terre et de la bouillie de céréales et, trois fois par semaine, du porc.

La frugalité est une forme d'épargne. Elle s'intègre dans un ensemble de traditions qui contribuent à protéger, à garantir, la conservation de la terre patrimoniale. L'autorité du chef de famille demeure presque incontestée. Au fond des vallées pyrénéennes, l'aïeul, qui garde sous son autorité enfants et petits-enfants, est entouré d'une profonde vénération. Dans les fermes du plateau jurassien et de la haute vallée de la Saône, le père est un petit souverain qui décide seul des cultures et des achats; à table, il est servi à part, le premier, tandis que les autres attendent debout qu'il ait fini pour se mettre à manger; à sa mort, il est remplacé non par l'aîné, mais par le plus capable, qui hérite de son entier pouvoir.

Philanthropes et sociologues déplorent à l'envi, depuis la chute de l'Empire, la déplorable coutume des partages successoraux imposée par le Code civil. En réalité, la loi n'est strictement respectée que dans le Midi où le souvenir du droit romain ne s'est pas effacé. Ailleurs, il existe mille façons de la tourner. En général, le droit d'aînesse subsiste en pratique; dans le Morbihan, en Vendée, le fils aîné reste à la terre et verse une compensation à ses frères quand ils s'en vont. Dans les Hautes-Alpes, les parents s'associent un enfant qui prend peu à peu leur place. Mais la coutume la plus répandue est simplement l'association : les héritiers, au lieu de partager, restent ensemble pour procéder à l'exploitation; en Bourbonnais, en Limousin, de grosses fermes sont tenues ainsi par des communautés; chaque fils, quand il se marie, quitte le toit paternel pour s'installer dans un bâtiment voisin, tout en demeurant au service de son père.

Les enfants jouent un rôle capital dans l'exploitation; ils constituent une main-d'œuvre auxiliaire indispensable pour les moissons et pour la garde des animaux; après quatorze ans, les garçons fournissent le travail normal d'un adulte; le mariage est donc retardé aussi longtemps que cela est possible; il n'est pas rare que les fiançailles durent plusieurs années; en Bretagne, l'âge normal des noces est de vingt-huit ans pour les filles, trente ans pour les hommes.

La stabilité des mœurs familiales ne doit pas tromper : une grande évolution est déjà en cours et les coutumes villageoises, autrefois respectées, sont fortement battues en brèche. Les pratiques communautaires, l'usage des prairies communales, la tolérance du glanage, étaient encore en vigueur sous la Monarchie de Juillet ; en Bourgogne, en Champagne, on continuait à payer des pâtres villageois. La transformation vient vite après 1850 ; une loi votée par la Législative autorise le partage des terrains non appropriés ; les municipalités louent leurs prés ; dans les montagnes, elles afferment à des négociants l'exploitation de leurs bois. En Bretagne, sur 76 000 hectares de biens municipaux, 36 000 sont partagés entre 1850 et 1870. Cette différence d'évolution est normale : la cohésion familiale protège la propriété, garantit l'étendue de l'exploitation ; la suppression des biens communautaires accroît les disponibilités ; elle répond si bien au désir général que, souvent, elle est réclamée à la fois par les gros exploitants qui pensent en profiter et par les ouvriers agricoles qui espèrent trouver là une première parcelle de terrain. Mais c'est une atteinte considérable à l'ancien état de choses ; le vieux système rural commence ainsi à se lézarder.

Lenteur des progrès agricoles

L'agriculture a connu des progrès certains dans le troisième quart du siècle ; les récoltes céréalières ont augmenté, le cheptel s'est amélioré, les revenus de la terre ont crû de 2 % environ chaque année. Les campagnes donnent alors une impression superficielle d'aisance ; elles semblent engagées dans la voie de la modernisation. En réalité, les changements sont extrêmement lents.

Les techniques n'ont à peu près pas évolué. Un matériel nouveau, expérimenté en Angleterre ou aux États-Unis, a fait son apparition en France, sans grand succès. Les agronomes accusent la méfiance paysanne et regrettent que les vieux outils ne soient pas mis au grenier. C'est, en réalité, que ces derniers conviennent mieux au système d'exploitation en vigueur.

Les instruments neufs sont extrêmement coûteux ; on ne parle même pas des batteuses, qui seraient inutiles à la majorité des petits exploitants. Plus simplement, la charrue métallique est inaccessible à beaucoup de paysans. L'antique araire est, au contraire, l'engin villageois par excellence ; elle est simple à fabriquer et les artisans locaux la confectionnent ; elle manque de solidité, mais l'utilisateur la répare lui-même ; facile à manier, elle convient à des champs exigus ; un attelage modeste lui suffit. Aux comices agricoles et dans les expositions, on célèbre les avantages du brabant, charrue réversible, qui creuse profondément le sol ; cet outil perfectionné, construit par un mécanicien, vaut trois à quatre fois autant qu'une araire. On imagine les calculs auxquels se livre un petit fermier, quand, par hasard, on lui propose un tel équipement : il lui faudra y consacrer toutes ses économies ; il devra augmenter son écurie, car le lourd engin réclame en général quatre bêtes ; sa terre sera mieux retournée, mais, après les semailles, au lieu de se borner à enfoncer le grain par un second labour, comme il le faisait avec l'araire, il devra passer une herse et un rouleau. L'outil traditionnel se suffit car il est simple ; la machine moderne entraîne à d'autres dépenses.

La plupart des paysans reculent devant le changement, parce qu'ils n'épargnent pas leur peine ; tant que la famille reste unie, la main-d'œuvre ne coûte rien. La préparation du sol réclame souvent un effort considérable ; dans les régions calcaires comme la Champagne ou la basse Bourgogne, sur les boulbènes du Sud-Ouest, il faut briser la croûte qui s'est formée à la surface en retournant le sol à la bêche, puis rompre les mottes ; les hommes passent d'abord et, après qu'ils ont défoncé la terre, femmes et enfants l'émiettent avec des pioches ou parfois des maillets de bois. Le « buttage », formation de petits monticules de terre au pied des tubercules et des arbres, est effectué à la bêche. Au printemps, le nettoyage des mauvaises herbes et l'éclaircissement se font à la main. La faux a réalisé de larges conquêtes ; elle n'est pas extrêmement chère et permet de mieux récupérer la paille. En revanche, le battage au fléau persiste.

Les enquêtes de 1862 et 1882 donnent une image des progrès réalisés. En 1862, pour quatre millions d'exploitations, on compte à peu près dix mille moissonneuses, autant de faucheuses et de semoirs ; les nombres sont identiques pour les trois ordres d'instruments parce qu'ils appartiennent à la même catégorie de grands domaines ; en 1882, les semoirs sont trois fois plus nombreux, moissonneuses et faucheuses deux fois seulement ; il est manifeste que seuls des agriculteurs fortunés se sont imposé semblables dépenses.

Le but du paysan est d'abord de satisfaire à ses propres besoins ; il cultive les céréales et les légumes qui lui sont nécessaires. Sur ce plan, on constate une certaine évolution. Vers 1840, en Champagne, le méteil et le seigle dominent ; quarante années après, le méteil a disparu et le seigle ne subsiste que comme culture d'appoint ; le blé l'a partout emporté et les ruraux consomment du pain blanc. Dans le Massif armoricain, le sarrasin, plante peu exigeante, à la végétation rapide, a été longtemps roi ; vers 1880, il ne subsiste que dans les îlots comme l'Avranchin et il cède peu à peu sa place au froment.

Les céréales sont de mieux en mieux soignées. Dans tout l'Ouest, le seul engrais était jadis celui que procurait l'écobuage, c'est-à-dire le transport des herbes de la lande qu'on faisait brûler et dont on répandait les cendres sur le terrain à fertiliser. On se met à utiliser largement la « tangue », engrais d'origine marine ; on découvre l'importance de la chaux pour ces sols acides ; dès 1850, des sables calcaires sont transportés par bateau jusque dans les Côtes-du-Nord ; en 1857, la voie ferrée atteint Rennes et permet l'arrivée du calcaire de la Mayenne.

Le progrès de certaines méthodes culturales est un fait bien attesté. On remarque que la superficie consacrée au blé augmente à peine, que la rotation des cultures ne varie pas et que, sauf en Picardie ou en Beauce, la jachère garde ses droits. Pourtant les récoltes augmentent (fig. 7) parce que les rendements sont meilleurs : le froment donne 14 hectolitres à l'hectare en 1852, 18 hectolitres en 1882. Dans le Loir-et-Cher, Georges Dupeux a calculé que le gain a été de 50 % pour le blé, que les rendements de l'avoine et de l'orge ont doublé entre 1850 et 1885; il note que ce progrès est, pour une part, lié à l'augmentation des ensemencements, mais que la plus-value obtenue sur les récoltes est supérieure à l'accroissement des semis. C'est que les cultures sont mieux soignées; les sociétés d'agriculture se sont efforcées de répandre quelques recettes simples, dont les paysans tirent profit; en Lorraine, en Champagne, on passe plusieurs fois l'araire avant les semailles, on retourne profondément le sol pour enfouir les graines; ces précautions élémentaires ont déjà d'heureux résultats.

D'autres améliorations importantes concernent les légumes et les arbres fruitiers. Dans la vallée de la Saône et le Massif central, la pomme de terre était peu répandue avant 1850; elle n'apparaissait que dans les jardins, ou parfois comme culture intercalaire entre les plants de vigne; il suffisait d'une maladie comme celle de 1847 pour qu'elle vînt à manquer. A partir de 1860, ses conquêtes s'étendent et la récolte de 1880 est supérieure de moitié à celle de 1850.

Les arbres étaient, avant 1850, très négligés; on les laissait se développer sans aucun soin. Sous l'Empire, les paysans normands et bretons découvrent que le pommier peut constituer un excellent appoint, en donnant à la fois des fruits et du cidre; ils prennent l'habitude de le tailler et ils lui réservent une place importante au milieu de leurs prairies.

D'année en année, le paysan vit un peu mieux. Mais le changement est si lent qu'il demeure, sur le moment, insensible. Rares sont les cultivateurs qui cherchent à améliorer leurs conditions d'existence; s'ils traversent une bonne période, ils économisent pour acheter de la terre. Parfois, ils en profitent pour acquérir une vache dont ils vendront le lait : le cas est fréquent dans le Bocage normand, dans le Perche, où de modestes fermiers entrent ainsi dans la catégorie des agriculteurs qui tirent de leurs produits un bénéfice en argent.

Là semble bien se trouver, en définitive, une des lignes de clivage essentielles dans la vie du monde rural. La majorité des agriculteurs subsiste médiocrement de ce qu'elle parvient à tirer du sol, mais une minorité sans cesse accrue cherche à se créer des ressources en numéraire.

La crise de 1846-1853 est intéressante dans la mesure où elle permet de mesurer, dès le milieu du siècle, cette différence. *A priori*, il semblerait que tous les paysans aient été gravement perturbés par cette longue série de mauvaises récoltes. En fait, on se rend vite compte que seuls ceux qui produisaient pour le marché ont durement souffert; dans le Gard, l'Ardèche et la Drôme, les éleveurs de vers à soie sont ruinés. Une autre catastrophe survient dans le Sancerrois, l'Aube, et plus généralement l'ensemble des pays de vignoble; les vignerons

Les villages en mouvement   31

n'écoulent plus leur vin et ne parviennent pas à acheter le blé dont ils auraient besoin, d'autant plus que le prix des céréales a augmenté. Mais, dans les régions de polyculture à prédominance céréalière, comme la plaine de Caen, le haut Maine, l'Alsace, il n'y a pas véritablement de crise; la production suffit à la demande locale. Bientôt, quand les agriculteurs constatent que les villes risquent de souffrir de pénurie, ils acceptent de vendre une partie de leurs propres réserves, et ils en tirent des profits sur lesquels ils ne comptaient pas. Au total, les agriculteurs vivant de leurs exploitations n'ont en général pas souffert et ils ont parfois tiré avantage de cette suite d'années médiocres.

Sous le Second Empire, la distinction entre les deux types d'exploitations tend à s'accentuer. Les agriculteurs qui vivent pour eux-mêmes ne songent guère au progrès. En revanche, ceux qui ont une clientèle à satisfaire réalisent de véritables conquêtes.

L'essor le plus spectaculaire est celui de la vigne. Jusqu'à la crise phylloxérique, c'est-à-dire jusqu'aux dernières années de Napoléon III, le vin connaît en France une vente assurée; la superficie consacrée aux vignes ne cesse de s'étendre : en 1860, elle dépasse celle du seigle, de la pomme de terre, et représente le quart de celle du blé; dans le seul département de l'Aude, les vignes doublent entre 1850 et 1880. Répondant à l'enquête de 1862, le juge de paix d'Auxerre écrit : « L'aisance et le bien-être proviennent principalement de la culture de la vigne », et, de fait, à cette date, l'Auxerrois expédie 750 000 hectolitres de vin sur Paris chaque année. La vente du vin a pris une telle extension que les propriétaires de vignobles « nobles », Bordelais et Bourguignons, finissent par s'inquiéter : en 1856, on assiste, en Côte-d'Or, à une grande campagne pour la protection des vins de qualité. Les besoins sont trop considérables pour qu'une telle demande ait des chances d'aboutir et les vignerons connaissent alors une période exceptionnellement faste.

Mais le progrès majeur concerne l'élevage. Il y a là un bouleversement considérable, dont les conséquences se feront longtemps sentir, et il ne semble pas inutile d'en examiner les aspects régionaux. La transformation paraît liée à un changement dans la qualité du bétail : on a appris à choisir les animaux et à les soigner. Les bêtes ne manquaient pas, vers 1850. La plupart des exploitations avaient leurs vaches et leurs moutons qu'on laissait au hasard des terrains vagues et dont on utilisait sur place le lait et la laine. Dans le troisième quart du siècle a lieu une double modification : d'un côté, les petites exploitations améliorent leurs animaux; d'un autre côté, profitant de la demande de viande et de produits laitiers qui s'accroît dans les villes, certaines régions se tournent exclusivement vers l'élevage.

Le premier mouvement est lent et ne va pas sans hésitations. En Loir-et-Cher, on voit le troupeau bovin augmenter peu à peu jusque vers 1865; mais il est atteint par une épizootie, deux années de sécheresse diminuent les fourrages, on enregistre des pertes qui ne commencent à être réparées qu'après 1877. Malgré ces retours en arrière, le progrès est certain. Il tient d'abord à une certaine sélection : sous la Monarchie censitaire, la Bretagne élevait des chevaux de selle ; elle les nourrissait mal et n'avait que des bêtes efflanquées, à peu près inutilisables ; au milieu du siècle, de gros propriétaires commencent à adopter de fortes bêtes, croisées de Boulonnais et d'Ardennais, excellentes pour les charrois et les gros travaux ; leur exemple porte et, vers 1885, la Bretagne est devenue une des principales régions d'élevage chevalin. Les bovins bénéficient à leur tour de ces expériences ; la race la plus répandue dans l'Ouest est la « pie noire », vache maigre, sobre, « vache du pauvre » qui se contente de brouter l'herbe au long des chemins ; vers 1860, Bretons et Vendéens découvrent qu'ils pourraient ne pas laisser leurs bêtes livrées à elles-mêmes ; consacrer de bonnes terres aux pâturages ne semble plus une hérésie ; lentement, après 1865, les fourrages artificiels font leur apparition : en 1862, ils n'occupent qu'une place insignifiante ; en 1882, ils couvrent un quart du territoire agricole dans la haute Bretagne et le Maine ; pour l'ensemble des départements du Massif armoricain, la densité des bovins varie de 31 à 36 bêtes pour 100 hectares, ce qui représente la plus forte proportion en France. En 1840, le poids moyen des vaches était, en Ille-et-Vilaine, de 150 kilos ; en 1882, il est passé à 215 kilos ; entre ces deux dates, le rendement en lait des vaches mancelles a augmenté d'un tiers et les pays de l'Ouest sont devenus exportateurs de beurre.

Dans le Massif armoricain, l'amélioration du cheptel ne modifie pas réellement l'économie agraire et les céréales gardent leur prépondérance. Il en va de même en Aquitaine ; en Guyenne, dans le Quercy, blé, maïs et vigne restent les grandes cultures : mais, comme le vin et les grains se vendent irrégulièrement, les petits fermiers prennent l'habitude d'avoir plusieurs vaches et de nourrir des volailles ; il ne s'agit pas là d'un renouvellement puisque, entre 1850 et 1880, le nombre des bovins passe simplement de 130 000 à 185 000 dans le Lot-et-Garonne ; l'élevage n'a fait que compléter le système traditionnel.

Le Bourbonnais connaît, en revanche, une profonde transformation. Vers 1850, on n'y rencontrait qu'un pauvre bétail, croisement de bêtes du Limousin et du Charolais ; ces bovins, mal nourris, étaient maigres, se reproduisaient mal, de sorte qu'ils semblaient invendables. Les modifications surviennent après 1860, sous l'impulsion de quelques propriétaires urbains qui ont acheté des domaines et veulent en tirer un revenu ; les bêtes sont systématiquement remplacées par des bœufs du Charolais, les fonds marécageux sont assainis pour fournir de bonnes prairies, les fourrages artificiels font leur apparition. En vingt ans, le prix de l'hectare de pré est multiplié par trois et les animaux, autrefois dédaignés, sont vendus jusqu'à 1 500 francs la paire.

Le Bourbonnais a exigé certains aménagements ; ailleurs, dans le Charolais, dans le pays d'Auge, il n'a même pas été nécessaire d'améliorer le sol. Ici, les herbages n'ont besoin d'aucun soin particulier; les seuls efforts consistent à acheter de bonnes bêtes au printemps et à bien les revendre; en commençant tôt et en vendant des bêtes à demi engraissées, certains emboucheurs du pays d'Auge font passer jusqu'à trois séries de bovins dans leurs prés. En quelques années, les cultures disparaissent, les bois reculent, pour faire place à l'herbe.

Les résultats n'ont pas toujours été aussi heureux; dans le Barrois et en Argonne, à partir de 1860, des fermiers ont cherché à introduire et à élever des vaches suisses; ceux de la vallée de l'Ornain, grâce à la proximité du chemin de fer, écoulent leur lait; au contraire, ceux de la vallée de l'Aire, faute de débouchés, doivent abandonner l'expérience.

Les revenus agricoles

On ne saurait donc, sans exagération, parler de « révolution agraire » sous le Second Empire. Par beaucoup de traits, les campagnes restent proches de ce qu'elles étaient sous l'Ancien Régime; les récoltes demeurent soumises à des variations brutales, qui ont de graves répercussions dans tout le pays : celles de 1853 et 1855 sont partout déficitaires et l'on voit reparaître la menace du pain cher; 1855 est, en France, la dernière année où le ravitaillement soit difficile. En 1867, les rendements sont à nouveau catastrophiques et seules les importations permettent la soudure. En revanche, la production céréalière de 1873 est une des meilleures du siècle.

L'opinion ni le gouvernement ne s'inquiètent de ces changements brusqués; il est admis que l'on peut faire des stocks, et importer au besoin. L'augmentation de la consommation agricole est tenue pour une bonne chose : les ruraux, certains d'écouler tous leurs produits, se déclareront satisfaits.

Telle est d'ailleurs l'impression qui domine dans les milieux officiels : les paysans sont contents, ils se montrent reconnaissants à l'égard du régime. Répondant à l'enquête de 1862, le maire de Cormeray (Loir-et-Cher) déclare : « Depuis quelques années surtout, la population a acquis une certaine aisance au moins apparente...; chacun se donne une espèce de confortable inconnu jusqu'alors...; en un mot, les habitants, en général, se nourrissent beaucoup mieux que par le passé; de là une santé meilleure et une génération plus robuste. »

Pour nuancer des conclusions optimistes, il est nécessaire d'essayer de voir comment ont évolué les revenus des agriculteurs.

Un premier point doit tout de suite retenir l'attention : en 1862, sur 7 400 000 cultivateurs, il y a plus de 2 millions de domestiques et près de 900 000 journaliers. Parmi ces derniers, certains ont profité du mouvement général; ils ont acquis quelques ares de terrain, ont pu cultiver des légumes ou élever des animaux. Pourtant la majeure partie d'entre eux ne doit compter que sur son salaire.

Les rétributions avaient peu varié dans la première moitié du siècle ; souvent, les domestiques se succédaient de père en fils dans une exploitation où ils étaient logés et nourris ; ils acceptaient de recevoir toujours les mêmes sommes. Les meilleures annuités étaient versées dans le Bassin parisien ; dans la Brie et dans le Valois, un charretier, domestique déjà spécialisé, avait 300 ou 350 francs ; en revanche, dans les Cévennes et le Vivarais, un valet recevait de 60 à 100 francs, une servante de 50 à 80 francs. La plupart des manouvriers étaient en fait des saisonniers, qui se louaient une partie de l'année et, le reste du temps, se consacraient à leur lopin ou à un travail artisanal.

Vers 1860, le retard des salaires agricoles devient patent. Le plus grand soin apporté aux cultures exige un surcroît de travail ; l'adoption de certaines cultures a le même résultat : en Limagne, en Beauce et en Brie, en Flandre, la betterave entre dans l'assolement ; à cause du sarclage puis de l'arrachage, elle impose une augmentation de la main-d'œuvre. Dans la plaine de Caen, en Picardie, en Lorraine, les blés sont semés de façon plus dense ; dans ces régions humides, ils sont souvent versés par l'orage : il faut les relever à la main avant de les scier ; comme la quantité de grain s'accroît, les battages durent longtemps. En un mot, à la différence de ce qui s'est passé en Angleterre, les premiers progrès agricoles ont été obtenus, au XIXe siècle, non grâce à la machine, mais par une augmentation de l'effort humain.

Les bras manquent et les exploitants sont obligés de consentir des sacrifices. Dans la Brie, les charretiers obtiennent jusqu'à 650 francs en 1875 ; en Champagne, les bergers passent de 240 à 380 francs entre 1841 et 1875 ; même dans le Midi, les prix augmentent. Les domestiques connaissent alors une assez bonne période ; les foires de louage annuelles, qui ont lieu généralement en août, à la Sainte-Claire, retrouvent une ampleur qu'elles avaient perdue. Il est d'ailleurs symptomatique que le nombre des domestiques de ferme hommes n'ait pas diminué : ils étaient 1 460 000 en 1862, ils sont encore 1 420 000 en 1882 ; seules les servantes, dont les rémunérations n'ont pas autant progressé, se sont laissé attirer par les villes.

Les tâcherons ont aussi profité de la situation ; en Picardie, les cinq semaines de la moisson, payées 50 francs en 1841, montent à 70 francs trente ans plus tard. Pour importante qu'elle soit, une telle augmentation demeure insuffisante ; elle n'a de sens que pour un journalier propriétaire. En Bourbonnais, un manouvrier reçoit, en 1865, 2 francs par jour en juillet et en août ; mais il ne trouve pas d'emploi durant les trois mois d'hiver ni au début du printemps ; à l'automne, il ne gagne souvent que 50 centimes ; une bonne année lui laisse 250 francs et, s'il est marié, s'il a des enfants, il lui faut trouver d'autres ressources ; s'il a un jardin et s'il porte au marché ses légumes, où s'il vend le lait de sa vache, si sa femme fait des journées, il parvient à doubler son gain ; avec 500 francs par an, en louant 30 francs une mauvaise maison, en mangeant mal, il parvient à subsister.

Les villages en mouvement   **35**

La situation devient dramatique quand il n'a pas d'autre revenu. Sous le Second Empire, on assiste à une grave crise de l'artisanat rural ; la petite métallurgie aquitaine, les textiles normands employaient à mi-temps des ouvriers qui s'arrêtaient l'été pour les gros travaux des champs : ces activités déclinent ; dans le Velay et le Forez, les femmes de journaliers faisaient de la dentelle et des broderies ; en moins de dix ans, elles voient disparaître cette ressource. La vie des tâcherons devient si incertaine qu'ils ont tendance à émigrer vers les villes : entre 1850 et 1882, plus de 200 000 journaliers, soit près du quart de leur effectif, abandonnent la campagne. Ces départs échelonnés font peu d'impression et les rapports préfectoraux parlent rarement du problème. Pourtant, l'existence difficile des ouvriers agricoles montre que la condition rurale est loin d'avoir unanimement progressé après 1850.

La situation des exploitants est sensiblement différente. Ceux qui ont pu se spécialiser ont toutes raisons de se montrer satisfaits. Il s'agit en particulier des producteurs de légumes et des maraîchers. Certains d'entre eux n'ont eu qu'à se laisser guider par la conjoncture. En Léon et en Trégorrois, les jardiniers ont pris dès le xviiie l'habitude de vendre sur les marchés de Brest et de Morlaix ; l'arrivée du chemin de fer les incite simplement à spécialiser leurs cultures et à grouper leurs expéditions ; ils soignent minutieusement leurs terres, sont parmi les premiers à recourir au marnage, achètent buttoirs et charrues, se servent d'engrais. Le filage domestique, longtemps important, disparaît en une décennie pour permettre aux femmes de se consacrer aux légumes, infiniment plus rémunérateurs. Bien que les superficies soient très petites, des maraîchers de Roscoff parviennent à réaliser, en 1865, un bénéfice montant jusqu'à 600 francs par ménage.

L'évolution n'a pas été sensiblement différente dans le Val de Loire ; ici encore, les villes achetaient des primeurs depuis trois cents ans, du vin depuis un siècle ; les superficies étaient réduites et on les travaillait avec une extrême minutie. L'ouverture du marché parisien n'introduit pas de véritable bouleversement ; simplement, on cherche à produire plus vite des denrées de qualité constante ; le matériel se perfectionne, on travaille plus profondément la terre, on protège les vignes contre les parasites, on remplace la bêche par le buttoir et on achète des animaux de trait.

Au contraire, la basse Provence a traversé une période difficile avant d'arriver à l'aisance. La maladie du mûrier, qui ne cesse de progresser à partir de 1846, est bientôt suivie par une baisse continue des cours céréaliers ; la vigne remplace peu à peu le blé à partir de 1860, mais, dès 1864, elle est atteinte par le phylloxéra. Il faut une réorientation complète, que l'achèvement du P.L.M., en mars 1849, rend possible ; les cultures de légumes débutent timidement après 1852, mais elles ne connaissent leur grande extension qu'à partir de 1865. La basse Provence connaît alors une bonne décennie qui s'achève en 1875 avec l'extension de la maladie de la vigne et l'élimination de la garance comme plante tinctoriale. Dans cette région, la spécialisation a sauvé les agriculteurs du désastre, mais elle est venue tardivement et elle n'a pas assuré, comme en Bretagne ou dans le Val de Loire, une prospérité sans nuages.

Les régions de grand élevage ont été, elles aussi, favorisées. Dans le Jura, en Chartreuse, dans les Pyrénées, l'exploitation du bois a reculé, au profit des animaux. Grâce aux bêtes, la vie rurale est devenue moins pénible : sur les chaînes pyrénéennes, les cultures céréalières ont à peu près complètement disparu ; dans la partie montagneuse des Hautes-Pyrénées, les cultures de blé, de seigle et de légumes occupent seulement 12 % du territoire utilisé en 1860 ; les agriculteurs tirent deux tiers de leurs revenus de l'élevage bovin et les moutons leur procurent le reste. Autour des villes, la vente du lait et du beurre est une ressource importante, mais les grandes zones d'élevage, Charolais, Bourbonnais, Jura et Alpes, gagnent plus encore à faire le trafic des bêtes sur pied.

Une autre catégorie favorisée a été celle des grands agriculteurs capitalistes d'Artois et de Picardie, de Beauce, de Limagne ; ces hommes ne sont « exploitants» que de nom et l'augmentation très importante des revenus que leur a procurés la terre sort du cadre de la société rurale.

Entre 1850 et 1880, la majorité des paysans français se contente d'une petite polyculture à base de céréales et de vin. Ici encore, les calculs de Georges Dupeux permettent une première approche. Dans le Loir-et-Cher, en ne considérant que des moyennes, on s'aperçoit que le prix du froment a augmenté jusqu'en 1873, puis qu'il a commencé à baisser ; durant la période ascendante, la hausse globale a été d'environ 25 % et comme la productivité s'est accrue, les exploitants qui vendaient du blé ont réalisé de forts bénéfices ; ensuite, l'amélioration des rendements a compensé le recul des prix. Au total, entre 1851 et 1882, le revenu procuré par la vente des céréales a doublé.

A cette vue cavalière très encourageante, il faut en juxtaposer une autre qui tienne compte non du mouvement général, mais des variations annuelles. On découvre alors une évolution extrêmement saccadée, avec, sur quelques années, des variations de 80 % : en Haute-Garonne, l'hectolitre de blé passe de 23 francs entre 1860 et 1862 à 17 francs entre 1863 et 1865 ; la mauvaise récolte de 1867 le fait monter à 29 francs, mais il retombe à 20 francs deux ans après. Ces sautes brutales sont catastrophiques pour les exploitants ; ils ne peuvent faire de prévisions et cette instabilité contribue à les détourner d'améliorer leurs cultures ; ils préfèrent mettre de côté ce que leur donnent les bonnes années, et vivre toujours avec le minimum.

Les vignerons sont soumis aux mêmes aléas, avec des écarts encore plus marqués. Dans une région de monoproduction comme l'Aude, si la récolte a été bonne dans toute la France, si le Massif central, le Val de Loire et la Bourgogne ont fait de grosses expéditions sur Paris, l'hectolitre ne trouve preneur qu'à

4 ou 5 francs ; si, au contraire, les autres régions sont déficitaires, les cours montent, à Narbonne, au-dessus de 45 francs et jusqu'à 60 francs. En dehors des départements méridionaux, un paysan sur quatre a sa petite vigne, dont il cherche à vendre le produit, et les oscillations périodiques des prix, s'ajoutant à celles des céréales, contribuent à rendre incertain le revenu de l'exploitant moyen.

Un malaise latent

Les préfets ont raison quand ils assurent que la condition des paysans s'améliore. Ils devraient ajouter que le changement est lent, incomplet et que bien souvent, il ne fait que révéler aux agriculteurs un malaise latent. Pour essayer de comprendre les sociétés rurales, il faut garder présentes à l'esprit ces deux réalités.

Au milieu du siècle, les campagnes, très densément peuplées, subsistaient grâce à une incessante activité ; l'isolement de la communauté villageoise, sa cohésion, faisaient supporter une condition généralement pénible. Entre 1840 et 1880, des transformations se sont produites, avec une allure différente suivant les régions et suivant les modes d'exploitation. Certains paysans ont accru leur production, ont mieux vendu leur blé et ont acheté un peu de terre. D'autres ont constaté que, d'une saison à l'autre, leurs denrées se dévalorisaient ; ils n'ont pu acquérir un sol dont le prix avait augmenté trop vite pour eux. Selon que le premier aspect ou le second était le plus important, les agriculteurs ont été satisfaits ou déçus.

A quelques kilomètres de distance, on trouve parfois les deux réactions. Tel est, par exemple, le cas de la Sarthe. A l'ouest, dans la dépression qui borde le Massif armoricain, des progrès sensibles ont été réalisés durant le troisième quart du siècle, grâce surtout au chaulage ; vers la fin de l'Empire, le blé se vend bien, l'élevage progresse et les cultivateurs n'ont aucune raison de se plaindre. A l'est et au sud-est, où s'étendent de médiocres landes, il aurait fallu trop d'argent pour améliorer les cultures et les méthodes n'ont pas changé ; les ressources annexes, en particulier le tissage, n'ont pas apporté un appoint suffisant et le mécontentement est devenu sensible autour de 1870.

Le parallèle est instructif. Il montre que les agriculteurs des régions favorisées ont eu le moyen de suivre les progrès du moment, tandis que ceux des zones pauvres en ont été incapables. La transformation des campagnes, après 1850, est en effet liée à la possession d'un capital, aussi réduit soit-il. Dans leur majorité, les paysans n'ont pas d'argent. Les listes d'électeurs censitaires, sous la Monarchie de Juillet, sont à cet égard révélatrices : dans un département riche comme l'Yonne, les cultivateurs ne représentent que 3 % des électeurs. Il serait inexact de s'imaginer que les paysans qui travaillent pour une clientèle extérieure sont ceux qui disposent de réserves. Les choses ne sont pas aussi simples. Les maraîchers bretons, qui réalisent des bénéfices réguliers et qui ne veulent pas acheter de terre, parce qu'ils se contentent de ce qu'ils peuvent exploiter avec leur famille, ont effectivement assez d'économies pour commander du matériel. En revanche, le vigneron du Sancerrois tire, en année moyenne, 350 francs d'un hectare de vigne : ses frais payés, il ne lui reste rien et il ne constitue aucune épargne ; qu'une mauvaise saison survienne, il lui faut emprunter.

L'endettement est l'une des plaies de la campagne française et le désir d'acheter des terres contribue à l'augmenter. Dans les départements alpins, durant la période où les transactions ont atteint leur maximum, beaucoup de paysans ont voulu acquérir une parcelle ; n'ayant pas les fonds nécessaires, ils ont eu recours aux usuriers qu'ils n'ont ensuite pas pu rembourser ; les prêteurs ont vite abusé de la situation, ont procédé à des saisies et à des ventes forcées ; la suppression des dettes est devenue dans certaines régions une idée fixe ; en décembre 1851, des paysans se soulèvent, dans les Basses-Alpes, à l'appel des chefs républicains, non pour protester contre le coup d'État mais pour marquer leur colère à l'égard de leurs créanciers ; la répression ne règle rien et les campagnes continuent à être débitrices des bourgs.

Un signe du malaise latent est la reprise de l'émigration rurale qui avait beaucoup diminué depuis la Révolution. Les départs sont encore lents, mais le courant devient régulier. Ce sont les plus pauvres qui s'en vont. Parfois, ils sont chassés par une période difficile : en Provence, durant la décennie désastreuse qui débute en 1846, de nombreux agriculteurs ruinés vont se faire engager sur les chantiers de chemin de fer qui offrent largement du travail. En dehors de ces fuites massives, on assiste à un glissement continu, surtout dans le Bassin parisien : beaucoup de ceux qui vivaient à la fois de l'artisanat et de la culture doivent renoncer à ce mode n'existence. En Picardie, on perçoit une nette différence entre le Santerre et l'Amiénois où les petits métiers, serrurerie, bonneterie, étaient actifs, et le Marquenterre : de 1835 à 1870, les artisans quittent les deux premières régions où demeurent seuls les agriculteurs.

A cela s'ajoute un autre symptôme inquiétant, la baisse de la natalité. Dans l'Eure, à partir de 1846, les statistiques montrent une légère décroissance de la population ; le départ de quelques domestiques et de maçons attirés par la capitale n'explique pas ce recul ; simplement, la mortalité surpasse désormais la natalité ; entre 1856 et 1861, l'Eure enregistre 48 000 naissances pour 58 700 décès. En Aquitaine, la décrue commence à peu près à la même date ; elle ne tient pas non plus à l'émigration qui est faible, mais au petit nombre des enfants (carte VIII). Cette tendance est encore limitée ; le fait grave est que les zones où la natalité régresse ne sont pas des terres pauvres, où la subsistance est difficile ; le Lot-et-Garonne, l'un des premiers départements atteints, s'adapte au contraire à la conjoncture et se tourne précocement vers l'élevage. La limitation des naissances n'est pas un réflexe de détresse ; elle souligne le désir de mieux-être qui est commun à beaucoup d'agriculteurs. Sous la Monarchie censitaire, on supportait les familles nombreuses ; depuis que la situation évolue, on semble avoir peur de l'avenir et on préfère supprimer les risques.

Les campagnes et la politique

La seconde moitié du XIXe siècle est, du point de vue politique, l'ère des paysans. En 1848, l'instauration du suffrage universel fait que les campagnes détiennent, brusquement, la majorité dans le corps électoral ; elles ne la perdront pas avant la première guerre mondiale et toute la vie publique en sera transformée.

Bien qu'elle ait duré fort peu de temps, la Deuxième République a révélé certains caractères qui ne s'estomperont pas dans les décennies suivantes.

Au premier abord, la masse rurale semble maléable et inconsistante ; les paysans n'ont pas de formation politique, ils ont peu reçu d'instruction et ils sont disposés à accueillir les rumeurs les plus fantaisistes ; en juin 1848, l'écho déformé des événements parisiens provoque dans certains villages un profond mouvement d'inquiétude ; les ruraux n'ont évidemment compris ni les difficultés du prolétariat parisien, ni la signification de l'émeute.

Mais ce flottement est passager. Les agriculteurs commencent à s'informer. Le gouvernement impérial comprend leur désir de se renseigner. Depuis la Restauration, on avait inauguré, dans la plupart des provinces, des comices agricoles annuels ; ces réunions étaient au départ purement professionnelles et tendaient à encourager l'adoption de plantes ou de méthodes de culture nouvelles. A partir de 1852, l'administration y introduit une note politique ; préfets et sous-préfets vont y faire l'éloge du pouvoir. Quand l'opposition commence à se réorganiser, elle ne reste pas inactive et va également haranguer les villageois. Dans les dernières années de l'Empire, puis durant la première décennie de la Troisième République, les comices agricoles deviennent de véritables assises publiques où les paysans vont jauger les partis en présence.

Pendant la même période, l'instruction fait des progrès décisifs en France. Nous aurons à reprendre cette question, qui est sans doute l'une des plus importantes dans l'histoire sociale de notre pays, mais il faut tout de suite noter qu'en 1871 plus de 80 % des communes rurales ont une école, et que dans les campagnes la proportion des conscrits illettrés a diminué largement de moitié entre 1845 et 1871. Les ruraux savent lire, ils sont capables de s'intéresser aux journaux et surtout aux pamphlets, aux petites brochures que le gouvernement et ses adversaires font abondamment circuler.

Si les ruraux se montrent attentifs aux affaires publiques, ils ne cherchent pas à s'en mêler directement. Nulle part on ne voit de candidature paysanne. Sous la Deuxième République, les partis cherchent à faire des listes équilibrées, pouvant satisfaire tout le monde, mais ils ne choisissent pas de paysans et s'ils présentent des « agriculteurs », ce sont uniquement de gros propriétaires ; après la parenthèse impériale, le même phénomène se reproduit sous la Troisième République : les cultivateurs arbitrent, ils n'entrent pas dans la compétition.

Il est non moins remarquable que les campagnes ne soient jamais tentées de s'agiter. La révolution de Février se produit en pleine période de crise agricole ; le marasme se prolonge pendant toute l'année 1848. Cependant, on ne signale pas de troubles, sauf dans le Midi, où des cultivateurs pauvres veulent profiter des circonstances pour prendre du bois dans les forêts domaniales. Il n'y a pas de mouvement social dans les campagnes ; bien que les paysans pauvres et les ouvriers privés de terres y soient nombreux, les villages ne menacent jamais l'ordre.

Lorsqu'ils sont appelés à se prononcer pour la première fois, les ruraux se tournent instinctivement vers les personnalités locales ; les « notables » des bourgs, médecins, notaires, gros propriétaires, ont leur suffrage. Tocqueville, lui-même candidat dans la Manche en mars 1848, a été frappé par le spectacle : « ... Les anciennes haines d'opinion, les anciennes rivalités de caste et de fortune n'étaient plus visibles. Plus de jalousie ou d'orgueil entre le paysan et le riche, entre le gentilhomme et le bourgeois ; mais une confiance mutuelle, des égards et une bienveillance réciproques... Les plus riches étaient les aînés, les moins aisés les cadets. » Ces notables appartiennent souvent à des horizons politiques différents ; au sein des assemblées, ils s'opposeront les uns aux autres. Aux yeux des paysans, ils représentent un même groupe social, garant de l'ordre et de la conservation des propriétés. Quand la situation est menaçante, les ruraux se tournent vers ces hommes dont ils acceptent le patronage. Le fait apparaît clairement en 1848-1849 et mieux encore en 1871 : après la défaite, quand rien ne semble subsister, les campagnes élisent à l'Assemblée nationale une majorité de notables ; elles ne votent pas pour un régime, pas même, comme on l'a souvent dit, pour la paix : elles affirment leur confiance dans les « élites » locales.

Les paysans du Nord, du Bassin parisien, de la Normandie, du Massif armoricain, de la bordure méridionale du Massif central, ont manifesté leur sentiment dès la Deuxième République et n'ont guère varié dans les deux décennies suivantes.

En revanche, certaines campagnes ont soutenu les « démocrates » en 1849 : tel est le cas du Limousin, des Limagnes, de la vallée de la Garonne, du Languedoc, de la majeure partie des Alpes et du Jura, du plat pays bourguignon et de l'Alsace.

La tentation est forte d'expliquer ces différences à partir du régime de la propriété : l'Alsace où la noblesse n'a plus de rôle n'est-elle pas républicaine, tandis que la Normandie où les grands domaines sont étendus vote pour les conservateurs ? La Provence, zone de petites propriétés, est républicaine, le Bourbonnais où le métayage est le système commun a des députés légitimistes. Pourtant, ces signes sont trompeurs ; d'autres observations viennent les contre-dire : les petits propriétaires, nombreux dans le Poitou, prennent le parti des notables, tandis que les fermiers de la Marche et du Limousin appuient les républicains.

Une étude très précise menée à propos de la Sarthe prouve qu'il n'existe pas de coïncidence entre le mode de possession de la terre et les options politiques. Individuellement, certains gros propriétaires ont une influence, mais leur rôle ne tient pas au fait qu'ils ont une clientèle parmi leurs tenanciers ; l'exemple du canton du Lude, placé à cheval sur le Loir, est caractéristique : les gros domaines y représentent 56 % de la superficie cultivée ; le marquis de Talhouet y est maître d'une large portion du pays ; cependant, en dehors du Lude, les notables ne sont pas les maîtres de la vie publique.

Dans les rapports entre le paysan et le notable, il faut d'abord tenir compte d'une tradition historique, souvent antérieure à la Révolution, qui fait qu'ici le grand propriétaire était bien supporté, que là on ne l'aimait pas. Il faut égale-ment considérer une différence d'évolution : au milieu du siècle, en dehors du Jura, du Dauphiné et de la Drôme, les régions montagneuses, où l'instruction est peu répandue, où les nouvelles ne pénètrent guère, ne connaissent personne sauf les sommités locales. Enfin, il convient de tenir compte de la situation éco-nomique : l'est de la Sarthe, dont nous avons noté la pauvreté, est orienté à gauche, l'ouest, où les paysans sont plus satisfaits, vote à droite.

S'il est dangereux de faire des généralités, on peut au moins noter que les pays de vignoble, à l'exception de la Champagne et du Bordelais, sont vigou-reusement démocrates : en 1849, la Nièvre, l'Yonne, la Côte-d'Or, la Saône-et-Loire, le Jura, l'Hérault, l'Aude donnent des voix à la « Montagne » ; aux élections de 1869, qui sont un relatif échec pour Napoléon III, ce sont à peu près les mêmes départements qui se prononcent contre le régime.

Le phénomène s'explique si l'on tient compte des remarques présentées plus haut : les vignerons, obligés de négocier leur vin, de faire des calculs, sont parmi les ruraux les plus évolués ; ils sont particulièrement sensibles aux varia-tions des cours et, aussi bien sous la Deuxième République qu'à la fin de l'Empire, ils ont des raisons de se plaindre.

Dès 1848, les campagnes apparaissent partagées entre une forte majorité indifférente ou conservatrice, favorable aux notables, et une minorité démocra-tique. Mais cette opposition est masquée, pendant deux décennies, par le phé-nomène bonapartiste. D'emblée, les paysans se sont ralliés à Louis-Napoléon ; en 1848, ils l'ont porté à la présidence de la République sans rien savoir de lui, au seul vu de son nom ; de 1851 à 1870, ils lui assurent une énorme majorité lors des plébiscites. L'Empire fait cependant peu de choses en faveur des ruraux : il contribue à l'aménagement de quelques régions, améliore la législation sur les chemins vicinaux. Ce mince bilan ne justifie pas la faveur dont il jouit. En fait, c'est un mythe qui joue ici. Balzac, décrivant le Dauphiné dans *le Médecin de campagne*, a bien mis en relief cet aspect du problème : « Napoléon... y est une religion », note-t-il ; c'est le seul personnage dont la renommée soit parvenue aux oreilles de tous, et son histoire, déformée, embellie, a pris les allures d'une épopée surhumaine. Donner sa voix à l'Empereur n'est pas prendre parti ; les vignerons de la Côte-d'Or, qui ont soutenu les démocrates sous la République, approuvent le coup d'État.

Sous l'apparente immobilité qu'impose le régime impérial, se cache une lente évolution. Progressivement, les paysans se libèrent de la tutelle des notables. La Troisième République est proclamée à Paris, mais elle n'est vraiment fondée qu'à partir du moment où la majorité des ruraux s'est prononcée contre les autorités traditionnelles. Ici encore, il faut prendre quelques aspects particuliers pour saisir l'ensemble.

Dans l'Yonne, si la plaine et le vignoble ont manifesté très tôt leur indépendance, le plateau s'est montré conservateur. Après 1851, les notables y ont une large influence ; on remarque surtout, parmi eux, les Martenot, maîtres de forges et gros propriétaires, qui se partagent la députation, le conseil général et plusieurs mairies. Les Martenot et leurs pairs font un réel effort pour développer l'agriculture ; ils opèrent des drainages, reboisent certains secteurs. Leur générosité ne fait pas de doute, mais elle s'accompagne d'un sentiment protecteur, volontiers méprisant à l'égard des cultivateurs ; en 1866, un grand propriétaire du Tonnerrois remarque : « Les ouvriers agricoles ne jouissent que d'un bien-être médiocre, il leur serait facile de l'améliorer s'ils voulaient travailler pour les autres », malheureusement, « ils préfèrent travailler moins mais rester libres ». Cette hauteur exaspère les paysans et, dès 1869, ils se prononcent contre les notables.

Le Loir-et-Cher semble un département calme et il soutient régulièrement Napoléon III. En 1849, la circonscription de Romorantin élit sans le connaître un étranger, le vicomte de Clary, qui n'a pour lui que le patronage du prince-président ; la situation ne change pas jusqu'en 1869, où l'on voit se présenter un riche propriétaire catholique, Le Normant, et le fils d'un vigneron, Tassin ; ce dernier évite de se prononcer contre l'Empire ; simplement, il parle aux paysans, surtout aux vignerons, de leurs difficultés : il l'emporte à la fois sur le notable et sur le candidat officiel. Après la proclamation de la République, les notables ne cessent de reculer dans tout le département.

L'Ille-et-Vilaine met plus longtemps à s'éveiller. Sous l'Empire et en 1871, elle demeure fidèle aux conservateurs. Mais les paysans commencent à trouver les notables bien lointains, bien peu sensibles aux problèmes de l'élevage et de la vente des céréales ; ils les excluent d'abord des municipalités, puis de la dépu-

Les villages en mouvement

tation : en une décennie, les propriétaires ont perdu l'influence qu'ils exerçaient ici depuis longtemps.

Les origines de ces retournements sont claires. Elles rejoignent l'analyse que nous avons pu présenter de la condition des ruraux dans le troisième quart du siècle. En apparence, les campagnes n'ont qu'à se féliciter de la démocratisation de la propriété, de l'amélioration des rendements, de la progression des cours. En fait, le changement est incomplet et insuffisant. Un certain mieux-être n'a servi qu'à faire sentir la surcharge démographique et le retard du système agricole. Quand les notables les invitent à se montrer reconnaissants, les paysans qui sont déjà peu satisfaits réagissent vivement et assurent la victoire des républicains.

2. La crise du monde rural

POUR apprécier l'évolution de la condition paysanne, il faudrait pouvoir comparer le revenu des ruraux à celui des autres catégories professionnelles.

Les études d'histoire sociale sont insuffisantes pour permettre ce parallèle. Il semble cependant permis d'assurer qu'au milieu du siècle, les agriculteurs ont un revenu équivalent à la moitié de celui des personnes qui ne travaillent pas la terre. Les transformations qui ont lieu dans les décennies suivantes améliorent ce rapport au point que, vers 1875, la différence n'est plus que de 25 % au détriment des cultivateurs; la modernisation de l'économie a profité aux villages. Puis l'écart se remet à grandir : la terre laisse des bénéfices de moins en moins considérables et, au début du xxᵉ siècle, on retrouve des proportions identiques à celles de 1850.

Le renversement de la tendance a lieu vers 1880. La France traverse alors une période de crise économique. Tous les secteurs sont touchés mais la plupart des industries surmontent l'épreuve et reprennent assez vite leur croissance. Il n'en va pas de même pour l'agriculture. Celle-ci jouissait d'une prospérité incertaine, pour une bonne part artificielle; le marasme l'atteint bien plus profondément et, vers 1885, elle amorce un déclin qui ne cessera pas jusqu'à la première guerre mondiale.

Les temps difficiles

Les malheurs commencent dans le vignoble. La vigne est une plante particulièrement sensible; de 1851 à 1853, elle est ravagée par l'oïdium; les conséquences de l'épidémie sont sérieuses : dans les vallées de l'Oise, de la Marne, en Lorraine, beaucoup de cultivateurs, qui avaient quelques ares de vigne, écoulaient péniblement un vin de mauvaise qualité; ils n'ont pas le moyen de se défendre contre les parasites et se résignent à arracher leurs plants ; dans l'Oise, la superficie du vignoble diminue des trois quarts entre 1852 et 1865. En revanche, dans les régions de grosse production, le remède est vite trouvé ; de 1847 à 1855, la récolte n'avait cessé de décroître, mais, à partir de 1863, elle est régulièrement supérieure à 50 millions d'hectolitres ; en 1875, 5 % du sol français sont consacrés à la vigne.

Dans une commune du Gard, on signale, en 1863, l'apparition d'un puceron venu d'Amérique, le phylloxéra, qui s'attaque aux ceps et les dessèche ; des mesures préventives sont prises rapidement, mais elles se révèlent inefficaces ; le mal progresse d'abord lentement ; l'Hérault n'est atteint qu'en 1869 ; puis l'évolution se précipite, le Midi est submergé après 1877, le Jura, la Bourgogne, et plus tardivement la Champagne, sont atteints.

La seule défense utile est la submersion : c'est la condamnation du vignoble de coteaux. Les pertes sont immenses : dans l'Hérault, on tombe de 220 000 hectares en 1874 à 47 000 en 1883, dans le Jura de 7 700 en 1868 à 1 300 en 1892. La récolte, qui avait dépassé 60 millions d'hectolitres en 1873, est inférieure à 30 millions en 1885.

Depuis 1850, la consommation du vin s'est accrue en France ; comme la production nationale ne suffit plus aux besoins, on procède à des importations en provenance surtout de l'Algérie ; le marché est en partie gagné par les concurrents de l'extérieur. Cependant, au prix d'un énorme effort, on a trouvé la parade au phylloxéra : après arrachage systématique, on greffe les plants français sur des porte-greffe américains très résistants. Si la superficie du vignoble demeure très inférieure à ce qu'elle était, les rendements augmentent et, dès 1900, on rattrape les meilleures années du Second Empire. Alors commence un autre drame : l'offre est trop considérable ; dans le Languedoc, l'hectolitre, qui valait 18 francs en 1880, plafonne à 5 francs. La reconstitution des vignes n'a fait qu'aggraver le malaise.

Le vignoble subit ainsi, au début du XXe siècle, la crise qui atteint l'ensemble de l'agriculture française depuis 1880 : surproduction et mévente sont devenues la hantise des campagnes. Les pays neufs offrent à bas prix des denrées alimentaires et les cultivateurs empêtrés dans leurs méthodes traditionnelles ne sont pas en état de résister. Il nous suffira de passer en revue tous les systèmes d'exploitation pour constater qu'aucun d'entre eux ne demeure à l'abri.

Parmi les tentatives d'adaptation qui ont marqué un certain renouveau autour de 1850, nous avons relevé la part importante de l'élevage ; des plateaux pauvres, traditionnellement adonnés aux céréales, comme le Nord de la Lorraine, la Brie orientale, se sont consacrés aux ovins ; en Champagne pouilleuse, vers 1860, des tenanciers parviennent déjà à acquitter la moitié de leur fermage grâce aux ventes de laine. L'arrivée des laines d'Argentine et d'Australie est une catastrophe : entre 1860 et 1891, le kilo de laine passe de 6 francs à 1,50 ;

l'élevage ovin recule brusquement : de 30 millions de bêtes en 1850, on tombe à environ 15 millions à la veille de la guerre.

La forêt a constitué, dans les montagnes, une autre ressource d'appoint ; depuis longtemps, elle faisait vivre, dans les Vosges, dans le haut Jura, une population de bûcherons-cultivateurs. Au début du Second Empire, l'essor urbain a favorisé les bûcherons ; les villes ont réclamé du bois pour leur chauffage et pour leurs constructions. Puis les entrepreneurs se sont mis à utiliser le fer ; les Scandinaves ont proposé des huisseries toutes préparées à bas prix ; les citadins ont acheté du charbon et les forêts ont perdu leurs clients.

Enfin les céréales ont été à leur tour atteintes ; l'entrée des blés américains a bouleversé les cours. Jusqu'en 1882, l'hectolitre de blé s'est maintenu aux environs de 22 francs ; puis il a baissé jusqu'à 16 francs en 1886, 15 francs en 1896 ; la reprise a été ensuite régulière et les prix ont augmenté avant la guerre mais jamais le niveau des années 1880 n'a été retrouvé (fig. 7).

Cet enchaînement de crises a eu des effets immenses ; la transformation des campagnes, à peine amorcée, s'est précipitée. La répartition du sol, les méthodes d'exploitation, la démographie rurale ont profondément changé en deux décennies.

Revenons aux pays de vin, qui ont été notre point de départ. Quarante années de malheurs successifs ont ruiné les petits vignerons. Nous connaissons assez bien l'histoire des exploitants de La Malgue, petite commune du Var ; en 1872, ils avaient en moyenne chacun un hectare et demi de vigne ; les plus riches possédaient 4 hectares, mais nombreux étaient ceux qui n'atteignaient pas les 100 ares ; au prix d'un travail énorme, en soignant minutieusement chaque pied, ils obtenaient un vin médiocre, difficile à conserver, mais ayant un gros rendement, voisin de 30 hectolitres par hectare ; la plupart d'entre eux vivaient au seuil de la misère et beaucoup avaient contracté de petites dettes : le phylloxéra ne leur laissa aucun espoir : le terrain était trop sec pour permettre une inondation, les surfaces trop faibles pour rendre possible une autre culture ; au début du XXe siècle, la commune avait perdu le tiers de ses agriculteurs.

On évoquerait sans peine un drame semblable à propos de centaines de localités du Midi. En Provence intérieure et dans le Languedoc, la classe des petits exploitants se trouve presque entièrement détruite. Le résultat immédiat est le progrès de l'émigration. La courbe des départs traduit avec une grande précision les effets du phylloxéra. Dans les zones montagneuses, Causses, Cévennes, la vigne constituait seulement un appoint ; le recul démographique est limité : il n'est que de 10 % pour la seconde moitié du XIXe siècle. Au contraire, la zone intermédiaire des Garrigues est gravement perturbée : le vignoble dominait sur ces coteaux où l'immersion est évidemment exclue ; entre 1880 et 1900, la population diminue du cinquième ; dans le Vivarais et la Garrigue de Montpellier, les pertes sont de 40 %.

La crise du monde rural   **47**

Les montagnards vont d'abord vers la plaine, où le vignoble résiste. Le bas Languedoc avait 820 000 habitants en 1850; il en compte 900 000 en 1900. L'apport extérieur est bien supérieur à ce que les chifffres laisseraient croire. C'est que, en effet, dans le bas Languedoc même, les petits exploitants ont été également atteints; la région a perdu 100 000 habitants dans le dernier tiers du siècle. Ainsi a-t-on assisté à un transfert considérable; beaucoup de vignerons du Biterrois ou de la région montpelliérenne sont allés chercher fortune ailleurs; à leur place sont venus des montagnards du Massif central.

La répartition de la propriété est sensiblement modifiée. Si les très petites exploitations disparaissent, les grands domaines sont eux aussi atteints : la reconstitution du vignoble coûte cher; le propriétaire-exploitant échelonne ses dépenses; au contraire, le bailleur contre argent doit procéder en une fois s'il veut trouver un locataire; pour faire face à la dépense, il vend une partie de ses terres; parfois, découragé, il cède le tout. L'évolution est en gros identique dans le Bordelais, en Bourgogne et dans le bas Languedoc; c'est en 1889 que le fameux Clos Vougeot est morcelé. Dans la Côte-d'Or comme dans l'Hérault, les exploitations moyennes ont tendance à s'étoffer.

La physionomie du vignoble est transformée; la vigne cesse d'être présente partout et cet héritage de l'ancien régime agraire fait place à la spécialisation régionale. Les pays producteurs de grands crus s'attachent à maintenir la qualité de leur vin. Au contraire, en basse Provence et dans le Languedoc, triomphe un plant résistant, l'aramon, qui donne un vin médiocre et abondant; le raisin devient l'objet d'une monoculture destinée uniquement à la consommation courante.

Cette mutation est la plus considérable, elle fait, mieux que toute autre, comprendre l'ampleur du changement, mais elle n'est pas isolée.

La forêt ne peut faire face à la concurrence que si elle est exploitée de façon régulière; dans le Jura et dans les Alpes du Nord, l'administration des Eaux et Forêts et les communes renforcent leur surveillance; les coupes sont limitées, on confie l'abattage à des entreprises spécialisées. Charbonniers et bûcherons n'ont plus d'ouvrage; l'artisanat à domicile, fondé sur le travail du bois, est condamné. Ici, la résistance est plus longue que dans les vignobles : la Maurienne ne perd que 5,4 % de sa population entre 1851 et 1906. En fait, les campagnes semblent surtout se tasser sur elles-mêmes; ceux qui vivaient uniquement de la forêt ou de la petite industrie s'en vont; les autres cherchent à réduire leurs dépenses et la densité familiale décroît : en Maurienne toujours, la natalité régresse de 32 %o en 1872 à 23 %o en 1912.

Les difficultés ne sont pas le privilège des régions pauvres. Elles atteignent aussi bien les plaines et les plateaux du pourtour parisien. Lorsque surviennent les crises, une lente adaptation des cultures était en cours de la Flandre au Val de Loire, de la Brie à la campagne de Caen; pour supprimer la jachère morte, on s'efforçait d'étendre la betterave; des industriels, soutenus par les fermiers, construisaient des distilleries; pour utiliser les chaumes, on élevait des moutons. Ces diverses sources de revenu se trouvent taries en même temps.

On assiste alors à une double transformation. D'une part, beaucoup de distillateurs, qui ont vu trop grand, ont construit de grosses usines et acheté des terrains pour cultiver leurs propres betteraves, sont atteints par la baisse des prix agricoles; d'autre part, des propriétaires qui ont investi pour améliorer leur train de culture ne parviennent pas à solder leurs dépenses; dans les deux cas, il faut vendre. En Picardie, à Simencourt, un quart des terres est mis en vente par de grands propriétaires après 1885.

Les petits exploitants ne résistent pas mieux; submergés par les difficultés, ils cèdent leurs terres et s'en vont. En Beauce, en Brie, dans le Valois et le Soissonnais, en Artois et en Picardie, les tenures de moins de 10 hectares disparaissent, absorbées par de grosses exploitations. L'évolution de la ferme Devouge, à Brasseux, en Valois, résume cette transformation : en 1861, elle avait 130 hectares, par des achats successifs, elle atteint 260 hectares en 1886, 350 hectares en 1902.

La modernisation s'accélère, pour diminuer les frais. Des assolements nouveaux font leur apparition, en particulier un système quadriennal, avec blé, avoine, betterave et prairies artificielles, qui permet de faire une large place à l'élevage bovin. La mécanisation progresse; alors que le brabant n'est pas encore répandu dans toute la France, le Bassin parisien et le Nord adoptent la charrue défonceuse qui, traînée par six paires de bœufs, creuse le sol jusqu'à 35 centimètres de profondeur; bientôt commence le labour à la vapeur; les moissonneuses-lieuses se répandent après 1890, puis viennent les arracheuses de betteraves, tandis que se constituent des réseaux de Decauville.

Les mauvaises années ont précipité l'évolution engagée depuis le milieu du siècle (carte VIII). Elles ont accéléré le déclin de la petite paysannerie; en Artois et en Picardie, dans le Valois et en Brie, le recul démographique approche 30 % entre 1880 et 1910.

Les modalités de l'émigration sont intéressantes. En Picardie, on distingue nettement deux types de villages : là où les exploitations se sont un peu étoffées avant 1880, où les paysans ont des économies et constituent un groupe assez solide, les départs sont retardés. Ils sont au contraire précoces dans les communes où dominent les ouvriers agricoles et les petites propriétés. En Brie, il en va un peu différemment : les agriculteurs du plateau s'en vont; ceux des vallées, qui font souvent quelques légumes, s'accrochent mieux, mais ils ont de moins en moins d'enfants.

De toutes les spéculations agricoles, l'élevage bovin et chevalin est seul à n'avoir pas réservé de déboires. Dans ce domaine, la concurrence n'est pourtant pas absente, mais les cultivateurs français sont en mesure de la surmonter. La consommation de viande et de lait continue à s'accroître. Le troupeau bovin passe de 12 millions de têtes en 1880 à 14 millions en 1913. Le poids des animaux, le rendement en lait des vaches, s'améliorent dans tout le pays.

Pour résister à la pression extérieure, il a fallu, ici aussi, procéder à des modifications. Les superficies consacrées aux prairies et aux plantes fourragères sont passées de 5 800 000 hectares en 1882 à 10 000 000 en 1913 ; la part des prairies naturelles n'a pas sensiblement évolué et ce sont le trèfle, la luzerne, la betterave fourragère qui ont gagné. Le progrès a été réalisé aux dépens des cultures céréalières. Dans le Limousin et dans la chaîne des Puys, blé et seigle ont reculé. Mais l'élevage, même rationnel, exige moins de main-d'œuvre que la culture et l'exode devient une nécessité.

Sous le Second Empire, les monts d'Auvergne, en particulier le Cantal et les monts Dore, abritaient une population assez dense, pratiquant une polyculture à base céréalière et un petit élevage ; une forte natalité compensait largement une mortalité déjà réduite. Après 1870, les hameaux les plus élevés commencent à être désertés ; au-dessus de 1 100 mètres, la montagne ne porte que de l'herbe. Les cultivateurs situés plus bas profitent de cette situation ; ils utilisent les sommets pour envoyer paître leurs bêtes à la belle saison ; mais ces « remues » ne demandent qu'une faible surveillance ; le troupeau étant désormais la principale richesse, on renonce à cultiver des céréales et on consacre les terres voisines de la ferme aux fourrages artificiels. Tandis que l'emploi diminue, une relative aisance s'installe ; pour la conserver, on limite les naissances : la natalité qui avait atteint 27 $^o/_{oo}$ tombe, entre 1883 et 1892, à 16 $^o/_{oo}$; dans trois quarts des communes, elle est désormais inférieure à la mortalité.

Une profonde mutation

Nous avons vu, point par point, les effets des années de crise ; il importe maintenant de dépasser les cas particuliers pour envisager les conséquences générales de cette évolution.

Les ressources des agriculteurs ont certainement diminué, au moins pendant les deux dernières décennies du XIXᵉ siècle. Dans le Loir-et-Cher, entre 1885 et 1902, les revenus du propriétaire exploitant ont reculé de plus du cinquième. Il est vraisemblable que petits et moyens cultivateurs ont connu partout des difficultés identiques. Après 1900, la reprise a été sensible, et, durant les douze années précédant la guerre, les revenus se sont accrus de près de la moitié. Les agriculteurs qui ont réussi à passer la mauvaise période se sont trouvés relativement à l'aise en 1914.

Les domaines qui ont pu se moderniser ont bien moins senti le poids de la concurrence ; en Brie et en Beauce, l'adoption de variétés de froment à gros rendement, comme les *Japhet* ou les *Dieu*, a permis d'augmenter de 25 % la production et de rattraper par la quantité la baisse des prix unitaires. Bien qu'elle soit encore très incomplète, l'étude des comptes des grosses exploitations de la Beauce semble montrer que les revenus ont sensiblement diminué entre 1879 et 1882, quand les cours de la laine, du blé et de la betterave ont successivement fléchi, mais qu'une prompte adaptation a permis de combler le retard en quelques années.

D'autres calculs ont été effectués à propos du vignoble du bas Languedoc ; ils ne concernent que les très grosses exploitations, dépassant 100 hectares, et n'ont pas de valeur pour les petits vignobles. Il en ressort que, jusqu'au phylloxéra, l'hectare de vigne rapportait 8 % ; après une passe difficile, les revenus se sont stabilisés autour de 6 % vers 1898 et ils n'ont pas bougé par la suite.

En dépit des apparences, la situation n'est pas redevenue ce qu'elle était à la fin du Second Empire.

La terre a cessé de constituer, pour les Français, le bien par excellence. Faute d'une enquête comparable à celle de 1883, il nous est impossible de connaître la valeur de la propriété non bâtie en 1913 ; les évaluations tentées depuis lors sont tellement différentes qu'il est inutile de vouloir les utiliser ; elles concordent sur certains points : entre 1881 et 1913, la terre a probablement perdu un tiers de sa valeur (fig. 6) ; en 1911, les exploitations agricoles ne constituent que 18, 5 % de l'ensemble des fortunes privées.

A certains moments, le sol trouve difficilement preneur : en 1884, dans l'Aisne, huit cents fermes sont vacantes et nul n'en veut. En Caux, à la fin du siècle, certains propriétaires urbains sont disposés à vendre la terre à leurs fermiers, qui ont souvent les moyens de l'acquérir mais refusent parce qu'ils n'ont aucun intérêt à acheter. Dans les régions de vignoble, le prix de la terre s'effondre : autour d'Uzès, les terres à vigne perdent 60 % de leur valeur. Dans l'Isère, le prix moyen de l'hectare passe de 1 700 francs en 1879 à 1 129 francs en 1908.

On peut distinguer trois sortes de régions. Dans les pays pauvres, où l'émigration est forte, les cours ne se stabilisent pas : en Lozère, champs et prés ont augmenté jusqu'en 1882 ; puis ils ont sensiblement baissé ; le recul des prairies se poursuit au début du XXe siècle tandis que les terres labourables bénéficient d'un léger relèvement. Les pays fortement peuplés, comme le Finistère, connaissent seulement une stabilisation des prix, qui demeurent à leur niveau de 1892. Enfin, dans les zones de grande culture, telle la Seine-et-Marne, une baisse marquée est suivie d'une reprise.

Les transactions sont extrêmement nombreuses, mais il est malaisé d'en apercevoir le résultat. L'évolution n'est pas aussi simple que durant les années 1850-1880 où l'on avait assisté à un progrès continu de la moyenne propriété. Les crises ont, suivant les régions, des effets absolument opposés. Dans le Midi, en particulier dans le Var et dans l'Hérault, les petits propriétaires doivent céder leurs droits. Il en va de même dans le Bassin parisien, le Nord et l'Ouest : dans le Calvados et dans la Seine-Inférieure, la petite propriété recule de plus de 10 % entre 1892 et la guerre ; dans la Sarthe, on avait assisté à un certain émiettement entre 1853 et 1873, mais, à partir de 1879, la petite propriété cesse de progresser et tend plutôt à reculer. En Isère, de 1891 à 1914, le nombre des cotes foncières diminue et leur superficie augmente.

Inversement, dans la grande Limagne, les propriétaires non exploitants, déçus par les difficultés auxquelles ils se heurtent, se défont de leurs terres après 1890 et les agriculteurs en profitent. En Savoie, certains bourgeois préfèrent investir dans l'industrie plutôt que d'immobiliser leurs fonds dans des pâturages ; ils mettent en vente leurs terrains.

L'établissement d'une statistique précise est malaisée ; les mots n'ont pas partout un sens identique ; 25 hectares constituent une « grande » propriété dans l'arrondissement de Lorient, une « petite » dans celui de Draguignan. Il semble pourtant clair que la grande propriété a maintenu ses positions. A la veille de la guerre, les domaines de plus de 50 hectares couvrent un peu plus du tiers de la superficie agricole ; ils sont nombreux dans les Alpes du Sud, en Provence et dans le Languedoc ; ils tiennent également une grande place dans le Bassin parisien, spécialement en Normandie orientale, en Brie, en Champagne, dans la Beauce et sur la moyenne vallée de la Loire. Les propriétés « moyennes », de 5 à 50 hectares, représentent les deux cinquièmes du sol ; elles sont particulièrement fréquentes dans le Massif armoricain où la superficie moyenne tourne autour de 10 hectares ; on les trouve également dans le Nord-Est, et dans la vallée du Rhône. En dessous de 5 hectares, le fait saillant est la quasi disparition des propriétés inférieures à un demi-hectare.

Au total, la possession de la terre ne s'est pas « démocratisée » au début du xxe siècle ; le nombre des propriétaires est moindre qu'en 1850, la part de chacun est un peu plus forte, les ventes de terrain sont chose fréquente, mais les gros domaines pèsent toujours d'un poids très lourd.

L'agriculture a incontestablement progressé. Bien que les superficies emblavées aient reculé de 10 % entre 1893 et 1913, la récolte a toujours dépassé 80 millions de quintaux depuis 1884 et elle a parfois atteint 100 millions (fig. 7) ; c'est que les méthodes ont été profondément bouleversées ; grâce au choix des semences et à l'abandon des sols très pauvres, le rendement de l'hectare de froment est passé de 11 quintaux en 1882 à 13,5 en 1913 ; l'amélioration aurait d'ailleurs pu être plus considérable : durant la période évoquée, les rendements sont passés, en Brie, de 18 à 30 quintaux. Seulement, en dehors des régions de grande culture, l'équipement demeure désuet : la consommation d'engrais chimiques n'a pas doublé dans la décennie précédant la guerre ; la charrue a

7. Évolution de la production et du marché du blé. →

La société française (1840-1914)

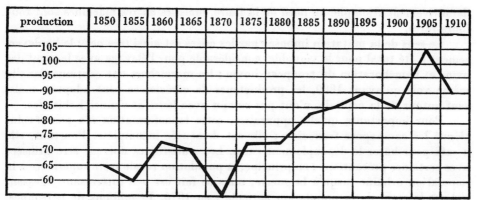

production	1850	1855	1860	1865	1870	1875	1880	1885	1890	1895	1900	1905	1910

Production du blé en millions de quintaux.

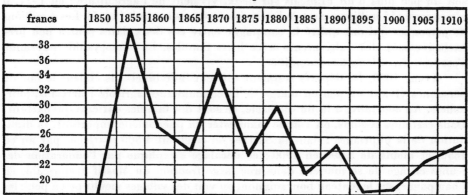

francs	1850	1855	1860	1865	1870	1875	1880	1885	1890	1895	1900	1905	1910

Prix moyen du quintal.

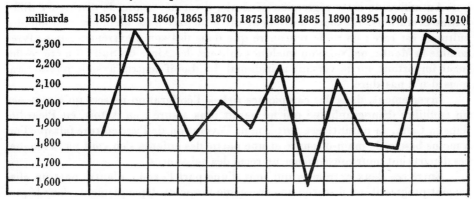

milliards	1850	1855	1860	1865	1870	1875	1880	1885	1890	1895	1900	1905	1910

Valeur globale de la production.

La crise du monde rural

définitivement triomphé au nord de la Loire, mais les autres machines sont toujours rares.

Le sens de la mutation imposée par les crises est ainsi très net : le bouleversement a été total pour le vignoble, considérable pour l'élevage avec le recul des ovins et l'amélioration du troupeau bovin ; les maraîchers ont continué dans la même voie qu'avant 1880, les producteurs de céréales se sont adaptés, mais, sauf autour de la capitale, n'ont pas rompu avec leurs anciennes habitudes.

Pour importante qu'elle apparaisse, cette transformation n'a pas révolutionné les campagnes françaises ; elle est demeurée incomplète. Pourtant, elle a suffi pour hâter le dépeuplement rural. Les statistiques doivent être utilisées avec certaines précautions ; en principe, la population rurale reste supérieure à la population urbaine jusqu'à la guerre, mais ce fait est peu intéressant. L'essentiel est le recul de la population agricole : en 1876, 19 millions de personnes, soit un peu plus d'un Français sur deux, vivaient de l'agriculture ; en 1911, il n'y en a que 15 millions, c'est-à-dire trois personnes sur huit (fig. 5). Les 3 millions de personnes qui ont quitté la campagne entre ces deux dates sont à peu près exclusivement des cultivateurs avec leurs familles. La démographie paysanne s'est trouvée sérieusement modifiée.

Avant 1880, les départs restaient souvent individuels, ils étaient le fait de personnes vivant un peu en marge de la communauté agricole : artisans, journaliers. Au contraire, à la fin du siècle, ce sont des familles entières qui partent. Dans certaines régions, on voit se manifester un phénomène important, la diminution de la nuptialité : dans la Sarthe, on célébrait 4 500 mariages par an en 1850, et moins de 3 000 en 1900 ; ce décalage s'explique par l'émigration des jeunes en âge de se marier ; dans une large fraction du Massif armoricain, en Champagne, sur le plateau bourguignon, on voit des villages vieillir peu à peu : les parents sont restés, leurs fils sont allés en ville.

Au milieu de cette régression générale, il est nécessaire de distinguer différentes évolutions. L'exode, autrement dit le départ avec abandon complet des cultures, est rare ; on ne le rencontre que dans des zones extrêmement pauvres comme la Montagne Noire ou quelques cantons des Alpes du Sud ; il a été réellement important sur le versant méridional du Massif central avec le phylloxéra, mais il n'a pas duré.

Inversement, dans des campagnes riches, l'émigration ne sert qu'à ramener un équilibre démographique qui ne paraît plus assuré : en Artois, en Picardie, dans la Caux, la natalité est forte, mais l'évolution de l'agriculture fait que l'on a moins besoin de main-d'œuvre et une partie des enfants s'en vont ; à la longue, ces départs ont pour conséquence un recul des naissances.

Entre ces deux extrêmes, qui sont d'une part l'exode, d'autre part un glissement progressif, on discerne une troisième forme de dépeuplement, dans lequel l'émigration a moins de part que le déclin des familles nombreuses. Nous avions déjà signalé cette tendance dans certaines circonscriptions normandes et aquitaniennes avant 1880 ; elle se précise après cette date. Pour l'étudier, nous trouvons un bon observatoire au village de La Parade, en Lot-et-Garonne. Au recensement de 1876, cette petite localité abritait 950 habitants ; en 1901, elle en a à peine 700. Les conditions économiques ne sont pourtant pas sévères ; le terrain est assez bon ; près de la moitié des agriculteurs sont propriétaires ; les domestiques, peu nombreux, trouvent facilement à s'engager dans les trois grosses exploitations qui dépassent 30 hectares. Les départs n'ont d'ailleurs pas été considérables : dix personnes ont quitté la commune en vingt-cinq ans ; il ne s'agissait pas de malheureux, mais de jeunes gens aventureux qui ont voulu faire fortune en Tunisie ou en Amérique latine ; ils n'ont pas créé un courant d'émigration. L'énorme écart que l'on constate entre deux recensements tient uniquement à une limitation de la natalité : en 1876, la moyenne était de deux enfants et demi par ménage ; en 1901, elle est sensiblement inférieure à un et demi ; près du tiers des foyers sont sans descendance, plus de la moitié ont simplement un héritier. Les restrictions ont suivi la crise agricole. En 1876, plus de la moitié des exploitants vivaient sur de petits domaines de 4 à 8 hectares, où ils cultivaient du blé et des vignes ; le phylloxéra a été durement ressenti, mais, assez vite, une partie des vignes a été remplacée par d'autres cultures ; en particulier, le tabac et les prunes sont venus compléter le système cultural. Après un moment pénible, la vie des cultivateurs s'est plutôt améliorée ; mais ils sont restés méfiants, ils ont peur de rencontrer d'autres épreuves. Leurs préoccupations ont changé, ils travaillent moins pour leur propre consommation, plus pour la vente et ils prennent l'habitude de faire des économies, de calculer. Bien que la population ait diminué, la taille des propriétés n'a guère changé, non plus que celle des exploitations ; les agriculteurs n'ont pas envie d'acquérir de la terre ; ils préfèrent améliorer leur logement ; pour mettre en valeur 5 hectares plantés en arbres fruitiers et en tabac, ils jugent suffisant l'effort du ménage et d'un enfant. Ils ont atteint une sorte d'équilibre que romprait la venue d'autres héritiers.

Le cas est sans doute extrême. L'évolution est en général moins simple. Sur le pourtour aquitain, en Quercy, en Périgord, les départs sont fréquents et leur effet se combine avec celui du déficit des naissances. Au contraire, près des villes, la dénatalité est en partie compensée par l'arrivée des cultivateurs de la périphérie. Ainsi le dépeuplement est-il très fortement marqué sur les plateaux, et bien moins accusé dans la vallée de la Garonne.

A l'origine du dépeuplement rural, on rencontre en définitive deux sentiments différents. Dans plusieurs régions, le désir d'obtenir sur place un certain mieux-être a conduit à limiter le peuplement. Ailleurs, l'insuffisance des ressources locales a imposé une suite de départs. L'attrait de la vie urbaine, qui jouera fortement dans la période suivante, n'a pas été considérable : la majorité des agriculteurs se faisaient peu d'illusions sur ce qui les attendait dans les villes ; ils se savaient destinés à l'usine et promis à un travail auquel rien ne les avait préparés ; ils s'en allaient parce qu'il ne leur restait pas d'autre solution.

Nous disposons d'une intéressante statistique concernant 5 500 garçons sortis, en 1885, des écoles primaires rurales du Calvados : un peu plus de la moitié sont restés à la terre ; près d'un millier sont allés à l'usine ; 500 ont trouvé des places dans le commerce, 150 sont devenus domestiques et 130 employés de bureau ; les deux tiers des émigrants n'ont manifestement pu recevoir que des salaires très faibles et il est vraisemblable que leur sort a été connu dans leur village.

L'émigration est rarement acceptée de gaieté de cœur ; elle est une nécessité. Ses effets se font d'ailleurs vite sentir jusqu'au fond des campagnes.

Les communautés rurales en sont profondément ébranlées. Nous avons déjà noté que certains villages picards ont mieux résisté que d'autres, parce qu'ils étaient plus cohérents, plus organisés. A la longue, les habitudes anciennes se défont. L'entraide mutuelle a longtemps existé dans les villages : les gens très pauvres étaient secourus, on leur confiait de menus ouvrages pour les aider à vivre, on tolérait encore le glanage. Cette situation change.

Dans un département comme l'Orne, l'administration signale un nombre croissant de mendiants auxquels il lui faut assurer des secours ; elle souligne que la moitié d'entre eux viennent d'autres départements ; ce sont des agriculteurs du Calvados ou de la Mayenne ; étrangers au pays, ils sont regardés avec une certaine méfiance et ne reçoivent aucune aide de la part des paysans. C'est après 1860 qu'apparaît le terme de « chemineau» encore ignoré de Littré ; cet ouvrier agricole sans foyer, errant perpétuel, prend place dans une certaine littérature ; personnage mineur chez la comtesse de Ségur et Hector Malot, il devient, avec Zola et Richepin, la victime symbolique d'un ordre social injuste.

Les villages se modernisent, et les pauvres n'y trouvent pas de place. En Normandie, particulièrement dans la Caux, aux extrémités des communes, on apercevait, autour de 1860, de misérables masures où logeaient les journaliers ; les propriétaires de ces bicoques, n'ayant pas le moyen de les entretenir, les louaient pour peu de chose. Au début du XXe siècle, chaque fois qu'un manouvrier abandonne son toit, l'habitude se prend de détruire la maison pour la reconstruire ; les exploitants ont maintenant assez d'argent pour payer les entrepreneurs, mais les logements de pauvres disparaissent les uns après les autres.

Une véritable ségrégation, autrefois inconnue, tend à s'instaurer. Dans le Languedoc, les montagnards descendus du Larzac ou des Cévennes ne trouvent pas à s'intégrer au milieu local ; ils sont contraints de vivre entre eux, demeurent frustes, fermés sur eux-mêmes ; un recensement effectué à Pézenas montre que, entre 1900 et 1910, 95 % de ces immigrants n'ont pu se marier qu'avec d'autres immigrants de leur groupe. Les bagarres sont du reste fréquentes entre autochtones et montagnards.

En même temps qu'ils perdent leurs traditions, les villages vieillissent. Dans le Calvados, à la fin du siècle, la mortalité augmente dans trente cantons sur trente-quatre. La proportion de jeunes est devenue si faible que l'allure de la démographie rurale semble modifiée.

Cette augmentation des décès a une autre origine qui est la progression rapide de l'alcoolisme. L'essor de la consommation d'alcool est un phénomène propre à la seconde moitié du XIXe siècle ; dans le Finistère, entre 1830 et 1870, la vente de boissons alcoolisées a triplé ; la tendance s'accentue après 1880. L'Ouest voit se répandre un mal autrefois inconnu, le *delirium tremens* qui, dans l'Eure et le Calvados, à l'aube du XXe siècle, est à l'origine de 30 % des cas de démence. En 1906, les habitants du Massif armoricain et de la Normandie consomment de 17 à 22 litres d'alcool pur chaque année ; les enfants sont inclus dans ce compte, puisqu'en Seine-Inférieure, dans le Calvados, on leur donne, dès l'âge de trois ans, la soupe à l'eau-de-vie. Les contemporains ont été frappés par les progrès de l'éthylisme ; après un séjour à Lorient, Pierre Loti, qui s'était contenté jusque-là de récits exotiques, consacre un de ses ouvrages, *Mon frère Yves* (1883), à décrire les ravages de l'intempérance en Bretagne.

L'ivrognerie n'est évidemment pas apparue à ce moment, mais elle prend alors une forme particulièrement grave. Il y a d'abord là une conséquence de la crise du vignoble. On peut suivre les avancées de l'alcoolisme d'après les étapes du phylloxéra : dans l'Ouest, la Loire-Inférieure et le Maine-et-Loire résistent tant que leurs vignes ne sont pas atteintes par la maladie. Après 1900, trois quarts des agriculteurs sont obligés d'acheter leur vin ; la majorité d'entre eux ne consentent pas à faire une telle dépense et préfèrent distiller leurs fruits : en 1906, on dénombre 900 000 bouilleurs de cru sur 2 700 000 chefs d'exploitation ; un exploitant sur trois bénéficie du privilège qui l'autorise à fabriquer un alcool de très mauvaise qualité échappant au contrôle de la régie.

En même temps, le déclin de la communauté villageoise exerce son influence ; les « veillées » entre voisins se font moins fréquentes ; on n'y invite pas les « étrangers » venus des terres pauvres, ni les chemineaux ; ceux-ci ne trouvent refuge qu'au café. Ainsi ce lieu prend-il une importance croissante dans la vie rurale. Avant 1860, la majorité des villages n'avaient que des auberges, à la fois relais de poste, garnis et restaurants ; seules les villes possédaient des cafés. A la fin du siècle, les plus petites localités ont à leur tour des cafés, salles souvent misérables, où l'on se réunit le soir et où l'on consomme de l'alcool. En Flandre, en Normandie, dans le Jura, dans la vallée de la Saône, le nombre de ces débits va croissant.

La famille, encore si solide au temps de Napoléon III, est à son tour victime des temps nouveaux. Les coutumes successorales destinées à protéger l'héritage n'ont guère de sens quand la famille se restreint ; elles disparaissent une à une ; dans le Bourbonnais, les communautés d'exploitation tendent à se disloquer :

les jeunes ménages veulent avoir leur propre exploitation et, pour l'obtenir, ils n'hésitent pas à émigrer ; dans les Pyrénées et dans les Alpes, les partages auxquels on avait longtemps résisté deviennent la règle.

Au milieu du XIXᵉ siècle, les bourgades rurales étaient des centres vivants et actifs ; à la veille de la guerre beaucoup d'entre elles ne sont que des juxtapositions de fermes dont la jeunesse tend à s'éloigner.

Les réactions paysannes

Il a fallu un quart de siècle pour que s'opèrent ces transformations. Si les paysans se sont, peu à peu, résignés, ils ne sont pas restés absolument passifs et leurs réactions méritent une brève étude.

Depuis les débuts de la Troisième République, les ruraux connaissent la force de leurs bulletins de vote ; au moment de la crise agricole, ils sont tentés de les utiliser pour exprimer leur mécontentement. Quand, en 1888, le général Boulanger se lance dans la politique avec comme principal objectif l'élimination des hommes en place, il développe des thèmes qui ne laissent pas les agriculteurs insensibles. Bien des paysans estiment qu'on les a négligés. En 1884, la Chambre des députés a lancé une enquête sur les origines de la crise économique ; de nombreux maires de communes rurales ont répondu par écrit et leurs explications ne manquent pas d'intérêt. Quelques-uns rappellent avec nostalgie les « bonnes années » de l'Empire ; d'autres déclarent qu'on a fait trop de politique depuis une décennie et qu'on a complètement perdu de vue les intérêts de la campagne. Ainsi Boulanger recueille-t-il des voix dans des départements agricoles, la Dordogne, l'Aisne, la Somme, la Charente-Inférieure ; il est élu deux fois dans le Nord avec de forts pourcentages dans les circonscriptions paysannes. Mais dès que les boulangistes se tournent vers les notables, ils sont abandonnés par les cultivateurs qui votent à nouveau pour le personnel républicain.

En échange de leur fidélité, les paysans attendent du gouvernement qu'il les protège contre les importations de denrées alimentaires. Dans les réponses faites à l'enquête de 1884, les plaintes contre l'entrée des céréales américaines reviennent sans cesse. Il est important de remarquer que les agriculteurs ne s'organisent pourtant pas en associations pour l'abolition du libre-échange ; les campagnes en faveur du protectionnisme sont exclusivement le fait des industriels. Mais, dans les comices agricoles, dans la presse professionnelle, au cours des réunions électorales, les agriculteurs insistent pour qu'on établisse des barrières douanières. Les tarifs votés en 1887 et surtout en 1892 aboutissent, en pratique, à écarter du territoire français toute arrivée de denrées alimentaires pouvant être produites dans le pays. La résistance des emblavures dans des régions peu propices aux céréales, la faiblesse des rendements moyens au début du XXe siècle, sont pour une large part la conséquence de cette politique douanière. Du moins la transformation des campagnes a-t-elle été ralentie et rendue sans doute moins pénible à supporter.

L'organisation de la profession est une autre forme de défense. Les paysans répugnent à ce genre d'action ; la droite et les républicains ont créé, assez tôt, des sociétés d'agriculture destinées surtout à faire de la propagande pour leurs idées ; ils n'ont recruté que de gros propriétaires. Les agriculteurs préfèrent des initiatives pratiques.

En 1884, on voit naître les premiers syndicats agricoles, qui sont des sortes d'organisations coopératives. Au départ, ils tendent surtout à défendre les cultivateurs. Ici encore, l'enquête de 1884 est un précieux témoignage : beaucoup de maires se plaignent des commerçants qui vendent des engrais inutilisables ou de mauvaises machines, trompent les paysans sur les cours et achètent leurs produits à des prix trop bas. Le syndicat fournira des renseignements à ses membres ; il procédera à des commandes groupées d'outils ou d'aliments pour le bétail ; s'il devient suffisamment fort, il organisera une caisse d'assurances mutuelles et une caisse de crédit ; parfois, il se chargera d'écouler certaines productions.

Au moment de la crise, cette tentative répondait à un besoin réel ; pourtant les agriculteurs restaient méfiants. Lancé en 1885, le Syndicat des agriculteurs de l'Ariège n'a encore que 1 400 adhérents en 1891 ; il borne ses activités à la publication d'un bulletin mensuel qui donne des conseils pratiques ; il organise également quelques achats d'engrais. Dans les régions de petites exploitations le mouvement a obtenu un faible succès. Les syndicats n'ont vraiment réussi que dans les pays de grande culture : à la veille de la guerre, le Nord et le Pas-de-Calais dénombrent 300 syndicats avec 25 000 cotisants, soit le quart des cultivateurs de ces deux départements.

L'action éducative de semblables groupements demeure mince ; ils propagent des recettes, mais n'ont pas la force de faire adopter des méthodes modernes. Dans le domaine social, ils sont dépourvus d'influence ; en général, ils refusent de se prononcer sur les questions brûlantes comme le sort des ouvriers agricoles ou les rapports entre fermiers et propriétaires. Au total, ils n'ont guère contribué à améliorer la condition paysanne.

Une autre réaction doit être signalée, moins pour son importance propre que pour ce qu'elle révèle du malaise rural. Dans la seconde moitié du XIXe siècle nous avons noté que les campagnes n'ont créé aucun souci au pouvoir et, même durant les périodes difficiles, ne se sont jamais agitées. En revanche, au début du XXe siècle, on déplore des incidents sérieux, d'abord en 1906, à l'occasion des inventaires que la loi sur la Séparation des Églises et de l'État a rendus indispensables, puis en 1907, lors de la seconde crise du Midi viticole.

A priori, il semble arbitraire de rapprocher ces deux séries d'événements. En fait, comme l'a montré Jean-Marie Mayeur, la résistance aux inventaires n'est que partiellement un mouvement d'origine religieuse. Des campagnes où le sentiment chrétien demeure vivace : Normandie, pays de la Loire, Lorraine, s'inclinent devant la loi.

Les paysans manifestent dans des régions où la vie rurale traditionnelle a été bouleversée, soit que la grande culture tende à en éliminer les petites exploitations, comme c'est le cas en Flandre, soit que les montagnards aient du mal à subsister ainsi que cela arrive en Haute-Loire. Dans ces pays, la fidélité aux pratiques catholiques semble tout ce qui subsiste des temps anciens et les ruraux veulent défendre ce qu'ils croient menacé. Rendant compte des troubles dans le Massif central, le procureur général de Riom note que les montagnards considèrent leurs églises « comme la propriété de la collectivité à laquelle ils appartiennent ». A cela s'ajoutent, ici ou là, des manœuvres politiques qui sont au fond secondaires : l'important est que des paysans exaspérés en sont venus à croire que les gens de la ville voulaient décidément tout leur prendre.

Les événements de 1907 ne sont pas moins symptomatiques. Comme dans l'affaire précédente, des adversaires du régime sont intervenus et ont tenté d'aggraver le mouvement. Mais, au départ, on aperçoit seulement le besoin d'exprimer et de faire comprendre une profonde misère. Des centaines de viticulteurs sont ruinés ; ils ne peuvent payer ni leurs dettes ni leurs impôts. Devant l'ampleur de la catastrophe, ils ont la conviction que les pouvoirs publics trouveront un remède. Les plaintes durent depuis des années ; la Chambre a été saisie, mais les procédures parlementaires sont longues. De plus en plus anxieux, les exploitants se rassemblent en vastes manifestations ; ils ne menacent pas, parlent seulement de faire la grève de l'impôt. Bien qu'ils soient, assure-t-on, 500 000 à Montpellier, le 9 juin, il n'y a pas de danger d'émeute. Le calme revient dès que sont votés les textes protégeant le vignoble contre les fraudes. Il a fallu un concours de circonstances dramatiques pour provoquer une émotion vite apaisée.

En dehors de ces cas exceptionnels, les agriculteurs sont dans leur majorité fidèles au régime. Durant la première décennie du XXe siècle, ils soutiennent les radicaux dont ils assurent la stabilité au pouvoir. Par son programme, par son organisation, le radicalisme est un phénomène urbain ; ses députés sont des hommes des bourgs, ses comités ont leur siège dans les chefs-lieux d'arrondissement. Mais ses thèmes de propagande plaisent aux paysans. Hostile aux grandes fortunes, le radical est cependant un défenseur de l'ordre social ; il célèbre la petite propriété et refuse d'opposer les classes les unes aux autres. Il prolonge la lutte contre les notables, la modernise en y ajoutant l'hostilité aux influences cléricales, mais il se garde de remettre en question le système économique.

Le rêve de la plupart des cultivateurs est de devenir maîtres chez eux, de satisfaire leurs besoins et de produire un peu plus pour acheter quelques objets industriels. Cet idéal se satisfait de l'individualisme radical. Les ruraux ont vu disparaître les contraintes qu'imposait l'organisation villageoise ; ils en souffrent parfois, mais ils ne veulent pas se laisser prendre par un autre groupement. Leur répugnance à s'unir même pour des questions professionnelles est caractéristique : il n'y a pas de coopérative vinicole dans le Midi avant 1901 ; dans les Alpes et le Jura, les fruitières se développent mal ; vers 1910, elles se bornent à transformer le lait en fromage et ne se chargent pas de la vente que les éleveurs se réservent. Les ruraux demeurent des isolés et, pour comprendre réellement leur situation, il convient avant tout d'envisager leurs différents types d'exploitation.

Les modes d'exploitation

La statistique de 1906 fait état de 2 700 000 chefs d'exploitation. Il s'agit des données du recensement quinquennal qui sont difficilement comparables avec celles des enquêtes agricoles. Il ne faut pas vouloir tirer trop de conclusions du rapport entre les diverses évaluations, mais il convient de souligner que, par rapport à l'enquête de 1882, le recul est d'environ 500 000 : le nombre des exploitations s'est sensiblement réduit.

Le ministère de l'Agriculture distingue trois modes d'utilisation du sol : le faire-valoir direct, répandu dans l'Ardenne, la Champagne, la vallée de la Saône, les Alpes, l'est et le sud du Massif central ; le fermage, qui domine dans le Nord, le Bassin parisien et l'Ouest ; le métayage, fréquent dans le Massif armoricain et le Sud-Ouest.

Une telle classification nous apprend peu de choses : on ne saurait ranger dans une même catégorie une ferme de 10 hectares et une ferme de 500 hectares. Il existe un critère plus satisfaisant, qui est la taille des exploitations. On laissera de côté celles qui n'atteignent pas un hectare : généralement, il s'agit de simples jardins. Sept exploitations sur huit ont de 1 à 10 hectares ; on peut les qualifier de « petites » ; toutes ensemble, elles ne couvrent que 24 % du territoire agricole. Au-delà de 10 hectares, nous trouvons 85 % d'exploitations « moyennes », allant jusqu'à 50 hectares ; leur réunion représente les deux cinquièmes du sol cultivable. Les « grosses » exploitations sont rares, mais elles utilisent plus de terrain que l'ensemble des « petites ».

Le petit exploitant est souvent propriétaire de la totalité, ou d'une bonne partie du sol qu'il travaille. On le trouve dans toute la France, mais particulièrdment dans le Sud-Est, le Sud-Ouest et le Midi. Sa condition est généralement médiocre, à moins qu'il ne fasse du maraîchage ou des cultures fruitières.

Voici, près de Puget-Théniers, des propriétaires ; ils ont 10 hectares qu'ils mettent en valeur avec leurs trois enfants ; vers 1880, la vente de leur vin leur procurait une petite aisance ; le phylloxéra ne les a pas ruinés, car ils avaient également des oliviers et cultivaient du blé ; mais, au début du XXe siècle, ils ont juste de quoi subsister.

Dans la Mayenne, nous rencontrons une autre forme de petite exploitation misérable, la « closerie » qui domine vers La Harpe, Landivy, Comptrain ; sa superficie varie entre 3 et 10 hectares ; les propriétaires n'ont pas le moyen d'améliorer leurs terres, ni de drainer le sol schisteux et humide ; ils perdent un temps considérable en déplacements, car leur exploitation est constituée de plusieurs parcelles que séparent des fossés et des haies. Ils font une large place au blé, mais certains n'ont pas encore abandonné le méteil ; ils ont également des pommes de terre et parfois une vache. Souvent, pour joindre les deux bouts, il leur faut aller se louer chez un grand fermier pendant la moisson, ou passer quelques semaines, en hiver, dans une carrière ou dans un four à plâtre.

Ces exploitations modestes dominent les plateaux et les montagnes du Centre. L'existence y demeure très difficile. Les maisons basses sont, pour plus du tiers, couvertes de chaume ; elles se trouvent fréquemment au fond d'une cour qui devient fangeuse dès la fin de l'été et entretient l'humidité ; le fumier s'entasse devant les écuries, à deux ou trois mètres de l'habitation. Les pièces ne sont pas aérées ; l'eau courante est inconnue et l'éclairage se fait à peu près toujours au pétrole.

Pour apercevoir des améliorations dans l'aspect des fermes, il faut aller jusqu'aux abords du Bassin parisien. Dans l'Yonne, dans la Côte-d'Or, on voit construire de nouveaux bâtiments d'exploitation, avec des charpentes solides permettant de ménager un volume d'air supérieur ; les pierres sont jointes au mortier, on blanchit les murs extérieurement, on utilise des tuiles pour la couverture. Pourtant, ces transformations n'apparaissent qu'en bordure des routes importantes ; dans l'arrière-pays bourguignon, on ne constate aucun changement.

Dans le pays de Caux, la petite exploitation est appelée « ferme d'une charrue ». Les agriculteurs savent que, en dessous de 3 hectares, il est impossible d'échapper à la misère. La bonne moyenne se trouve entre 5 et 7 hectares : la famille fait alors face, sans aide étrangère, à tous les travaux. Au-dessus de 7 hectares, il est nécessaire d'emprunter du matériel et de payer des heures de journaliers. Mais, jusqu'à 10 hectares, un domestique à temps plein n'est jamais utile ; bien des fermiers préfèrent ne pas prendre une plus grande exploitation qui entraînerait d'autre frais.

Les exploitants « moyens » sont rarement propriétaires ; dans la majorité des cas, ils sont fermiers, c'est-à-dire locataires à bail, payant une redevance fixe, ou métayers, partageant avec leur propriétaire les frais et les bénéfices.

A la fin du XIXe siècle, des agronomes critiquent le principe du métayage auquel ils reprochent de rendre impossible tout progrès. Il y a incontestablement une crise du système, que les chiffres font pressentir : en basse Provence, l'enquête agricole de 1882 dénombre 5 431 métayers contre 6 508 fermiers, soit 83 % ; celle de 1892 donne 4 420 métayers et 11 598 fermiers, c'est-à-dire 38 % ; le métayage a considérablement reculé. Que ce soit en Bourbonnais, dans l'Ariège, en Provence, les plus graves conflits entre propriétaires et tenanciers ont toujours lieu à propos de métairies.

Le métayage est un contrat de bonne foi ; il n'a de sens que si les deux parties respectent tacitement leurs droits réciproques et ne cherchent pas à augmenter trop fortement leurs revenus.

Dans le bas Maine, un cinquième des exploitants sont des métayers. Les usages locaux ont été depuis longtemps codifiés, de sorte qu'on ne passe jamais de contrat écrit : bailleur et preneur promettent de respecter la coutume. Le propriétaire apporte la terre, les bâtiments, les instruments non transportables, la moitié du bétail ; le métayer se charge du reste de l'outillage, paye la main-d'œuvre, les impôts et le mobilier ; les profits sont partagés, mais le preneur a pour lui le jardin et la coupe des haies. Les métayers se succèdent de père en fils ; ils ont confiance dans leurs propriétaires et ne désirent pas changer de statut.

Les rapports sociaux demeurent cordiaux quand règne de part et d'autre une certaine indifférence. En Aquitaine, en particulier dans la Chalosse, où le métayage domine, les propriétaires ont perdu l'habitude de venir voir leurs terres ; ils laissent les choses aller ; les exploitants, de leur côté, pratiquent toujours les mêmes cultures et cherchent rarement à s'adapter à la demande du marché. Le métayer vit mal, le possesseur du sol reçoit peu de chose, il ne peut y avoir de conflit. En Albigeois, dans la Montagne-Noire, nous retrouvons le même phénomène ; autour de Laprade, de Saissac, s'étendent d'importants domaines qui ont été partagés en trois ou quatre métairies ; les propriétaires vivent en ville, dans la plaine ; ils n'apparaissent qu'une fois l'an, pour les règlements, et ils se désintéressent absolument de ce que font leurs tenanciers.

Dès que le maître du sol veut gagner plus d'argent, le heurt devient inévitable. Dans l'Ariège, la rapide progression de l'élevage a été voulue par les propriétaires qui ont financé l'achat d'un bétail de meilleure qualité ; en échange, ils ont imposé des contrats sévères ; souvent, ils se sont réservé un cinquième du profit, le partage à mi-fruit portant seulement sur les autres cinquièmes ; ils ont également stipulé des redevances annexes en volailles.

Une évolution identique s'est produite en Bourbonnais, où les bailleurs ont même parfois exigé une redevance fixe en argent et des heures de travail sur les parcelles qu'ils se réservaient.

En basse Provence, certaines familles de métayers se succédaient sur les mêmes terres depuis cinq générations. A partir de 1860, certains propriétaires ont cherché à moderniser leurs exploitations par l'irrigation, ils ont fait les frais de cette transformation, mais ils ont exigé une extension des cultures spéculatives, dont ils attendaient un bon rendement ; au contraire, les métayers se sont efforcés de développer les cultures vivrières qu'ils consommaient directement.

Dans les trois cas, la situation est vite devenue très tendue. En Provence et dans l'Ariège, les métayers ont émigré, ou ils ont cherché une ferme. En Bourbonnais, ils ont créé un syndicat et réclamé un changement de contrat ; ils n'ont d'ailleurs obtenu qu'un faible succès ; beaucoup d'entre eux ont dû, ici aussi, se résigner au départ.

Le métayage était un excellent système tant qu'il s'agissait de défricher une terre et de la mettre en culture ; il suffisait du moment qu'on se contentait de vivre comme par le passé. Dès que l'on veut moderniser et intensifier la production, il est condamné. Seule l'incurie d'un grand nombre de propriétaires lui permet de subsister.

Le fermage n'a pas, d'ailleurs, des vertus qui le rendent forcément plus progressif. Certaines fermes sont aussi retardataires que les métairies du Sud-Ouest. En Anjou, la terre appartient souvent à de petits nobles sans fortune ; leurs domaines sont partagés en « closeries », fermes moyennes de 12 à 15 hectares, closes par des haies. Ils vivent dans leur propriété qui leur fournit leur bois et une partie de leur alimentation. Ils sont assez proches de leurs fermiers, les connaissent, les soignent en cas de maladie, éduquent parfois leurs enfants ; souvent, des familles de fermiers sont devenues héréditaires dans une closerie. Mais les propriétaires sont indifférents à l'exploitation ; ils ne songent pas à changer leurs baux. Dans un cas semblable, il est évident que fermage et métayage se valent et que seules de vieilles traditions locales expliquent la persistance de l'un ou de l'autre.

En général, il n'en va pourtant pas ainsi. N'importe quel agriculteur peut prendre une petite ferme et y vivre mal, mais une ferme moyenne exige une mise de fonds. Le preneur, qui loue la terre, est obligé de faire face à toutes les dépenses d'exploitation. Dans le Maine, aux environs de Château-Gontier, les fermes ont de 25 à 30 hectares : pour en « monter » une, il faut disposer d'un capital de 6 000 à 8 000 francs, qui permettra d'acquérir vingt têtes de gros bétail, deux chevaux, une demi-douzaine de porcs et autant de moutons. Dans le Bray, les fermes de 15 à 20 hectares réclament à peu près 5 000 francs. Chaque fois que le fermier entend faire de l'élevage systématique, avec une bête par hectare, la dépense d'établissement est importante.

Les exploitations mixtes, faisant une large part aux céréales, sont moins onéreuses ; en Lorraine, pour 15 ha, il suffit de 2 000 francs, qui servent à acheter les animaux de trait, les engrais, le matériel et les semences. Le débours n'est pas considérable, mais le fermier doit posséder une certaine réserve d'argent.

On constate qu'il existe une ligne de partage entre le petit et le moyen exploitant ; paysans tous deux, ils n'ont pas, en réalité, la même existence. Le premier est un besogneux ; le second atteint à l'aisance, et manifeste déjà une mentalité de rentier ; dans le canton d'Auray, on note que beaucoup de fermiers acquièrent progressivement des terres, et, quand ils ont une quinzaine d'hectares, les mettent en location, puis se retirent. Au début du XXe siècle, l'exploitant moyen résiste aux crises et, malgré des périodes pénibles, s'enrichit.

Dans le Loir-et-Cher, Georges Dupeux remarque une transformation dans la condition des fermiers vers 1890. Les fermages étaient auparavant calculés en blé, mais payés en argent suivant le cours des céréales ; la hausse du prix du blé rendait cette redevance assez lourde sous le Second Empire ; quand le blé commença à baisser, on se mit à signer des baux stipulant des fermages fixes. Ainsi, au début du XX⁰ siècle, les fermiers savent ce qu'ils ont à payer ; leur loyer ne monte pas et ils profitent de l'augmentation générale des prix agricoles. Mais il convient de distinguer le fermier qui produit juste le nécessaire et celui qui constitue des stocks dans les bonnes années ou achète du bétail dont la valeur ne cesse de s'accroître : celui-ci est seul à bénéficier d'une certaine aisance.

Nous ne disposons pas d'évaluations aussi précises pour d'autres régions, mais nous pouvons utiliser les comptes de quelques fermes d'élevage de la Mayenne. Une ferme de 25 hectares se loue environ 5 000 francs ; elle exige deux domestiques et, lors des gros travaux, quelques journées d'ouvrier, soit un millier de francs ; l'exploitation fournit le cidre, le blé, les légumes, la viande de porc nécessaires à la consommation domestique ; les impôts et les dépenses de matériel n'atteignent pas 500 francs par an. Les fermiers achètent des bœufs manceaux, les engraissent pendant trois ans et les revendent avec un profit qui peut aller jusqu'à 400 francs par bête ; une vingtaine d'animaux leur laisse 1 000 ou 1 500 francs de bénéfice par an. Ils ont certes à amortir leur importante mise de fonds initiale, mais au terme d'un bail de neuf ans, ils commencent à économiser. Les chiffres ne font que préciser ce qui nous était apparu dès l'abord : le locataire d'une ferme de 30 hectares est largement au-dessus de la majorité des agriculteurs.

On franchit une autre barrière quand on aborde les grandes exploitations. Dans cette catégorie, les propriétaires dirigeant en personne leur domaine sont rares. Mais les fermiers qui mettent en valeur plus de 50 hectares se sentent de très considérables personnages.

Ces importantes entreprises sont fréquentes dans le Midi ; en Crau et en Camargue, plusieurs fermes dépassent 500 hectares et sont parfois louées 60 000 francs par an. Cependant, on en rencontre encore plus dans le Nord et le Bassin parisien (carte I). En Artois, autour de Monchy-le-Preux, de Dury, les fermes de 100 hectares sont chose courante ; dans un seul canton du Vexin, celui d'Etrépagny, neuf fermes dépassent 200 hectares et l'une d'entre elles va jusqu'à 532 hectares.

Le fermier dirige la culture de loin. Il vit à part, dans une belle maison, éloignée des bâtiments agricoles. Il dispose de vingt ou trente domestiques qu'il fait mener par un maître-valet et qu'il ne connaît pas personnellement. Souvent, il se considère comme le maître de sa terre. En Brie, dans le Valois, les fermiers procèdent entre eux à des échanges, pour supprimer les enclaves gênantes ; la ferme de Lévignan, en Valois, comptait trois cents parcelles en 1860 ; à la fin du

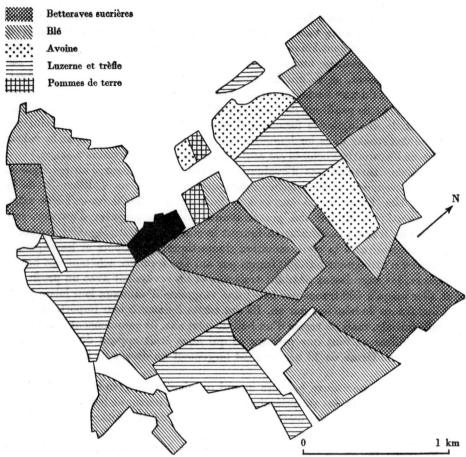

Betteraves sucrières
Blé
Avoine
Luzerne et trèfle
Pommes de terre

N

0   1 km

I. Une grande exploitation en Brie, la ferme de Mortefontaine en 1914.

D'après P. Brunet, *Structure agraire et économie rurale des plateaux tertiaires entre la Seine et l'Oise.*

siècle, il en reste seulement quatre-vingt-huit, pour une surface équivalente : les tenanciers ont pratiqué une politique à long terme, procédé à des remembrements ; le propriétaire n'a eu qu'à entériner. A partir de 1890, on voit apparaître, dans les baux, une clause par laquelle les propriétaires souscrivent d'avance à toutes les opérations de transfert que leurs fermiers jugeront utiles. Les fermiers sont trop riches, trop puissants pour que les bailleurs veuillent leur imposer une ligne de conduite ; beaucoup de tenanciers se rendent indépendants en groupant dans une seule exploitation des terres de différents domaines : la ferme de Galande, à Réau, en Brie occidentale, avait en 1886 près de 200 hectares ; le fermier l'augmente en louant la ferme de Mauny, soit 114 hectares d'un seul tenant : il a désormais un immense domaine, il se sent plus fort que chacun de ses propriétaires.

L'investissement est, ici, considérable. A Louez, en Artois, une ferme, qui n'est pas exceptionnelle, a 216 hectares ; on y élève 50 bovins pour l'engraissement, 40 vaches à lait, 30 bœufs et 20 chevaux de labour ; à lui seul, le cheptel représente un capital de 80 000 francs. Le fermier ne recule ni devant une dépense, ni devant une transformation qui lui semblent rentables. La ferme de Colombe, en Brie, bouleverse ses cultures entre 1892 et 1897, réduit des deux tiers ses fourrages artificiels au profit du blé et des betteraves : une exploitation de 230 hectares est en mesure d'effectuer une telle révolution. Le matériel est renouvelé, au fur et à mesure des besoins ; les fermes de Beauce avaient leurs distilleries quand la betterave se vendait bien ; elles s'en sont défaites pour agrandir les étables, construire des silos et des laiteries.

Entre les exploitants agricoles, il existe des différences sociales considérables. Le grand fermier de Brie ou d'Artois se sent l'égal d'un industriel et regarde de haut le propriétaire pauvre des Causses. Pourtant, les contemporains paraissent peu sensibles au contraste ; les ruraux ignorent souvent l'ampleur des écarts qui les séparent les uns des autres. S'il existe un problème social dans les campagnes françaises, il tient surtout à l'existence d'une catégorie extrêmement misérable.

Le prolétariat rural

En face de 2 700 000 exploitants, la statistique de 1906 fait état de 2 600 000 ouvriers agricoles : les deux nombres sont presque égaux.

Ces données ne sont pas rigoureusement comparables à celles des enquêtes agricoles, car les méthodes de calcul n'ont pas été identiques. Cependant, entre 1882 et 1906, on est amené à constater que l'effectif des ouvriers n'a pas sensiblement diminué : la différence n'est guère que de 200 000 personnes en moins. Or certaines régions ont vu partir beaucoup de journaliers : Basses-Pyrénées, Lot, Aveyron, Lozère, Tarn, Pyrénées-Orientales ont perdu chacun au moins 7 000 travailleurs ruraux. Il apparaît finalement que la main-d'œuvre a déserté les départements méridionaux, sauf ceux qui ont conservé leur vignoble. Elle a eu tendance au contraire à se renforcer au nord de la Loire : dans l'ensemble des départements du Nord et du Bassin parisien, on trouve presque deux ouvriers pour un chef d'exploitation.

Géographiquement, les ouvriers se sont déplacés. Cette évolution traduit un profond changement dans leurs conditions d'existence. Tout ce qui pouvait leur donner un peu de stabilité est en train de disparaître. On cherche de moins en moins de domestiques résidant dans l'exploitation : dans l'Isère, le nombre des domestiques régresse de moitié entre le milieu et la fin du siècle ; dans le Midi, les foires d'Arles, qui étaient un véritable marché annuel de l'embauche, tombent en désuétude. Les agriculteurs préfèrent de beaucoup utiliser des saisonniers, qui leur reviennent moins cher.

Dans le Languedoc, le fait est nettement marqué. Un gros domaine viticole de l'Hérault ne réclame que six ou sept valets permanents. Au temps des vendanges, on voit arriver des bandes, les « colles », menées par un chef, le « baile », qui passe le contrat pour tous ses hommes et les paye directement. Ces ouvriers viennent de la Montagne-Noire ou de l'Espinouse ; trois semaines de travail acharné dans la plaine leur rapportent autant que quatre mois dans la montagne. Quand ils ont fini, ils remontent, au moins durant les premières années ; ensuite, ils préfèrent demeurer en bas et y passer l'hiver ; même s'ils ne trouvent pas d'embauche, ils ont une vie moins rude que dans le Massif central. Progressivement, des hameaux de montagnards se constituent ; les immigrants n'ont pas de propriété, pas de qualification et ils subsistent seulement grâce à de menues tâches obtenues ici ou là.

Parce qu'ils acceptent une misère continue, parce qu'ils vivent dans des taudis, les saisonniers du Languedoc peuvent rester à la terre. On perçoit ici une transformation importante : au milieu du siècle, les journaliers avaient du mal, mais ils ne formaient pas un prolétariat sans espoir. L'histoire d'un manouvrier de Tauziès, dans le Tarn, fait mieux sentir l'ampleur de l'évolution : en travaillant durement, en faisant, au temps des moissons, des journées de seize heures, cet homme gagnait, en 1880, 400 francs par an ; sa femme, de son côté, parvenait à obtenir 200 francs ; ils élevaient deux enfants et, en payant un petit logement, en se nourrissant mal, ils soldaient juste leurs dépenses. Avec la crise du vignoble, ils perdent chacun deux mois de salaire ; plutôt que de mendier, ils préfèrent émigrer. Des centaines de leurs camarades quittent ainsi le Tarn. Mais, du Ségala, arrivent des cultivateurs plus frustes qui parviennent, eux, à subsister avec les seuls travaux du printemps et de l'été, c'est-à-dire avec moins de 400 francs par ménage.

Dans le Bassin parisien, un autre signe manifeste la détérioration de la vie des journaliers. Au milieu du siècle, bien des travailleurs avaient leur petite propriété qui leur fournissait des légumes et les aidait à subsister : un à un, ils sont contraints de vendre ces minuscules lopins. Dans l'Oise, on dénombrait 11 400 journaliers propriétaires en 1862, 6 600 en 1892, 3 300 en 1912 : la régression a été d'une parfaite régularité. En Seine-et-Marne, 60 % des manouvriers étaient propriétaires en 1862 ; il n'y en a que 31 % en 1912.

Au début du XXe siècle, le travailleur agricole n'a guère d'espoir de se fixer à la terre, de se stabiliser ; il sait qu'il ne deviendra jamais fermier parce qu'il lui manque l'argent nécessaire pour cela. Il a également le sentiment qu'on le regarde avec méfiance. Dans le Soissonnais, en Brie, en Beauce, même sous le Second

Empire, les ouvriers loués pour la moisson étaient bien traités : ils revenaient généralement dans la même ferme chaque année ; ils étaient accueillis par le fermier qui partageait leurs repas. Ces mœurs patriarcales n'ont pas de sens dans les immenses exploitations qui se sont constituées après 1880 : on nourrit les ouvriers à part ; parfois, on refuse de les laisser manger sur le domaine ; ils sont recrutés par un intermédiaire, ne savent pas à l'avance où ils iront.

Les journaliers se savent négligés parce qu'ils ne sont plus indispensables : la machine les remplace ; la mise en herbe d'une grande partie de la Normandie a réduit les besoins. En combinant les tâches agricoles des quatre saisons, un travailleur ne parvient pas à occuper ses journées d'un bout de l'année à l'autre et il se trouve souvent en chômage. S'il en a l'occasion, il va chercher fortune ailleurs : une enquête effectuée à Saint-Aubin-sur-Gaillon (Eure), en 1901, montre que, sur 100 fils d'ouvriers agricoles, 42 restent à la terre ; sur 100 filles, 85 s'en vont.

L'évolution de l'agriculture a rendu extrêmement instable la condition des manouvriers. Dans une lettre adressée au préfet du Loir-et-Cher, le maire de la commune de Mer résume assez clairement la situation : « Le manque de travaux a forcément amené des chômages et ces chômages s'expliquent par la malheureuse situation de la culture. En effet, les cultivateurs ne faisant pas d'argent de leur récolte, sont dans la plus grande gêne, et ne peuvent par conséquent faire travailler, n'ayant plus d'argent pour eux. »

Les prix de journée ont baissé à peu près partout au moment des crises (carte II) Au début du XXe siècle, ils ont remonté de façon très inégale : là où existe une concurrence, due à la proximité d'un centre industriel, près de Rouen par exemple, ils sont supérieurs à ce qu'ils étaient sous l'Empire ; mais, dans les zones purement agricoles, ils bougent à peine.

Le nombre des journaliers devrait donc diminuer. Or, nous l'avons vu, il change peu. La demande de main-d'œuvre est faible, irrégulière ; l'offre reste considérable. En 1903, dans l'arrondissement de Melun, on recense 350 exploitations, ayant besoin d'environ 3 000 domestiques ; cependant il existe près de 6 000 travailleurs agricoles. A Vitry, en 1904, les cultures couvrent 300 hectares ; il s'agit de pépinières, qui emploient 150 ouvriers, or la municipalité en recense le double. Dans le Nord comme dans le Midi, un nombre considérable de malheureux, incapables de s'adapter à la ville, préfèrent demeurer à la campagne où ils n'ont aucune chance de gagner leur vie.

Leur sort est à peu près partout identique. Ceux que nous allons évoquer ne figurent pas parmi les moins favorisés. Ils vivent dans de petits villages du Cambrésis, Marquion, Bertincourt, Carnières. De leurs parents, ils ont reçu une petite maison ; ils tiennent à la conserver, car elle est leur unique bien ; c'est elle qui les fixe dans des localités où ils ne trouvent pas d'embauche. En hiver, ils font de menus travaux ; ils ont souvent dû renoncer au tissage, à la coutellerie, et ils se sont rabattus sur le paillage des chaises, la confection de paniers et de vanneries.

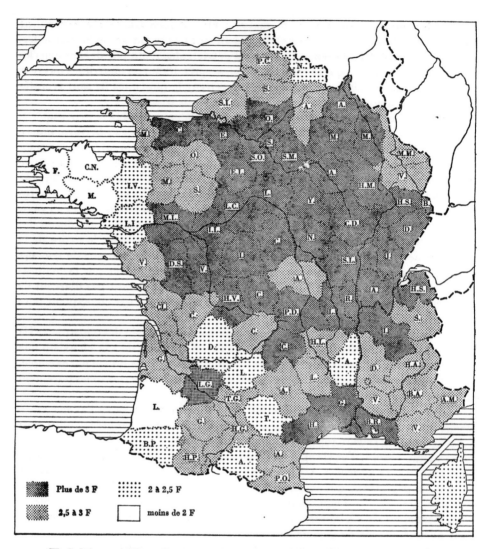

II. Salaire quotidien d'un journalier agricole pendant les mois d'été 1892.

Au mois de mai, ils se séparent; les grands-parents demeurent sur place avec les tout-petits. Les autres partent vers la Champagne, la Beauce, la Normandie; certains vont encore à pied. Ils s'engagent par familles entières; le domaine qui les prend ne les enregistre même pas : le père accepte une tâche déterminée, et l'exploitant ne se préoccupe pas de savoir qui fera l'ouvrage; il se contente de

La société française (1840-1914)

mettre à la disposition des arrivants de vastes hangars situés loin des bâtiments de la ferme : là s'entassent une dizaine de ménages qui doivent organiser leur couchage, pourvoir à leurs repas. Du 15 mai au 15 novembre, les familles restent aux champs douze à quatorze heures par jour ; en été, elles moissonnent : l'homme fauche, la femme et les enfants ramassent et lient les épis ; à l'automne viennent les betteraves que le père et la mère arrachent, dont les enfants tranchent les feuilles avant de constituer des tas. En six mois de cette existence, on gagne jusqu'à 600 francs qui permettront de retourner en Cambrésis à la mauvaise saison.

Ces ouvriers sont à la merci des exploitants ; ils n'ont aucun moyen de discuter leurs conditions d'emploi. Quelques-uns d'entre eux tentent de créer des syndicats : des groupements se constituent dans le Nord et le Pas-de-Calais, en Seine-et-Marne, dans l'Hérault et le Gard. Mais la main-d'œuvre agricole est trop instable pour s'intéresser à une organisation professionnelle ; la Fédération nationale des ouvriers agricoles, affiliée à la C.G.T., demeure sans influence. Parfois, elle tente de susciter des arrêts de travail ; en 1906, on signale des grèves de moissonneurs dans l'Oise, la Seine-et-Marne, l'Aisne. La riposte est facile : les fermiers font venir des étrangers, Belges ou Italiens, qui se plient à leurs exigences.

A l'aube du xxᵉ siècle, la condition du prolétariat industriel commence à être connue ; les socialistes ont attiré l'attention sur l'injustice dont sont victimes les ouvriers d'usine. En revanche, le prolétariat rural est presque ignoré. Les travailleurs agricoles font vivre plus de 6 millions de personnes, près du sixième de la population française ; mais ils sont trop frustes pour parler d'eux et faire entendre leurs plaintes, trop instables pour que la gauche compte vraiment sur eux. Leur exemple suffit à prouver que la majorité des Français ne vivaient pas alors une « belle époque ». Pourtant, ils ont rarement trouvé leur place dans les ouvrages qui ont remis en question la vision idyllique des années 1900 et aucune étude sérieuse ne leur a été consacrée ; ils restent, comme ils l'étaient alors, les parents pauvres de la société.

Les campagnes devant l'opinion

Ne pourrait-on, en nuançant un peu, dire la même chose de l'ensemble des campagnes ? Les Chambres votent des mesures protectionnistes, qui satisfont les gros exploitants et apaisent les colères villageoises, mais elles ne se préoccupent pas de l'existence des paysans ; la voirie rurale continue à être distribuée au hasard des nécessités électorales ; l'adduction d'eau, qui ne peut être entreprise que sous l'égide de l'État, n'atteint pas encore un tiers des localités ; l'électrification intéresse seulement quelques villages des Alpes ou du Massif central.

Les hommes politiques ne font que suivre l'exemple de l'opinion « éclairée » à laquelle ils appartiennent. On constate, dans ce domaine, un changement important. Au milieu du siècle, le paysan tenait une large place dans les préoccupations du public urbain. Il était présent dans la littérature, apparaissait chez Balzac, George Sand, Michelet. Au lendemain du romantisme, les peintres retournaient aux champs ; Courbet, Millet, Troyon s'intéressaient au labeur agricole. Les contemporains ont reproché au second de faire des prêches en image ; mais, si l'on fait abstraction de certains tableaux trop connus, on découvre, dans les esquisses et les dessins de Millet, un sens aigu de la vie paysanne, une connaissance réelle des gestes quotidiens et de leur signification ; Millet partage avec Troyon une profonde sympathie pour ses modèles.

Un autre fait mérite d'être souligné : autour de 1850, les économistes prêtent une grande attention aux problèmes ruraux ; Léonce de Lavergne se taille une réputation par ses livres sur les questions agricoles, Le Play mène ses enquêtes sur l'évolution de la propriété et de la famille rurales.

Au début du xxe siècle, ce mouvement de curiosité paraît dépassé. La littérature a déserté les campagnes. La place qu'occupe *la Terre* dans les Rougon-Macquart est caractéristique : le volume tend uniquement à rendre complet le tableau de la société ; il est là pour la symétrie ; Zola s'est documenté avec son sérieux habituel, mais il n'éprouve pas pour les paysans cette attention passionnée qui animait Balzac.

Les campagnes sont maintenant jugées en fonction de la ville. Les Normands de Maupassant sont des êtres étranges, issus d'un autre âge, dont les mœurs étonnent les citadins. Le village apparaît comme un conservatoire du passé. On lui demande au mieux de livrer ses traditions. Les études folkloriques font leurs débuts, mais elles ne tendent pas à retrouver, dans les coutumes anciennes, la vie des communautés rurales ; elles se bornent à recueillir et à fossiliser certaines traditions ; Vincent d'Indy collectionne des airs cévenols qu'il harmonise au goût du jour ; Daudet et Mistral, Bizet et Gounod, reconstruisent une Provence où le travail de la terre n'a pas de place.

Les économistes républicains ne s'occupent que de commerce et d'industrie. Les conservateurs se laissent entraîner ; *la Réforme sociale*, revue des disciples de Le Play, fait de moins en moins de place aux études rurales. Les rares œuvres consacrées à l'agriculture sont des monographies descriptives, comme celles d'Henri Baudrillart, et jamais des études d'ensemble sur la place de l'agriculture dans la vie française.

Rosa Bonheur est le seul peintre qui se consacre aux champs ; il est déjà remarquable que l'on ne trouve à citer qu'un artiste secondaire, et plus curieux encore que ce peintre préfère les formes molles des bœufs de boucherie à l'effort des laboureurs.

En dépit de la Révolution, les campagnes françaises n'étaient pas, au milieu du xixe siècle, profondément différentes de ce qu'elles avaient été sous l'Ancien

Régime. Les villages, fermés sur eux-mêmes, vivaient de leurs propres ressources, demeuraient soumis aux notables et voyaient grandir leur population.

A la veille de la première guerre mondiale, on sent qu'une évolution considérable a eu lieu. Pourtant, il est difficile de dresser un bilan; tant de choses relèvent encore de la tradition : les cultures, les méthodes, les rendements de milliers de petites exploitations participent de l'économie du xviiie siècle. Les campagnes françaises n'ont guère progressé; à part dans quelques régions, proches des grandes villes, elles sont très en retard sur les campagnes des nations industrielles voisines.

Mais ce milieu archaïque a été bouleversé par l'intervention d'un facteur nouveau, le capital. Avec l'élargissement du marché, l'amélioration des transports, l'argent a commencé à compter dans la vie des paysans. Sans transformer leurs techniques, ils se sont mis à produire pour vendre. Certains ont réussi et leur sort s'est amélioré; d'autres ont échoué et se sont résignés à partir. Le travail de la terre n'a pas changé, mais la part de la terre dans la richesse nationale s'est trouvée diminuée. Ainsi s'expliquent les aspects contradictoires que présentent les villages français en 1914 : une complète mutation est en cours depuis un demi-siècle mais beaucoup de paysans ne la sentent pas encore.

3. Les villes de province

Depuis 1846, les recensements français considèrent comme « villes » les agglomérations de 2 000 habitants. Cette classification est commode, elle permet des comparaisons d'une période à l'autre, mais elle n'a pas grande signification ; malgré ses 2 200 âmes, Jouarre n'est, en 1891, qu'un gros village, et bien d'autres localités sont dans ce cas. Le nombre des habitants importe peu ; il est manifeste que, dans la France du xixe siècle, les centres urbains n'ont pas tous la même place ; cependant, la statistique ne permet pas de les distinguer.

Pour clarifier la question, nous prendrons, en un périmètre restreint, des villes ayant à peu près autant d'habitants les unes que les autres. Dans le Sud-Ouest aquitain, cinq centres ont de 5 000 à 20 000 âmes : ce sont Albi, Carmaux, Mazamet, Moissac et Montauban. Pendant la seconde moitié du siècle, la population de Carmaux fait plus que doubler ; celle de Mazamet et d'Albi augmente de moitié ; au contraire, Montauban ne gagne pas 10 % et Moissac diminue sensiblement. D'un côté on assiste à un développement rapide et continu ; de l'autre, on aperçoit la stagnation ou le déclin. L'explication est facile à trouver : ici les activités anciennes se sont perpétuées sans changement, là des industries se sont installées et ont attiré des travailleurs. Entre les deux types de villes, on trouve peu de points communs. Les centres manufacturiers sont tournés vers l'extérieur et tiennent leur place dans les échanges nationaux. Les villes traditionnelles n'ont pour horizon que les campagnes avoisinantes ; elles font encore partie du monde rural dont elles partagent les vicissitudes.

L'exemple aquitain montre le peu de valeur relative des chiffres. Pourtant, il convient, un instant, de prêter attention aux courbes démographiques. De 1841 à 1911, la population urbaine de la France a plus que doublé. Mais cet accroissement est dû avant tout aux grosses villes, dépassant 50 000 habitants, dont le nombre d'habitants a quadruplé. Entre 2 000 et 50 000 âmes, l'augmentation a été de 50 % environ ; encore faut-il tenir compte d'un rapide gonflement au début du xxᵉ siècle : de 1851 à 1891, la progression était restée à peine sensible (fig. 8).

La statistique révèle donc l'existence, dans notre pays, d'un milieu particulier, celui des « villes moyennes », qui abritent à peu près le cinquième des Français et qui, au xixᵉ siècle, semblent plongées dans l'immobilité. Il convient de nuancer les tableaux des recensements, de retirer, pour les classer à part, certaines agglomérations ouvrières, d'ajouter quelques centres dont la population dépasse les 50 000 habitants. Ces rectifications ne modifient pas l'impression générale : il demeure, jusqu'à la veille de la guerre, des villes où la tradition l'emporte encore sur la civilisation moderne.

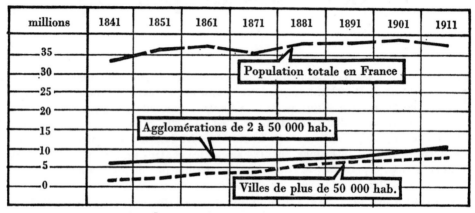

8. Évolution de la population urbaine.

Quelques jalons

Une vue rapide des choses peut donner le sentiment que le chemin de fer, en raccourcissant les distances et en rendant les voyages plus faciles, fut une source de profit pour les pays pourvus d'une gare. A long terme, il en fut généralement ainsi; au début du xxᵉ siècle, plusieurs villes connurent, grâce à la voie ferrée, une activité nouvelle. Mais, dans le troisième quart du siècle, le train constitua souvent un obstacle à l'expansion.

Vers 1840, dans une France où les relations à longue distance étaient rares et coûteuses, les métropoles locales étaient de véritables petites capitales. Elles assuraient de multiples fonctions qui contribuaient à leur donner de l'importance.

Elles avaient d'abord un rôle administratif et politique. Entre Paris et la province, elles constituaient des relais indispensables. Au centre du Forez, à mi-chemin de Lyon et de Clermont, Montbrison est le type de la ville qui, sous la Monarchie censitaire, connut une réelle activité. La préfecture de la Loire, la

cour d'assises, le lycée, les casernes procuraient du travail à une population croissante; entre 1835 et 1851, l'essor démographique était spectaculaire, puisque le
nombre des habitants passait de 5 000 à 8 000. L'aspect même de la ville laisse
deviner ce passé brillant; au long du boulevard extérieur, les maisons ne cachent
pas leur âge; elles ont la régularité et la sévérité de l'architecture néo-classique
qui dominait vers 1840; leurs larges entrées, leur premier étage imposant montrent qu'elles ont été construites pour des gens fortunés, qui accordaient une
grande part de leur temps à la vie de relations.

Si elles n'abritaient pas de fonctionnaires, les petites villes étaient des centres manufacturiers; on y trouvait les métiers indispensables à l'agriculture
régionale. En Aquitaine, sur la bordure pyrénéenne, nombre d'agglomérations
possédaient leurs forges catalanes qui travaillaient le minerai local et fournis-
saient du métal aux fabricants d'instruments agricoles. En Languedoc dominaient les textiles; à Lodève, Bédarieux, et dans quelques autres localités,
8 000 ouvriers filaient et tissaient la laine; à Nîmes on travaillait la soie. Dans le
Massif central, la spécialisation était moins marquée; les ateliers de tissage
étaient souvent dispersés à la campagne, mais la filature se concentrait dans les
villes. Une agglomération comme Thiers dépassait 15 000 âmes au milieu du
siècle, grâce à ses ateliers; ici aussi, le passé a laissé des traces; le vieux quartier
qui s'étend du château aux bords de la Durolle date des années 1850; ses rues
étroites révèlent la multiplicité des petits métiers qui faisaient alors vivre des
centaines d'artisans : tanneries, selleries, coutelleries, filatures de chanvre, moulins avaient une clientèle qui s'étendait à 30 kilomètres aux alentours.

Enfin les villes moyennes étaient des centres de communication. Dans le
récit de son voyage aux bords du Rhin, qui date de la Monarchie de Juillet, Victor
Hugo a évoqué le caractère animé des villes d'étape; le passage, même relativement réduit, donnait de l'ouvrage aux palefreniers, charrons, maréchaux, auber-
gistes. Vers 1850, un centre comme Poitiers, qui n'avait aucune industrie, tirait
de sa situation le meilleur de ses ressources; les voyageurs allant de Paris vers le
Sud-Ouest s'y arrêtaient forcément; les hôtels du centre de la ville étaient toujours pleins et plusieurs d'entre eux ont été construits ou agrandis à ce moment.

L'opulence et l'animation des cités provinciales frappaient les voyageurs; au
cours d'un autre trajet, Hugo signalait la belle apparence de Tours devenue,
grâce à son pont, un point de passage et une étape presque obligatoire. A Reims,
à Chartres, à Angers, l'importance des immeubles datant de la Monarchie de
Juillet est frappante; les villes ne quittaient pas leur vieille enceinte, elles restaient serrées autour de la cathédrale, mais on faisait détruire les bâtisses anciennes pour élever des maisons plus vastes et mieux aménagées. A Tours, c'est en
1820 que commencèrent les démolitions; elles duraient encore en 1845, lorsque
Mérimée vint sauver quelques bâtiments conventuels; en 1860, la transformation

Les villes de province   77

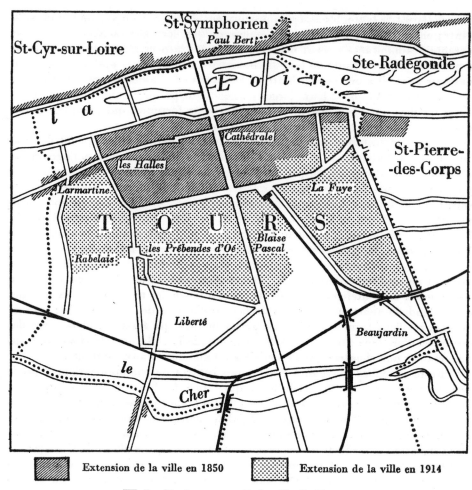

St-Symphorien

Paul Bert

St-Cyr-sur-Loire

Ste-Radégonde

la   *Loire*

Cathédrale

St-Pierre-
-des-Corps

les Halles

Larmartine

La Fuye

T O U R S

les Prébendes d'Oé

Blaise
Pascal

Rabelais

Liberté

Beaujardin

le

Cher

| | Extension de la ville en 1850 | | Extension de la ville en 1914 |

III. Le développement de la ville de Tours.

D'après Y. Babonaux, *Villes et régions de la Loire moyenne.*

des vieux quartiers était achevée et les constructeurs portaient désormais leurs efforts au-delà des boulevards (carte III).

Mieux encore que l'architecture, le mobilier témoigne de cette splendeur passée. Avec ce qu'on appelle le « style Louis-Philippe », se développent les dernières écoles régionales d'ameublement ; les ébénistes interprètent avec une certaine liberté les modèles venus de Paris. Le « Louis-Philippe » est typiquement provincial ; la capitale y a renoncé très vite ; les descriptions de Balzac montrent que le gothico-renaissance triomphe à Paris avant 1840 ; dans les années suivantes, le rococo commence à s'imposer. Au contraire, dans les villes moyennes, le public demande des fauteuils, des commodes et des bureaux inspirés des formes néo-classiques. Une ville comme Poligny possède, vers 1840, une ébénisterie en renom, celle de Répécaud, dont les fabrications sont vendues dans tout le Jura.

Ce décalage entre la capitale et les départements est important ; il montre que la province garde, au milieu de son aisance, une originalité qui ne durera pas. Après 1870, cette autonomie a disparu ; tous les ébénistes sont à la même école et les copies du XVIIIe siècle, puis du Henri II, se répandent aussi vite à Aix-en-Provence qu'à Paris.

C'est que les villes moyennes ont d'abord mal supporté l'extension des chemins de fer. Elles y ont perdu une part de leurs fonctions administratives ou politiques : avec des transports rapides, il n'est plus nécessaire de maintenir des bureaux, des casernes de gendarmes, au milieu des régions reculées ; en 1856, Montbrison abandonne sa préfecture au profit de Saint-Étienne et, du coup, un quart de sa population s'en va.

L'évolution industrielle est étonnamment rapide. Dans l'Ariège, les forges disparaissent en une décennie ; il y a désormais les villes de hauts fourneaux, Pamiers, Tarascon, qui ont une forte population ouvrière et, en dehors d'elles, de toutes petites bourgades rurales. En Languedoc, l'effondrement des villes moyennes est spectaculaire : durant la seconde moitié du siècle, Lodève tombe de 11 000 à 8 000 habitants, Bédarieux de 10 000 à 6 000 ; la crise des textiles, la mort des ateliers locaux, qui ne supportent pas la concurrence des tissus venus du Nord, ont été fatales aux centres urbains.

Les clients se tournent désormais vers Paris, dont ils obtiennent facilement les produits. Les capitales régionales perdent leur influence. Durant toute la seconde moitié du siècle, les Orléanais ne cessent de déplorer les dommages que leur fait subir le rapprochement de la capitale. Dès le 8 avril 1862, le Chambre de Commerce note : « Le commerce est obligé de faire passer ses expéditions par Paris, ce qui rend tout à fait nulles les relations commerciales entre le chef-lieu du département et les deux chefs-lieux les plus importants d'arrondissement [Montargis et Gien]... La cause en est dans la grande facilité que Montargis possède... de communiquer avec Paris par le chemin de fer du Bourbonnais qui met cet arrondissement aux portes de la capitale. » Quarante-cinq ans plus tard, en mars 1907, la plainte demeure presque identique : « L'orientation de la compagnie P.L.M. qui dessert Montargis, Gien et, par Malesherbes, Pithiviers, a créé vers la capitale, et au détriment d'Orléans, un courant intense auquel il est difficile de résister et qui paralyse, dans une certaine mesure, les courants qui devraient relier les sous-préfectures à Orléans. »

Sans prendre ces doléances au pied de la lettre, on doit reconnaître qu'elles sont en partie justifiées. Les tarifs différentiels instaurés par les compagnies jouent en faveur de la capitale : le transport d'une barrique de vin coûte le même prix entre Bordeaux et Orléans ou entre Bordeaux et Paris ; les négociants en vin du Nord désertent Orléans pour Paris. La Beauce, le Gâtinais, jusqu'alors partagés entre les villes de la Loire moyenne et la capitale, se tournent vers cette dernière.

A 300 kilomètres autour de Paris, le ralentissement est sensible. Les centres urbains de Champagne, de Picardie, de Normandie, semblent soudain arrêtés ; la population de Châlons-sur-Marne, de Beauvais, d'Arras, est stationnaire pendant le Second Empire, celle d'Abbeville recule.

Entre vingt exemples, retenons celui de Bolbec. Serrée autour de son église, allongée sur la route du Havre à Rouen, cette petite cité n'atteignait pas 5 000 habitants sous la Restauration. Vers 1830, elle commence à grandir, et atteint bientôt 10 000 âmes ; les industries textiles lui ont valu ce progrès ; dans toute la Caux, des artisans ruraux travaillent les fils que leur procurent des marchands de Bolbec. La physionomie de la ville change ; les constructions se desserrent, s'écartent du centre ; en dehors des deux artères principales, on construit des ateliers de teinturerie qui attirent la main-d'œuvre rurale. Puis le chemin de fer arrive. Bolbec n'offre plus d'intérêt ; les fabricants, les représentants préfèrent résider à Rouen ; l'industrie rurale s'oriente vers un autre centre et, jusqu'au début de la Troisième République, Bolbec demeure stationnaire.

La voie ferrée supprime encore les fonctions d'étape. Les métiers indispensables à l'entretien des voitures de roulage et des chevaux disparaissent ; les gares n'ont d'abord qu'un personnel réduit, qui n'est pas recruté sur place et vit en marge des localités où on l'emploie ; auberges, hôtels sont désertés par la clientèle. A Poitiers, la transformation se fait en une décennie ; le chemin de fer, construit à l'extérieur des boulevards, semble contourner la ville et l'éviter ; les rues du centre perdent leur animation ; beaucoup de commerçants qui avaient fait de gros frais pour attirer les passagers doivent revendre leurs boutiques ; près de 2 000 habitants s'en vont et la population ne remonte pas avant la fin du siècle.

Les Poitevins ont au moins des administrations et une université qui leur épargnent un trop rapide déclin. Les villes qui servaient exclusivement de relais sont, elles, définitivement frappées ; Beaugency devait à sa position sur la Loire, grand axe de navigation intérieure, un développement continu pendant la première moitié du siècle. L'effondrement vient avec le train : de 5 000 habitants en 1851, on tombe à 3 500 en 1911.

Entre 1850 et 1890, beaucoup de villes moyennes semblent frappées d'immobilité. Clermont-Ferrand perd un millier d'âmes durant le Second Empire ; Rennes, Angers, Orléans, Limoges restent presque au même stade, avec simplement d'infimes variations. Un signe très caractéristique est la diminution de la natalité. A Rennes, tandis que la mortalité demeure stable autour de 20 $^o/_{oo}$, la natalité tombe de 21 ⁰/₀₀ sous la Monarchie de Juillet, à 18 ⁰/₀₀ au début de la Troisième République. Les centres urbains ne peuvent croître que s'ils reçoivent des immigrants des campagnes voisines ; lorsque les ruraux se déplacent peu, comme c'est le cas en Limagne, la population urbaine diminue.

Le Second Empire apparaît un peu comme l'ère des entrepreneurs, mais cette image n'a de sens que dans les grands centres. Les villes moyennes se montrent au contraire fort timides ; on hésite à sortir des limites anciennes ; la banlieue d'Orléans, déjà assez étendue en 1850, ne progresse à peu près pas sous Napoléon III ; celle de Tours ne s'étend qu'autour de la gare de Saint-Pierre-des-Corps (carte III) ; Limoges, étouffée dans le cercle étroit de ses boulevards, n'ose pas s'allonger vers la Vienne ; à Clermont, la municipalité ne se sent pas le courage de terminer les aménagements commencés et la place de Jaude reste barrée, sur la bordure occidentale, par une rangée de maisons basses que l'on a, en principe, condamnées, mais que l'on ne se décide pas à abattre.

Tandis que certaines agglomérations parviennent à s'industrialiser, la majorité des villes moyennes connaît une période de repli. Les longs voyages sont désormais faciles, mais ils intéressent peu de personnes ; quant aux communications à courte distance, le chemin de fer les a rarement simplifiées ; en 1875, il est bien plus facile d'aller de Roanne à Saint-Étienne que de Charlieu à Roanne. Les objets fabriqués, vêtements, instruments ménagers, meubles, viennent de plus en plus de Paris ou des grandes métropoles régionales ; pourtant, le cercle des échanges courants ne s'élargit pas. Jusqu'en 1896, l'heure n'est pas uniformisée en France ; les municipalités sont libres de se régler sur le soleil, ou sur le fuseau horaire qui traverse la région ; d'une localité à l'autre, on constate des variations importantes ; on peut alors dire que chaque ville vit à l'heure de son clocher et ce détail a en lui-même une valeur symbolique.

Un nouveau changement ne survient qu'à la fin du XIXᵉ et au début du XXᵉ siècle. Il est lié d'abord à l'amélioration des transports ; discutable du point de vue financier, le plan Freycinet rend pourtant de grands services ; le réseau ferroviaire français passe de 22 000 kilomètres en 1880 à 49 000 en 1914 et ce sont les relations locales qui bénéficient de ce doublement ; toutes les petites villes ont désormais au moins le service d'un tramway. Dans la décennie qui précède la guerre, l'automobile fait ses premières conquêtes ; elle redonne vie aux routes et permet les échanges entre villes d'égale importance.

Le chemin de fer avait « révolutionné » les transports mais, à l'échelon local, la véritable transformation a été retardée de près d'un demi-siècle ; elle est venue lentement et tardivement, après 1880.

Au moment même où les agriculteurs commencent à quitter volontiers la terre, il devient moins pénible de se déplacer. Les villes moyennes profitent largement de l'émigration rurale. A la torpeur du troisième quart du siècle succède un mouvement d'expansion ; en trente ans, Clermont-Ferrand et Poitiers gagnent

10 000 habitants, Rennes 15 000. Au début du xxᵉ siècle, la moitié des habitants de Montpellier est née hors de l'agglomération. Souvent, on assiste à une vraie renaissance ; Bolbec, qui s'étiolait, reçoit des artisans ruraux que leurs métiers à main ne faisaient plus vivre ; des tissages mécaniques s'installent, un nouveau quartier se crée, à l'ouest de la ville, on compte au début du xxᵉ siècle 20 000 habitants dont près de 2 000 sont des ouvriers du textile.

Main-d'œuvre et transports changent les conditions de l'économie locale. La coutellerie de Thiers retrouve sa prospérité parce qu'elle a des bras et parce qu'elle peut exporter ses produits dans toute la France. Montbrison se met à l'école de Saint-Etienne, crée des ateliers d'outillage et des rubanneries.

Une différenciation nouvelle apparaît. Les centres qui ne peuvent équiper aucune industrie, même modeste, poursuivent leur déclin ; malgré son excellente situation entre la Beauce et la Touraine, Vendôme ne cesse de reculer ; Beaucaire a toujours de belles foires, mais le tiers de sa population la quitte en quarante ans. En revanche, Blois doit à ses industries alimentaires une augmentation du nombre de ses habitants qui atteint presque 50 %.

Il se produit, aux environs de 1900, une poussée grâce à laquelle des centres ruraux un peu endormis deviennent des villes importantes. Tel est le cas de Tours, dont le grand essor débute après 1870 et qui dépasse bientôt Orléans, de Limoges, de Nîmes et de Montpellier.

L'évolution des sociétés urbaines dans la seconde moitié du xixᵉ siècle est donc moins simple qu'on ne pourrait le croire. Vers 1850, il y a d'une part la capitale et quelques chefs-lieux de première importance, d'autre part des centaines de villes qui ne sont en fait que des bourgs ruraux. Sous le Second Empire, la plupart de ces bourgs ne sont guère affectés par les bouleversements économiques dont on voit les effets à Paris, dans le Nord, dans les centres portuaires. Jusqu'au début du xxᵉ siècle, les villes moyennes demeurent des capitales rurales et c'est ainsi qu'il est nécessaire de les considérer.

Les liens avec le monde rural

Traversant Dijon, agglomération de 30 000 habitants, Stendhal est surpris d'y respirer un air campagnard : « Dijon est une ville composée de jolies maisons bâties en petites pierres carrées, mais elles n'ont guère qu'un premier étage et un petit second. Cela donne l'air village. C'est bien plus commode, plus sain que des maisons de cinq étages, mais il n'y a plus de *sérieux*, de *style*, on est au village. »

Ces remarques s'appliqueraient à la plupart des villes moyennes. En 1880, il y a encore des jardins potagers autour de la gare d'Angers et l'on trouve des étables à quelques pas du centre de Clermont-Ferrand. La vie rurale pénètre au cœur des agglomérations, les citadins n'ont pas rompu avec la terre.

Ils y restent d'autant plus attachés que la propriété foncière tient une place considérable dans leur patrimoine. Nous avons évoqué la période au cours de laquelle les transactions foncières se sont multipliées. Durant ces années, les bourgeois ont fait une forte concurrence aux paysans. Dans une commune comme Étoile, sur la bordure alpine, les acquisitions majeures sont réalisées par des négociants de Valence ou de Crest, en particulier par les Latune, papetiers dans cette dernière ville. Autour de Manosque, on voit un avocat, Édouard Arbaud, se préoccuper des domaines à vendre. En grande Limagne, ce sont 2 000 hectares qui, en trente ans, sont achetés par des Clermontois. Dans le canton d'Aix-en-Provence, la tendance est encore mieux marquée : vers 1880 la moitié du territoire agricole est la propriété d'habitants de la ville.

La bourgeoisie des moyennes cités n'est pas seule à procéder ainsi ; les Parisiens s'intéressent au Vexin et à la Normandie, les Lyonnais aux Dombes. Mais, dans les grandes villes, les propriétaires ont d'autres soucis que leurs domaines ; ils s'y attachent rarement de manière personnelle, en confient l'administration à un régisseur.

Au contraire, les habitants des villes moyennes connaissent et apprécient la terre (carte IV). Ils vivent à quelques kilomètres du sol qui leur appartient. Autour d'Uzès, dans un rayon de 20 kilomètres, les gros mas ont été acquis par des Uzégeois ; on voit les mêmes familles guetter les successions, arrondir peu à peu leur lot ; lorsque les Albiouze ou les Vincent deviennent maîtres d'un nouveau domaine, ils s'efforcent de changer de tenanciers, ou de modifier les baux ; ils surveillent ensuite de près les cultures, ils connaissent les possibilités de chacune de leurs métairies.

S'ils mènent une existence de citadins, ces propriétaires gardent un sens campagnard profond. A l'égard des paysans, ils éprouvent une sorte de méfiance jalouse : ils ont peur que l'agriculteur ne se rende trop vite maître du sol. Au milieu du siècle, le Conseil général de l'Yonne consacre plusieurs séances à étudier les transactions foncières ; il constate que les cultivateurs veulent devenir propriétaires ; pour réfréner cette propension gênante, le Conseil décide de ne pas organiser de crédit agricole dans le département ; le registre des délibérations précise que la majorité a condamné « un système qui... procurerait au brassier de l'argent à bon marché » et le mettrait à la tête d'une exploitation. Cette âpreté bourgeoise est mal supportée par les paysans. En Champagne, en Brie, elle suscite de violentes protestations ; bien des agriculteurs se rendent compte que l'augmentation des prix est due aux enchères citadines.

Les biens fonciers fournissent aux rentiers la meilleure part de leur revenu ; dans des centres tels que Verdun, Commercy, Langres, le cinquième des habitants vit exclusivement de ce que lui rapportent ses fermages. Les profits de la terre se sont accrus régulièrement depuis la Monarchie de Juillet jusqu'aux années de crise agricole. Le calcul a été fait pour des fermes du Soissonnais et du

Laonnois ; au milieu du siècle, le propriétaire non exploitant reçoit annuellement 8 à 10 % de son capital ; après 1860, la rente monte parfois à 15 %, mais il s'agit d'une région particulièrement riche, où les rendements sont très forts ; la chute est sensible depuis 1880 : après cette date, malgré un redressement au début du xxᵉ siècle, le propriétaire n'obtient jamais plus de 10 %. Dans le Bordelais, on observe une progression un peu différente ; la hausse n'est pas aussi considérable, mais elle se prolonge au-delà des années 1880 ; la baisse vient seulement avec la surproduction des années 1900-1907 ; la chute est alors sévère, les revenus tombent parfois à 5 ou 6 % ; à partir de 1908, on retrouve les profits antérieurs.

Les sondages effectués dans plusieurs régions montrent que le rendement des sommes investies en biens fonciers a connu de fortes variations, mais que, sur une longue période, il a été généralement supérieur à 7 %. Nous possédons par exemple les comptes du domaine du Grand-Caboulès, dans l'Aude, pour les années 1884-1906 ; en un quart de siècle, comprenant d'abord une période faste, puis quelques années de dépression, le propriétaire a reçu en moyenne 10 % de ce qu'il avait dépensé.

Les conditions sont particulièrement avantageuses à proximité de Paris ou dans les vignobles. Elles le sont certainement moins ailleurs. Dans l'arrondissement de Pontivy, plusieurs propriétaires ont de 20 à 40 hectares ; vers 1880, ils les louent, suivant la qualité, de 60 à 80 francs l'hectare ; beaucoup de citadins ont ainsi de 1 500 à 4 000 francs de revenu, ce qui permet de vivre sans travail dans une sous-préfecture bretonne. Autour d'Uzès, les domaines des propriétaires urbains sont concédés à des métayers qui tiennent généralement une vingtaine d'hectares ; les domaines importants, comme Les Tailles ou Les Fouzes, ont plusieurs métayers ; les mas bien situés dans la plaine et régulièrement entretenus laissent de 4 000 à 6 000 francs ; ceux qui se trouvent dans les Garrigues ne donnent que 2 000 francs.

Il n'est pas nécessaire de multiplier ces évocations. Un premier fait apparaît clairement : posséder une bonne ferme d'une quinzaine d'hectares procure un revenu suffisant pour mener un train d'existence modeste ; ainsi s'explique l'attrait considérable que la terre exerce sur les citadins : elle est la rente par excellence (carte V) ; on peut la surveiller à son gré quand on habite un petit chef-lieu d'arrondissement, on a le moyen de calculer les changements à apporter au prochain renouvellement de bail.

Le propriétaire-rentier de province n'exploite pas son bien, mais il ne perd pas de vue le locataire. Parfois, il se réserve un droit de regard. Dans le Sud-Ouest aquitain, durant le troisième quart du siècle, on voit se généraliser le système du « maître-valet », domestique loué à l'année, recevant des gages fixes, et menant l'exploitation sous l'œil du propriétaire. Dans le Bocage normand, dans le Maine, au moment du règlement des fermages, les propriétaires viennent faire de véritables inspections qui leur permettent de se tenir au courant de l'état des cultures.

Les difficultés n'apparaissent que lorsque les biens deviennent trop considérables. Surveiller 200 ou 300 hectares, souvent répartis entre plusieurs exploitants, constitue une obligation lourde et qui réclame trop de temps. En Normandie, à la fin du XIXe siècle, les grands propriétaires de la région de Caen tendent à se désintéresser de leurs terres et à en attendre simplement les revenus annuels. Dans l'Hérault, les propriétaires du vignoble cessent de résider sur leurs terres même en été et s'en remettent entièrement à des régisseurs. Leurs profits sont assez considérables pour qu'ils ne songent pas à exercer une surveillance directe.

La terre n'apporte pas seulement des fermages et des redevances variées. Elle est également une source de bénéfices détournés. Nous avons souligné l'ampleur de l'endettement paysan au XIXe siècle : un nombre considérable d'agriculteurs a contracté des emprunts, soit pour acheter du terrain, soit pour monter une exploitation. Or l'argent se trouve à la ville.

Le métier de prêteur est l'un des plus répandus et des plus fructueux dans les villes moyennes ; un petit chef-lieu d'arrondissement comme Bar-sur-Seine a cinq notaires, quatre banquiers et plusieurs usuriers non déclarés. Il suffit, pour ouvrir une banque, de posséder un mince capital, et une voiture pour aller, au fond des villages, exiger ses créances. Les sommes empruntées sont souvent minuscules : 200 ou 300 francs pour changer une charrue, acheter un bœuf, payer un fermage ; mais les paysans gênés acceptent les conditions draconiennes qui leur sont faites, et l'accumulation des prêts laisse de solides bénéfices.

Dans une lettre adressée au directeur de la Banque de France à Beauvais, le 31 mars 1882, un agriculteur d'Ermenonville, Léon Martin, expose fort clairement les données de ce grave problème : « L'agriculture emprunte dans une proportion que je n'estime pas être moindre en moyenne que le cinquième de son capital, mais elle emprunte d'une manière dissimulée et souvent à des taux qui pour n'être ni avoués, ni avouables, varient suivant des renseignements certains de 12 à 20 %. Le cultivateur vend toutes ses denrées au comptant, mais il achète tout à crédit. Les marchands de chevaux, de bœufs, de vaches, de moutons, de graines, de semences, d'engrais, d'instruments, etc., les charrons, les maréchaux, les charpentiers et autres, font tous un crédit plus ou moins long aux cultivateurs ; les fabricants de sucre lui font même des avances. C'est une habitude et c'est passé dans les mœurs. »

Nous n'avons, jusqu'ici, parlé que des propriétaires. Ils ne sont pourtant pas seuls à vivre de ce que produit la terre. Le commerce des villes en tire également profit. La seconde moitié du XIXe siècle est marquée par un essor important des foires et des marchés. Beaucoup de centres urbains dont les industries ont décliné, dont le négoce est menacé par la concurrence parisienne, cherchent à développer sur de nouvelles bases leurs échanges avec les campagnes. Au milieu du siècle, Riom abritait des tanneries et des fabriques de toile : ces ateliers disparaissent à partir de 1860 ; la municipalité double le nombre des foires ; elle crée des marchés spécialisés, favorise les transactions sur les céréales, le chanvre, les laines et les peaux, les chevaux ; elle arrête ainsi au moins en partie le déclin de la ville. Arras, qui a connu une longue stagnation au milieu du siècle, reprend son essor avec ses foires aux oléagineux. Plusieurs centres normands, Isigny, Avranches, Carentan, parviennent à se développer en organisant la vente des produits agricoles régionaux. Cette source de revenus est si importante que des villes assez considérables y ont recours ; les foires d'Angers et de Rennes se développent après 1860. Tours inaugure en 1879 des foires-expositions et, en 1898, des foires au vin de Touraine.

La ville de marché prend une physionomie particulière, qu'elle conservera jusqu'à ce que l'automobile fasse péricliter les foires. Chaque centre a son rayon de clientèle attitrée ; la fonction administrative compte peu : les agriculteurs ne vont pas au chef-lieu mais au point le plus commode à atteindre. Comme ils ont souvent un long trajet, ils ne se rendent pas à toutes les foires, mais ils consacrent une journée entière à celles qu'ils fréquentent. Rennes, Caen, Sens, Chartres, cités d'ordinaire endormies, s'animent aux jours de marché ; elles reçoivent à certaines dates un nombre de chalands double de leur population. Les transactions sur le bétail ont généralement lieu le matin. Puis les paysans vont, fait exceptionnel, à l'auberge ; ils consacrent leur après-midi à des achats. Les magasins d'instruments agricoles et de vêtements de travail font en une journée la moitié de leur chiffre mensuel et ils retombent ensuite dans leur silence habituel.

Les marchés existaient avant 1850, mais ils n'ont jamais eu une telle activité ; des marchés aux bestiaux comme ceux de Cholet ou de Charolles, des foires aux vins, telles celles de Mâcon ou de Béziers, prennent une importance nationale. Au début du xxe siècle le déclin commence ; les foires de Laon, Senlis, Beauvais, sont moins fréquentées ; représentants et acheteurs passent dans les exploitations ; certains marchés picards, en particulier les marchés de céréales, disparaissent, les agriculteurs se mettent à acheter sur échantillon.

Les notabilités

L'existence des villes de province semble monotone et simple ; les échanges y sont limités ; des campagnes viennent à la fois l'argent, les fournitures et la clientèle. Un voyageur pressé tiendra facilement Beauvais, Angers, Poitiers pour de gros bourgs. L'observateur attentif finira par déceler ce qui sépare un village d'une ville : les exploitants agricoles ont tous le même genre de vie ; au contraire, dans les plus petits centres urbains, les catégories sociales sont extrêmement tranchées ; les relations sont commandées par des préséances tacitement admises et, d'un monde à l'autre, on sait marquer les distances.

En tête viennent les notables. Ils appartiennent rarement à la noblesse, du

moins à une noblesse vraiment ancienne ; Napoléon III a rétabli la noblesse impériale ; la particule usurpée fleurit sous la Troisième République : ces titres ont peu
d'importance ; le notable est d'abord le grand propriétaire terrien auquel ses fermages assurent de considérables revenus. Les notables ne dédaignent pas le travail ; beaucoup d'entre eux sont avocats, magistrats, voire médecins, mais ils
exercent ces professions accessoirement, sans en attendre de profit ; leur train de
vie dépasse de loin ce que leurs fonctions leur rapportent ; s'ils se jugent modernes
en exerçant une activité, ils regardent de haut ceux que leur métier fait vivre.
Voici un notable de Boulogne, Edmond Médaré ; il est certes avocat, mais il plaide
peu, sauf pour ses pairs ou pour le clergé ; il a de très grandes propriétés dans
l'Oise ; pendant longtemps, il les ignore et trouve suffisant d'en percevoir les
rentes ; il attend la crise agricole des années 1880 pour leur prêter une réelle
attention.

Qu'ils aient ou non une raison sociale, les notables vivent entre eux. Ils ont
leurs quartiers, leurs rues ; à Moulins, le sud de la ville leur appartient ; à Uzès,
c'est au contraire le centre, à proximité du château. Entre 1850 et 1880, quand
les villes de province s'étendent peu, ce sont les notabilités qui seules font construire : à Clermont-Ferrand, laissant la colline aux boutiquiers, ils descendent, à
partir de 1860, au long du cours Sablon. A Tours, ils franchissent l'ancienne
enceinte, que marquent les boulevards Bérenger et Heurteloup ; au long de ces
artères, ils font élever des hôtels particuliers de deux étages ; ils choisissent une
belle pierre blanche, s'enferment dans des parcs qui les isolent de l'agglomération (carte III).

Ils entretiennent des relations brillantes, se reçoivent beaucoup. Pendant le
troisième quart du siècle, ils profitent largement de la hausse de leurs fermages ;
à Bordeaux, Béziers, Nîmes, ils mènent grand train. L'inspecteur général de la
Banque de France, passant par Montpellier en 1862, est stupéfait du faste déployé
par les propriétaires du vignoble local ; son rapport traduit un naïf effarement :
« Le développement instantané des fortunes, écrit-il, a créé un luxe insensé. On
y voit du café doré, des robes de Lyon de cent écus, des meubles de style. »

Cette existence brillante se poursuit, durant l'été, à la campagne ; les notables gagnent leurs terres et y convient leurs amis. Leurs domaines sont proches
de la ville où ils demeurent ; les grands propriétaires d'Angers s'enferment entre
Chalonnes et Baugé, ceux de Nancy n'atteignent ni les Vosges ni le Barrois. Ils
gardent ainsi un contact étroit avec « leurs » paysans qu'ils voient régulièrement
chaque année et qu'ils pensent bien connaître ; les bonnes relations qu'ils entretiennent avec leurs tenanciers, en particulier dans le Maine occidental, en Anjou,
en Lorraine, tiennent pour une large part à ces contacts fréquents.

Pendant la majeure partie du XIXᵉ siècle, les notables dominent la vie politique en province. Sous la Monarchie censitaire, ils étaient à peu près seuls éli-
gibles. Pendant la Seconde République, ils contrôlent la Législative. Après le

2 décembre, le comte de Chambord conseille l'abstention à ses fidèles, mais la majorité des grands propriétaires est plus conservatrice que légitimiste; elle accepte sans réticence les candidatures officielles proposées par l'Empire. Nous avons déjà vu le rôle des notables au début de la Troisième République et montré comment la défection des campagnes leur fit perdre le contrôle du Parlement. Malgré cette défaite, ils gardent une énorme influence dans les assemblées locales; à condition de ne pas afficher des opinions trop tranchées, ils figurent encore dans les conseils généraux et municipaux. Un grand propriétaire, Edouard Berbey, est régulièrement maire de Mazamet et jouit d'une situation prépondérante dans le Tarn. Les Mackau mènent le jeu politique dans l'Orne. Les familles de notables se partagent la municipalité de Montpellier, de Nîmes, d'Uzès.

Les grands propriétaires ne commencent à s'effacer qu'à la fin du siècle. Après 1890, ils désertent les petites villes, s'installent dans les métropoles régionales, puis à Paris. Leur exode est particulièrement net dans le Midi; on suit facilement les grandes familles uzégeoises vers 1880 à Nîmes et à Montpellier, vers 1900 dans la capitale; le glissement est aussi marqué dans le Sud-Ouest, bien que souvent il ne dépasse pas Toulouse. Deux raisons ont particulièrement joué; d'abord, la crise agricole a beaucoup impressionné les terriens; ils songent désormais à d'autres placements qu'il leur sera plus facile de réaliser en ville; l'essentiel de leurs revenus provient toujours de leurs fermes, mais ils préfèrent les remployer ailleurs. D'autre part, l'existence campagnarde finit par leur peser; exilés volontaires dans leurs propriétés, ils rêvent d'un peu plus de confort. Au début du xxe siècle se développe, à Paris, ce monde d'oisifs riches et titrés dont Proust s'est fait le chroniqueur. Ce n'est pas par l'effet d'un hasard que cette société paraît artificielle : elle s'est constituée en quelques années, et elle n'a pas complètement perdu les habitudes contractées pendant un demi-siècle de vie provinciale.

Les professions libérales

Entre un notable docteur en droit qui plaide lorsque ses obligations mondaines lui en laissent le temps et un avocat vivant de sa clientèle, la distance est considérable; tous deux se rencontrent au Palais; ils font partie du barreau local, car la plus petite ville a son barreau; mais dès qu'ils ont quitté les locaux judiciaires, ils ne se parlent plus.

Les membres des professions libérales, avocats et avoués, notaires, médecins, pharmaciens et vétérinaires, sont pris par leur profession; ils lui doivent leur situation, qui est parfois importante, et leur influence locale; s'ils y renonçaient, ils seraient dans une position difficile. A la différence des notables, ils ne sont pas entièrement indépendants; ils ont besoin de leur clientèle, dont ils doivent tenir compte; ils manquent de temps pour se consacrer à des activités désintéressées.

La société française (1840-1914)

Dans un centre comme Avranches, la Société d'Agriculture, qui jouit vers 1880 d'une juste renommée, ne compte guère que de gros propriétaires ; les médecins et les gens de loi auraient sans doute leur mot à dire, mais ils n'ont pas assez de loisirs pour venir aux séances hebdomadaires ; les sociétés savantes et les académies provinciales sont constituées de manière identique.

Exercer une profession libérale procure souvent une large considération qui tient à la fois aux capacités professionnelles et à la profonde connaissance du milieu local. A Epernay, regardons agir Eugène Blandin ; installé comme avoué au milieu du siècle, il a vu passer dans son cabinet la plupart des commerçants et des petits propriétaires du cru ; il a su marquer son opposition à l'Empire sans s'afficher comme un irréductible, et plaider adroitement la cause du vignoble champenois ; la Troisième République le fera devenir à la fois maire et député. Avoués, notaires, tel Louis Cavalié, maire d'Albi, sont particulièrement bien placés pour jouer un rôle et s'imposer progressivement. Ils sont surtout écoutés dans les assemblés locales, conseils généraux et conseils municipaux ; la députation ne les tente guère, car elle les conduirait à mettre en sommeil leur étude. En même temps que leur réputation, ils soignent leur fortune ; étant au courant des transactions, du prix des terres, ils savent profiter des occasions qui se présentent, acheter fermes et terres dans des conditions avantageuses.

La situation des avocats est assez différente. Leur nombre n'est pas limité, comme l'est celui des avoués et des notaires. Les cabinets d'avocat se multiplient dans le troisième quart du siècle ; les transactions foncières, les créations de sociétés semblent promettre une clientèle inépuisable et, de fait, les tribunaux sont encombrés d'affaires mineures sous le Second Empire. Pourtant, le nombre des avocats finit par excéder les possibilités en clients éventuels ; Lodève n'a pas besoin de dix-huit cabinets, ni Avignon de cinquante-trois. Beaucoup de débutants subsistent difficilement et doivent se contenter de préparer des dossiers pour des confrères mieux placés. Les facultés de droit décernaient 1 000 licences en 1865 ; elles en donnent 2 000 en 1908. Déjà, les barreaux provinciaux sont encombrés ; après 1870, le nombre des avocats en fonction demeure stable, en dessous de 7 000 cabinets ; il faut un autre débouché, que la politique vient heureusement procurer. L'avocat devient vite le maître de la « haute politique » dans sa cité ; il écrit dans les journaux, s'efforce, surtout au début de la Troisième République, de plaider pour une feuille républicaine que poursuit le gouvernement ; il n'a pas une connaissance suffisante de la population pour s'intéresser à la municipalité, et il vise très tôt le Palais-Bourbon. Ainsi font Deluns-Montaud à Marmande, Deusy à Arras, Bernard Dupouy à Bourg ; on citerait sans peine trois cents noms ; sous la République, la Chambre compte toujours un cinquième d'avocats et il n'est pas une ville de province où l'on ne rencontre au moins un membre du barreau parmi les personnalités politiques.

Notaire et avocat occupent une place assez différente dans la société. Le premier est généralement plus qu'aisé ; une bonne étude à Angers rapporte facilement 30 000 francs par an ; mais le notaire fournit un effort constant ; depuis 1890, il doit rendre des comptes à la Chambre des notaires; il lui faut surveiller ses clercs, revoir les actes, satisfaire une clientèle exigeante ; sa profession le classe à part et, malgré sa fortune, l'empêche de s'intégrer au milieu des notables. L'avocat est moins bien loti ; Rouher, qui jouit d'une situation particulièrement favorable à Riom, reçoit 12 000 francs par an, mais, à Marmande, le meilleur cabinet laisse rarement 6 000 francs. L'avocat de province est souvent un mince personnage, qui peut connaître des périodes de gêne et qui n'a pas le moyen d'échapper à la moyenne bourgeoisie.

Les membres du corps de santé ont encore une autre place. Au milieu du siècle, on compte 20 000 médecins, dont 12 000 docteurs, et près de 6 000 pharmaciens. Les docteurs proviennent pour plus de la moitié de l'École de médecine de Paris et ils répugnent à s'installer dans de petites villes. En province règne l'officier de santé, sorte d'auxiliaire médical, qui s'est formé empiriquement, en suivant pendant six·années un docteur et en acquérant ainsi un nombre restreint de recettes. L'officier de santé est souvent un infirmier un peu audacieux, ou un jeune paysan qui a du flair ; il se sent toujours en situation inférieure, il sait qu'on l'appelle seulement parce qu'il prend moins cher, il vit assez mal et se contente d'une position fort modeste. Le titre d'officier de santé est supprimé en 1892, et le personnage ne survit pas au début du XXe siècle.

Le docteur jouit désormais d'un monopole. Les inscriptions en faculté se multiplient : on décernait 500 doctorats en 1860, on en donne 1 400 en 1900 ; à la veille de la guerre, la France a 25 000 docteurs. Le docteur est rarement dépourvu de moyens : ses études ont coûté fort cher, et il n'a pu les achever que si ses parents avaient un peu de fortune. Une fois diplômé, au bout de quatre années de faculté, il cherche à s'établir. Les clientèles de ville, régulières, payant bien les visites, sont chères : s'il n'a pas de très gros moyens, il choisit un petit poste. Il commence alors une existence très dure, allant de ferme en ferme par de mauvais chemins, devant souvent se contenter d'un règlement incomplet ou de cadeaux en nature.

La médecine est alors un métier particulièrement ingrat. Le médecin est peu aimé : les notables le méprisent et le traitent comme une utilité ; les paysans se méfient de lui. On l'appelle en général au dernier moment, même en ville. Dans beaucoup de cas, il est impuissant : il se heurte à une épidémie qu'il n'a pas le moyen d'enrayer ou bien il doit traiter un grave accident du travail, coup de pied de cheval au ventre, membre broyé par un char : il n'a pas les ressources nécessaires, ne fût-ce que pour soulager le patient, et il se borne à constater la nature du mal. Même dans une ville moyenne comme Clermont ou Poitiers, il lui faut accepter des visites dans les villages, à moins qu'il n'ait la chance de faire des cours à l'école de médecine locale ou de devenir le médecin du quartier riche.

Le médecin provincial fait rarement fortune avant la première guerre. Il a souvent des opinions politiques bien tranchées. Parfois, il a choisi sa profession en raison de ses convictions religieuses, il est à la fois chrétien pratiquant et conservateur. Plus fréquemment, il a acquis durant ses études un positivisme que ses expériences font vite tourner au rationalisme sceptique. Bien qu'il connaisse intimement la population de son arrondissement, il se mêle peu à la vie publique, car il n'a guère de temps disponible : on citera Clemenceau et Combes, mais il s'agit de deux exceptions, le premier n'ayant presque pas exercé, le second étant venu tardivement à la médecine. Dans le monde parlementaire, les docteurs possédant un cabinet en province sont très rares.

Les pharmaciens étaient 6 000 au milieu du XIXe siècle, ils sont 12 000 à la veille de la guerre. Leur fonction a peu varié ; ils sont des conseillers médicaux et ils ont à préparer un certain nombre de potions et de remèdes. Leur diplôme leur permet de se sentir au-dessus des commerçants, mais leurs officines leur laissent juste de quoi vivre, car le public évite autant que possible d'avoir recours à leurs services.

Dans la France des années 1890, on cite des médecins très riches, comme Henri Liouville, des avocats fortunés tels Allou ou Bétolaud ; c'est en fait qu'ils exercent à Paris ou dans de grandes villes. En province, les professions libérales ne rapportent pas encore de gros bénéfices ; entre le notable et l'avocat ou le médecin existe un fossé économique ; la distance est si bien marquée que les membres des professions libérales s'opposent presque naturellement aux grands propriétaires ; qu'ils fassent activement de la politique ou qu'ils se tiennent sur la réserve, ils sont généralement républicains de sentiment. Sous l'Empire, ils frondent le pouvoir et plusieurs avocats provinciaux, Charles Boysset, Armand Caduc, sont poursuivis. Après 1871, médecins et hommes de loi soutiennent le nouveau régime ; ils lisent les journaux de gauche, propagent les idées républicaines, fournissent des candidats. La défaite des notables est en grande partie leur œuvre, mais, sauf un certain nombre d'avocats, ils ne tirent pas grand profit du changement de gouvernement.

Les fonctionnaires

A en croire les notables, le fonctionnarisme est la plaie de la France. Les grands propriétaires, qui ne travaillent pas, se plaignent de payer des impôts pour entretenir les parasites recrutés par l'État.

Les effectifs de la fonction publique se sont, en effet, considérablement gonflés : ils représentaient moins de 600 000 personnes au milieu du siècle, 700 000 à la chute de Napoléon III, 1 300 000 à la veille de la guerre (fig. 9). Les grands emplois ne se sont pas multipliés mais les fonctions subalternes sont devenues infiniment plus nombreuses. Dans les villes provinciales, le changement est sensible ; le vote des lois scolaires augmente le personnel des écoles, les réformes fiscales gonflent les services financiers. Un chef-lieu d'arrondissement de faible importance tel Condom compte, au début du XXe siècle, quatre personnes à la sous-préfecture, huit dans les écoles, une vingtaine pour le contrôle et la perception des impôts, autant au tribunal et au collège; avec les postes, la municipalité et les Ponts et Chaussées, on dénombre près de cent fonctionnaires.

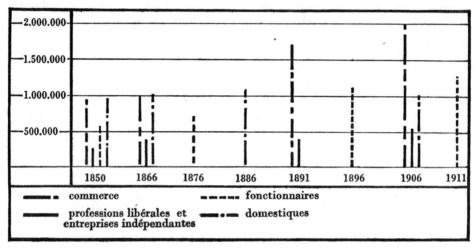

9. Progrès des « services » dans la seconde moitié du XIXe siècle.

Il suffit d'un très petit bagage pour devenir agent voyer, contrôleur des poids et mesures ou commis de perception. Beaucoup de jeunes gens qui ont fait de modestes études se sentent attirés par ces professions qui n'exigent pas de talent exceptionnel. Avec la seconde moitié du XIXe siècle, la fonction publique a acquis deux avantages considérables : la retraite et la stabilité. Le Second Empire a organisé en 1853 le régime des retraites. Avant 1914, les fonctionnaires n'ont pas de statut, et sont révocables au gré des ministres ; cependant, en dehors des cas de grève, rares en province, la sécurité de l'emploi leur est pratiquement garantie sous la Troisième République. Le service de l'État est sûr, mais il manque d'éclat. Recevant un jeune professeur qu'on est venu lui présenter, une douairière d'Aix-en-Provence lui déclare : « Mon fils n'exercera aucun fonction, cela le diminuerait. »

La magistrature échappe seule à cet ostracisme. Elle est tenue pour une survivance des anciens parlements et les notables ne croient pas déchoir en entrant dans ses rangs. René Bérenger, grand propriétaire dans la Drôme, Emile de Marcère, qui a de beaux domaines dans l'Orne, acceptent volontiers de dépen-

La société française (1840-1914)

dre du ministère de la Justice. Les fonctions judiciaires laissent un temps considérable ; elles sont, d'autre part, fort mal rétribuées, si bien qu'elles attirent peu de vocations. Avant 1880, la magistrature est un fief du monde conservateur. Après cette date, la République s'efforce de changer son personnel, sans y parvenir complètement. Il faut attendre la création du concours de la Magistrature, en 1906, pour que la mentalité des juges change profondément. Jusque-là, les palais de province restent en coquetterie avec les gros propriétaires.

Les autres fonctionnaires sont tenus à l'écart. Les représentants du gouvernement, préfets et sous-préfets, ont longtemps une situation difficile. Sous l'Empire, ils sont en butte à l'hostilité générale ; agents de renseignements pour le compte du ministre de l'Intérieur, ils ne s'intègrent jamais à la vie locale, même quand ils usent de la séduction comme le fait Eugène Jolibois à Chambéry. Sous la République, les préfets changent d'abord au gré des gouvernements ; pendant huit ans, les destitutions se succèdent. La situation se stabilise à partir de 1880 ; les fonctionnaires de préfecture restent longtemps en place, et certains secrétaires font toute leur carrière dans un seul département. On cite encore quelques préfets combatifs, tout disposés à défier les conservateurs, en particulier Sée en Haute-Vienne. Mais, de plus en plus, on voit s'installer des préfets administrateurs, dont Léon Bourgeois illustre le modèle : attentifs aux questions locales, ils s'efforcent de gagner la sympathie des provinciaux par le sérieux et la compétence. Pourtant, il est rare qu'ils parviennent à donner le ton : dans la plupart des villes moyennes, ils demeurent des étrangers de passage.

On découvre ici un des aspects importants de la fonction publique en province. Les agents subalternes, cantonniers, facteurs, huissiers, sont généralement des indigènes ; venus d'un village voisin, ils voient dans leur installation au chef-lieu une promotion, sont heureux de percevoir un salaire fixe et se contentent d'un logement modeste. Le cantonnier est, à cette époque, le type du petit fonctionnaire vivant en milieu rural ; l'entretien des chemins vicinaux a contraint les Ponts et Chaussées à recruter un important personnel qui dépasse 100 000 personnes en 1913; des ouvriers agricoles, des paysans en difficulté ont ainsi trouvé un emploi; ils gagnent près de 1 000 francs par an, c'est-à-dire bien plus qu'un journalier agricole ; ils sont régulièrement payés et n'ont pas à quitter leur arrondissement.

A un stade supérieur, les postiers, les instituteurs, les percepteurs ont souvent des attaches locales. Dans une sous-préfecture, le directeur de l'école, le receveur des postes, le percepteur sont déjà des personnages ; si les propriétaires les ignorent, les commerçants entretiennent des rapports avec eux. Leurs fonctions les amènent à bien connaître la population ; ils ont des subalternes, ils exercent une part d'autorité qui, sur le plan régional, leur confère un certain prestige. Leurs traitements sont modiques ; à la fin du xixe siècle un contrôleur des contributions directes reçoit 2 000 francs à la veille de la retraite, un instituteur

Les villes de province   **93**

en a seulement 1 800 ; en revanche, ils bénéficient d'avantages matériels tels que le logement assuré aux maîtres d'écoles, aux percepteurs, aux receveurs; ils ont la possibilité d'épouser une collègue, puisque la moitié des enseignants primaires et le dixième des postiers sont des femmes. Enfants de paysans ou de petits commerçants ruraux, les fonctionnaires de province ont eu généralement pour grande ambition l'installation dans une ville ; devenus citadins, ils se contentent de la place qui leur est faite et cherchent rarement à jouer un rôle public.

Les fonctionnaires dont l'avancement n'a pas lieu sur place se sentent moins à leur aise. Les professeurs se plaignent, jusqu'au début du XXe siècle, d'être dédaignés dans les villes où ils enseignent; de nombreux romans les présentent d'ailleurs sous un jour peu flatté, voire ridicule. La modicité des traitements publics entre pour une part dans cette mise en quarantaine; pourtant, les membres de l'enseignement secondaire, s'ils ne sont pas rétribués d'une façon brillante, gagnent à peine moins que les magistrats : en 1905, un juge de tribunal de première classe reçoit 6 000 francs par an et un agrégé en fin de carrière 5 200 francs. L'écart entre les deux salaires n'explique pas pourquoi le professeur est méprisé. La raison profonde en est que les enseignants, issus de la moyenne bourgeoisie, sont souvent des hommes timides, modestes, n'ayant ni fortune personnelle, ni appuis dans le monde. La bonne société les tient d'autant plus à l'écart qu'elle se méfie des lycées auxquels elle préfère les établissements privés. Les collèges provinciaux sont mal entretenus par des municipalités peu empressées; celui de Manosque est, au dire de l'inspection générale, « une vaste masure avec des volets pourris qui pendent sur leurs gonds descellés, des portes disloquées, des classes étroites »; dans celui de Bourg, « le sol est en terre battue qui devient boueuse par temps humide ». Une même indifférence englobe locaux et professeurs, ce qui conduit les universitaires à se réfugier dans leurs livres en cherchant à se faire oublier.

Les militaires

Dans la vie provinciale, l'armée tient une place considérable. Toute ville désire obtenir une garnison; la présence d'un régiment est un tel avantage que les municipalités consentent de gros sacrifices; dès 1867, celle de Blois fait construire une caserne neuve; Orléans, Tours, suivent bientôt cet exemple. Dans un chef-lieu comme Lons-le-Saunier, qui a juste 13 000 habitants, le séjour de 1 500 militaires est une perpétuelle source de profit; l'arrondissement entier en tire avantage.

Pourtant le désir du gain n'est pas la seule raison qui fasse souhaiter l'installation d'une unité dans chaque ville. Le séjour des militaires change l'atmosphère locale et suscite une activité nouvelle; Proust, visiteur parisien, est vivement frappé par ce phénomène quand il visite Doncières — autrement dit Lisieux. Il note que, grâce à la caserne de cavalerie, « la triste cloche des heures était remplacée par la même joyeuse fanfare de ces appels dont était perpétuellement tenu en suspens, sur les pavés de la ville, émietté et pulvérulent, le souvenir sonore ». Les soldats défilent, manœuvrent ; ils donnent aux rues ordinairement désertes une animation artificielle que rien d'autre ne pourrait provoquer. La garnison est de toutes les fêtes, fournit des détachements pour les cérémonies ; sa fanfare donne des concerts publics ; en cas de sinistre, elle apporte son concours.

Dès le Second Empire, la tendance était sensible ; le gouvernement encourageait ces manifestations brillantes qui devaient rehausser le prestige du régime. Mais l'armée ne comptait guère que 250 000 hommes. Avec les réformes votées sous la Troisième République, les effectifs sont triplés ; il faut multiplier les constructions, répartir les régiments entre les régions militaires : en 1913, 221 villes ont une garnison.

L'existence militaire à Brive ou à Lodève est très monotone. Depuis la loi de trois ans (1889), les recrues font généralement leur service dans une seule localité. Les simples soldats ne reçoivent qu'une médiocre instruction, mais sont astreints à de longues heures de manœuvre en groupe. Rien de sérieux n'a été prévu pour faire face à l'afflux des conscrits que l'on se contente de garder et d'occuper tant bien que mal pendant la période légale. L'impression d'ennui permanent que souligne Courteline est celle qui se dégage partout vers 1890. Au début du XX\ᵉ siè-cle, la situation évolue, en particulier dans les unités d'artillerie où l'emploi d'un matériel moderne impose un minimum de formation.

Mais le changement est surtout lié à l'évolution profonde du corps des officiers. Sous le Second Empire, l'armée compte quelque 20 000 officiers ; les deux tiers d'entre eux sont sortis du rang ; ils ont des soldes faibles, dépendent étroitement de leurs chefs et se font surtout remarquer par leur prudence. Dans la plupart des cas, ils choisissent une résidence qu'ils ne quitteront pas jusqu'à leur retraite acquise avec le grade de capitaine.

Les réformes de la République sont, sur ce plan, assez efficaces ; les officiers sortent à peu près tous soit d'une école spéciale comme Saint-Cyr ou Polytechnique, soit d'une école d'application, Saumur, Fontainebleau ou Saint-Maixent. La création de l'École de guerre, en 1875, les incite à poursuivre leur instruction après leur premier séjour dans un corps de troupe.

L'officier des années 1900 est bien différent de son ancêtre du milieu du siècle. Il se sent appelé à exercer une vocation, un « rôle social » comme le dit Lyautey ; bien qu'il soit contraint, s'il veut avancer, de changer plusieurs fois de garnison, il ne se tient pas à l'écart dans la ville où il séjourne. A Rennes et à Poitiers, de jeunes officiers s'intéressent aux œuvres créées en faveur des ouvriers ; ailleurs, ils participent à des cercles d'études.

Les officiers sont relativement peu payés ; leur uniforme et leur équipement leur imposent de grosses dépenses. Pourtant, ils jouissent, en province, d'un prestige considérable ; sur les trottoirs, on leur cède la place ; ils sont reçus avec égards par les notables aux yeux desquels ils incarnent à la fois un certain patriotisme et une hiérarchie sociale reposant sur l'autorité et le mérite.

Les entreprises privées

La multiplication des boutiques, des magasins et des entreprises privées est un des faits majeurs dans la vie provinciale après 1850. On retrouve d'ailleurs ici les jalons posés au départ.

Sous le Second Empire, le commerce se développe peu ; le nombre des détaillants est à peu près identique en 1851 et en 1866 ; s'il a légèrement augmenté pour l'ensemble de la France, c'est uniquement à cause des grandes villes. A Clermont-Ferrand, à Limoges, on ne trouve à peu près aucune modification en un quart de siècle. Les négociants ont une situation stable, et une clientèle régulière ; ils se succèdent généralement de père en fils ou en gendre ; une recension des boutiques d'alimentation dans les villes du Gard montre qu'elles n'ont pas changé de famille durant ces vingt années. Il existe un monopole de fait ; certaines professions comme celle de boucher sont réglementées, si bien qu'on ne peut ouvrir librement un nouvel étal ; d'autres, comme les commerces de vêtements, exigent une mise de fonds. La clientèle ne s'élargit pas dans les décennies qui suivent 1850, et personne n'est tenté de créer des magasins.

Une lettre adressée par le maire de Dijon au préfet de la Côte-d'Or, en février 1859, donne une excellente idée de ce que sont les soucis et les espérances d'un négociant d'alors : « Nos meilleurs bouchers abattent à Dijon huit bœufs par mois, ce qui porterait le bénéfice mensuel à 248 francs par mois. Ils peuvent encore gagner sur quarante veaux et autant de moutons abattus également par mois, savoir, sur les quarante veaux 120 francs et sur les quarante moutons 80 francs, total : 200 francs qui réunis aux 248 donnent un bénéfice total de 448 francs... Si on estime que les dépenses qu'entraîne l'exercice de la profession de boucher, tant en personnel qu'en matériel de location, soit des boutiques, soit des écuries d'entrepôt, on arrive à reconnaître qu'il reste tout au plus 200 francs par mois entre les mains du boucher... »

2 400 francs par an représentent en fait une assez belle somme. Les commerçants ne font pas de dépenses somptuaires ; ils habitent à Riom les maisons de la rue du Commerce, à Clermont-Ferrand celles du quartier du Port, qui n'ont pas changé depuis le Moyen Age ; ils économisent pour assurer leurs vieux jours, sans jamais songer à modifier leurs boutiques. Leur rêve est d'obtenir la pratique des notables ; être le fournisseur des Abauzit ou des Chambon de la Tour à Uzès constitue une véritable consécration. Plusieurs préfets, en particulier celui de la

Vienne et celui de l'Hérault, notent, dans leurs rapports, de quelle considération les grands propriétaires jouissent parmi les commerçants.

Le changement survient avec l'élargissement des villes provinciales. L'augmentation de la population a pour conséquence directe un renouveau des activités privées. Les statistiques en font foi : le nombre des commerçants double sous la Troisième République, passant de un à deux millions (fig. 9).

Ces chiffres ne donnent qu'une image incomplète de la réalité ; ils portent seulement sur les négociants patentés. Or l'accroissement démographique rend nécessaire la création de nouveaux services. C'est surtout après 1871 que les villes commencent à s'étendre hors de leur centre traditionnel. Pour loger les immigrants venus de la campagne ou des petits bourgs, il faut multiplier les constructions ; Tours qui possédait 3 000 immeubles en 1871 en a 8 700 en 1910 ; Orléans passe dans le même temps de 4 000 à 7 300. Vers 1880, Clermont-Ferrand connaît une véritable fièvre du bâtiment ; la ville s'étend à la fois vers l'est et vers l'ouest, sa superficie augmente d'un tiers en moins d'une décennie.

Pour faire face à cette demande, on voit se multiplier les entreprises de construction. L'« entrepreneur », à la fois architecte et chef de chantier, est une figure caractéristique de l'époque ; s'il sait calculer ses prix et mener rapidement ses travaux, il se voit facilement confier des quartiers entiers ; l'allure monotone de certains groupes de rues provinciales, pourtour du lycée à Angers, environs du Polygone à Valence, tient au manque d'imagination de quelques entrepreneurs pressés de commandes. Architectes, dessinateurs, serruriers, plombiers profitent eux aussi de cette tendance et des professions auparavant peu actives connaissent un renouveau de fortune.

Les négociants ont ensuite leur tour ; dans les rues excentriques, on installe des magasins. Il s'établit d'ailleurs une sorte de partage : les commerces de vêtements demeurent dans les anciens quartiers, si bien que leur nombre s'accroît peu, du moins en province. Au contraire l'alimentation ne cesse de progresser.

L'étude des taxes perçues à l'octroi d'une ville moyenne comme Dijon permet de suivre cette évolution. Durant le troisième quart du siècle, la population a très peu varié : en 1876, elle n'atteint encore que 37 000 âmes. La consommation alimentaire y est relativement irrégulière ; toute augmentation des prix amène une réduction des achats et les négociants se plaignent du manque de constance de leurs clients. Puis la tendance se renverse ; en trois décennies, Dijon connaît un tel essor que l'on y recense 75 000 personnes en 1911 ; la ville s'étend, les boulevards Thiers et Carnot sont largement débordés à l'est. Les achats de nourriture et de boisson se régularisent et augmentent de façon continue ; la demande de poisson triple entre 1860 et 1890 ; la demande de viande double ; vers 1890, un Dijonnais consomme annuellement 76 kilos de viande et 170 litres de vin. A cette date, l'achat d'une boucherie ou d'une épicerie, même en dehors du centre, constitue un excellent placement.

La mutation des petites villes entraîne l'apparition de nombreuses autres activités : banques, cabinets d'assurances, hospices. Si l'on ne doit en retenir qu'une, il convient de choisir la presse. Le journalisme était étroitement surveillé sous l'Empire; en province, les rares feuilles quotidiennes ne dépassaient pas un tirage de 2 000 exemplaires. Dès que la République instaure une liberté complète, les journaux se multiplient; au début du XXe siècle, la moindre cité en a au moins trois, un conservateur, un républicain et un radical. Ces feuilles ont un public réduit; mais leur imprimerie prend à façon de petits travaux, fait des affiches, des prospectus, voire des livres, ce qui permet de payer les protes et les typos. Ainsi les journaux provinciaux ont-ils un assez important personnel et offrent-ils des emplois.

Les villes de province ont tout autant changé que les campagnes françaises dans la seconde moitié du XIXe siècle. Entre les deux mouvements, il existe d'évidents parallélismes. Vers 1840, les villages et les villes moyennes connaissent également une vie locale très active; les zones rurales commencent à être trop fortement peuplées et les bourgs tirent profit de la main-d'œuvre agricole inemployée. Après 1850, on constate une sorte de décalage; les paysans traversent une assez bonne période; les citadins se ferment sur eux-mêmes; les petites villes semblent mornes; les notables y mènent entre eux une existence fort joyeuse, mais les membres des professions libérales, les fonctionnaires, les commerçants se tiennent sur la réserve; les grands courants d'échange se dirigent vers la capitale ou vers les métropoles régionales, ils laissent à l'écart les autres centres. Durant cette période, les campagnes fournissent à leurs chefs-lieux l'essentiel de ce dont ils ont besoin; grâce à la rente foncière, aux prêts d'argent, aux marchés, les bénéfices réalisés par les agriculteurs profitent en partie aux citadins.

Le renouveau des cités provinciales, à la fin du siècle, provient en partie des villages; l'afflux des paysans augmente rapidement la population de la majorité des centres urbains. A elle seule, cette immigration ne suffirait pourtant pas pour susciter de profondes modifications; il convient d'y ajouter la naissance d'industries, la création de métiers nouveaux. Nous retrouvons ici le phénomène signalé à propos des zones agricoles : à l'aube du XXe siècle, le capitalisme industriel pénètre la province et l'oblige à se transformer.

Deuxième partie

...Vers une France moderne

4. Les grandes villes

L E contraste entre la société traditionnelle, encore proche de l'Ancien Régime, et la société moderne, accédant à l'ère industrielle, n'apparaît nulle part aussi clairement que dans le développement urbain. Sous la Monarchie de Juillet, un Français sur quatre vivait dans une cité; à la veille de la guerre, les villes abritent presque la moitié des habitants (fig. 2). Cette proportion n'est d'ailleurs pas considérable : par rapport à la Grande-Bretagne ou à l'Allemagne, une augmentation de 80 % semble modérée. Mais il convient de se rappeler la distinction proposée plus haut : notre pays possède deux types de villes assez différents; les petits centres, proches du monde rural, sont longs à se transformer; au contraire, la mutation des grandes villes, extrêmement rapide, supporte la comparaison avec les métropoles anglaises ou germaniques.

Les statistiques ne suffisent pas à définir la grande ville; il n'existe pas de seuil, bien qu'une cité de 100 000 âmes puisse difficilement être considérée comme « petite ». Plus que les chiffres, il convient d'envisager la vitesse de la croissance : la grande ville s'étend rapidement, de façon parfois discontinue, mais avec de très grosses poussées, qui marquent la progression soudaine de quelques activités. L'extension spatiale est un autre critère; avant 1840, la majorité des cités françaises semblent enfermées à l'intérieur d'un corset qu'elles n'osent pas déborder; elles ont au mieux des faubourgs, sortes d'appendices mal reliés au groupe principal; souvent, elles conservent une enceinte qui marque leurs limites et leur interdit tout progrès.

Sous la Monarchie de Juillet, ces frontières traditionnelles sont dépassées. La conquête territoriale ne se confond pourtant pas avec la progression démographique; il y a là, en réalité, deux phénomènes différents. La distinction est facile à opérer dans le cas de Lille, ou de Lyon. La population de ces deux villes a commencé à s'accroître dès le début du siècle; sous la Monarchie censitaire, l'augmentation a dépassé 30 % à Lille; ce rapide développement n'a pas eu de conséquences sur la physionomie urbaine ; les deux préfectures ont continué à se serrer l'une dans ses remparts, l'autre entre ses fleuves. Après 1850, la géographie se transforme en même temps que le peuplement ; population et superficie de Lyon doublent l'une et l'autre durant la seconde moitié du XIXᵉ siècle ; Lille, brisant ses fortifications, gagne vers le sud un espace équivalent à celui qu'elle occupait déjà.

Les villes annexent les communes avoisinantes ; elles englobent désormais des quartiers extrêmement différenciés. Aux anciens faubourgs se substituent les banlieues qui sont un phénomène typiquement moderne. La banlieue n'est pas une annexe extérieure : c'est un fragment de ville, soudé à un vaste ensemble, ayant sa vie propre, mais faisant avec le centre principal une grande partie de ses transactions.

Les cités gagnent sur la campagne. Ce fait, aujourd'hui admis, frappait les contemporains ; il explique l'effroi de Verhaeren devant « la ville tentaculaire, pieuvre ardente et ossuaire... », comme l'impression de vie indéfiniment répercutée et prolongée que Jules Romains s'efforce d'exprimer : la ville est, maintenant, en mouvement.

Au milieu du XIXᵉ siècle, les petites cités l'emportent de très loin ; elles constituent la partie importante de la trame urbaine, tandis que les centres dépassant 50 000 âmes réunissent tout juste le vingtième des Français. Puis les grandes villes commencent à se gonfler ; sous l'Empire, elles gagnent 1 800 000 habitants, et la Troisième République leur en apporte 3 400 000 : entre 1841 et 1911, elles ont quadruplé. S'il y a eu un essor des villes en France, c'est à ce niveau, et non dans les centres provinciaux. Désormais, les quinze cités qui dépassent 100 000 âmes se détachent nettement ; elles ont leur aspect particulier, leurs problèmes, elles tiennent une place particulière dans la vie de la société française (fig. 8).

Essor du peuplement urbain

L'augmentation de la population urbaine résulte, pour une part, de l'accroissement naturel. Les familles ouvrières continuent, jusqu'à la fin de l'Empire, à avoir de nombreux enfants : à Rouen, autour de 1880, les seules familles vraiment nombreuses, d'au moins sept personnes, sont celles des ouvriers du coton. L'écart est partout bien marqué entre quartiers riches et pauvres : il naît proportionnellement deux fois plus de bébés aux Buttes-Chaumont qu'à l'Opéra.

Mais cette progression est compensée par une très grosse mortalité, qui atteint souvent 30 °/₀₀. A partir de 1890, les classes pauvres se mettent, d'autre part, à suivre l'exemple de la bourgeoisie ; en 1911, la natalité est tombée au-dessous de 25 °/₀₀ à Lille, à Roubaix, à Reims. Sans insister sur ce problème que nous retrouverons, il convient de souligner le recul de la fécondité dans les villes.

Le gain naturel est, finalement, médiocre ; à Marseille, il ne représente que 10 000 personnes pour l'ensemble du XIXe siècle. En 1911, 60 % des Rouennais, 65 % des Marseillais et des Parisiens sont nés en dehors de la ville où ils se sont installés. C'est donc bien l'immigration qui explique la progression des grandes cités, et la formation des populations urbaines constitue le premier problème à étudier.

L'origine géographique des citadins ne manque pas d'intérêt. En mettant à part la capitale, on constate que la majorité des immigrants n'ont pas quitté leur département : ils ont seulement glissé de la périphérie vers le chef-lieu. 35 % des Marseillais ont vu le jour dans le bas Rhône tandis que 30 % seulement viennent d'une autre circonscription ; encore les proportions sont-elles faussées, ici, par l'existence du port qui attire les étrangers. Si l'on s'en tient aux Français, il n'y a guère que le dixième des Lillois, le huitième des Lyonnais et des Toulousains, le septième des Marseillais dont l'enfance se soit déroulée dans un autre département.

Cette simple remarque permet de mieux comprendre qui sont les citadins. Ils viennent rarement tout droit de leurs campagnes. Il existe certes des paysans qui ont quitté leur village pour se faire embaucher dans une entreprise urbaine ; on en rencontre à Paris, au Havre, à Roubaix. Leur cas demeure pourtant exceptionnel ; l'évolution se fait généralement en deux ou trois temps, avec presque toujours un passage intermédiaire dans une ville secondaire. Contrairement à une légende souvent répétée, il n'est pas exact que la ville attire les ruraux à la fin du XIXe siècle ; elle leur fait peur, au contraire, et ils ne s'y risquent qu'après une certaine préparation.

Chaque centre a sa sphère d'attraction, qui ne se confond pas avec sa zone d'influence économique ; les Marseillais se recrutent en Corse, dans le bas Languedoc, dans les Cévennes, les Pyrénées-Orientales et les Basses-Alpes ; dans ces deux derniers cas, on ne peut évoquer comme explication les liens commerciaux ou financiers ; en réalité, il faut surtout tenir compte de l'état des communications et de l'existence de groupes régionaux déjà constitués au sein des grandes villes : les immigrants vont là où ils espèrent rencontrer des compatriotes. Paris ne constitue pas une exception ; son rayonnement s'étend simplement plus loin ; de vastes secteurs : seuil poitevin, Aquitaine, basse vallée du Rhône et Midi méditerranéen, demeurent réfractaires au charme de la capitale ; en dehors de quelques départements pauvres du Massif central, ce sont l'Est et le Bassin parisien qui remplissent Paris. Le cheminement en direction de la capitale emprunte des voies un peu plus compliquées, mais il obéit aux mêmes règles que les autres déplacements.

A la fin du XIXe siècle et au début du XXe, un courant d'émigration continu se forme à partir du Languedoc. Il se dirige essentiellement vers les Bouches-du-Rhône, mais il s'arrête dans les campagnes ou dans les villes secondaires, Arles,

Salon, Aix-en-Provence; la génération suivante s'aventure à Marseille, puis, de là, remonte vers Paris; il a fallu une sorte de relais avant d'atteindre les bords de la Seine.

Seuls les étrangers choisissent d'emblée les centres importants; en 1911, 40 % d'entre eux se trouvent dans quatre villes : Paris, Lille, Marseille et Nice. Les 200 000 étrangers de la Seine disparaissent dans une population dont ils ne forment pas le trentième; leur présence suscite parfois des réactions chez les ouvriers en chômage, mais elle n'est pas réellement sensible. Au contraire, on ne peut ignorer les 100 000 Italiens de Marseille, ni les 50 000 Belges de Lille, puisque, dans les deux cas, il s'agit du cinquième des habitants; ces villes, comme Nice, ont déjà leurs quartiers étrangers.

L'installation dans les grandes villes n'est pas un mouvement continu; on y distingue au contraire des moments d'accélération et de recul. Dès la première moitié du XIXᵉ siècle, on aperçoit, surtout entre 1830 et 1840, une période de fort accroissement. La tendance est très variable suivant les régions; les ports, Rouen, Le Havre, Marseille, progressent peu et Nantes connaît même un léger recul; à Lyon, à Nancy, le gain n'atteint pas 15 %. En revanche, la population de Bordeaux augmente de moitié, celle de Toulouse des deux tiers tandis que celle de Saint-Etienne double. Pour le chef-lieu de la Loire, le fait n'a rien de surprenant : il s'agissait, vers 1830, d'une petite ville qui n'atteignait pas 30 000 âmes; l'installation d'ateliers textiles et métallurgiques, les progrès de la rubannerie attirent des centaines d'artisans ruraux qui s'établissent dans la cité. La situation des deux métropoles du Sud-Ouest n'est pas aussi simple; les industries y sont presque inexistantes; Bordeaux a quelques chantiers à cause de son port, mais, à Toulouse, il n'existe que des artisans produisant des vêtements et des objets courants. En pratique, les activités commerciales sont seules à connaître un essor continu; Aquitaine et vallée de la Garonne sont alors de riches campagnes; les agriculteurs se dirigent naturellement vers les pôles régionaux où ils vont faire leurs achats; des magasins de tissus et de nouveautés, de denrées alimentaires, de produits fins commencent à s'installer; de grands propriétaires trouvent agréable d'avoir en ville leur résidence d'hiver; la vie mondaine est active, les deux cités ont leur théâtre, leurs expositions de peinture, et l'université de Bordeaux rayonne sur tout l'ouest de la France.

A cela s'ajoute un autre élément, celui-ci décisif : il s'agit de centres éloignés de la capitale. Sous la Monarchie de Juillet, Paris exerce déjà un pouvoir attractif considérable; en quinze années, de 1831 à 1846, sa population passe de 780 000 à 1 050 000 habitants, ce qui représente plus d'un tiers d'accroissement; la France n'avait jamais connu un tel taux de progression et le phénomène est anormal; ni le rôle politique, ni les fonctions industrielles et commerciales de la capitale ne justifient ce mouvement; une masse de chômeurs, d'artisans sans travail vont vers Paris où ils espèrent découvrir un emploi; au milieu du siècle, la police recense quelque 50 000 individus nomades qui n'ont ni activité ni domicile et vivent d'expédients; à cela s'ajoute le nombre considérable de ceux qui se procurent juste le nécessaire et vivent au seuil de la misère; les épidémies, comme le choléra de 1832, font des ravages particulièrement étendus dans la capitale où les déshérités sont légion; les soulèvements de 1832 et 1848 sont terribles parce que Paris compte trop de pauvres, menacés par la famine et la maladie.

Sous le Second Empire, la capitale perd son privilège; pendant deux décennies, on assiste à un gonflement des grandes villes, aux dépens des centres moyens. Il est alors inutile de donner des chiffres et de chercher à faire des distinctions, tant la convergence est nette. Toulouse et Bordeaux, qui continuent sur leur lancée, sont imitées par Marseille, Lyon, Lille, Nantes. La seule exception notable est Rouen que la crise du coton a durement éprouvée et qui gagne à peine 1 500 personnes en vingt ans.

Les statistiques de cette période sont faussées par les annexions de communes suburbaines qui augmentent brutalement le nombre des habitants. Cette tendance à élargir les limites de la commune doit être relevée; elle montre bien que, vers 1855, les anciennes cités ont atteint leur point de saturation; elles doivent désormais s'étendre. Lyon donne l'exemple dès 1851 en incluant la Guillotière, la Croix-Rousse et Vaise; Lille suit en 1858, Paris en 1859.

La belle époque des grandes villes est située entre 1852 et 1865 (fig. 10). C'est le moment où les travaux se multiplient partout; le chemin de fer atteint les principaux centres et suscite des emplois; pendant une décennie, Bordeaux est occupée par l'installation de ses deux voies vers Paris et vers Cette; Lyon doit assainir Perrache, percer un tunnel pour faire passer les rails vers Paris; Marseille achève de transformer la Joliette, Lille se donne de nouveaux remparts et partout on ouvre des rues ou des avenues.

Pendant cette période, une sorte de hiérarchie commence à se dessiner nettement parmi les centres importants. Autour de 1850, une dizaine de villes avaient entre 100 000 et 200 000 habitants; c'est à partir des années 1850 que Lyon et Marseille vont se détacher très sensiblement; à la chute de Napoléon III, elles ont toutes deux dépassé 300 000 âmes : aucune autre ville n'atteindra ce niveau avant le milieu du XXe siècle. Tandis que les autres centres se sont spécialisés dans un rôle industriel, comme Lille et Rouen, ou commercial, à l'image de Bordeaux et Toulouse, les deux principales métropoles ont multiplié leurs activités; elles traversent, avec un certain retard, la période difficile que la capitale a connue sous Louis-Philippe; à Lyon, la Guillotière, vaste plaine presque étrangère à la cité dont la sépare le Rhône, à Marseille les quartiers de Saint-Lazare et de Longchamp voient s'entasser des nouveaux venus, artisans malchanceux, ouvriers sans travail, commerçants attirés par l'espoir de meilleurs profits.

Une période de tassement commence vers 1865. Aucune ville n'y échappe et cette parfaite coïncidence est importante; elle prouve que, avec les moyens de

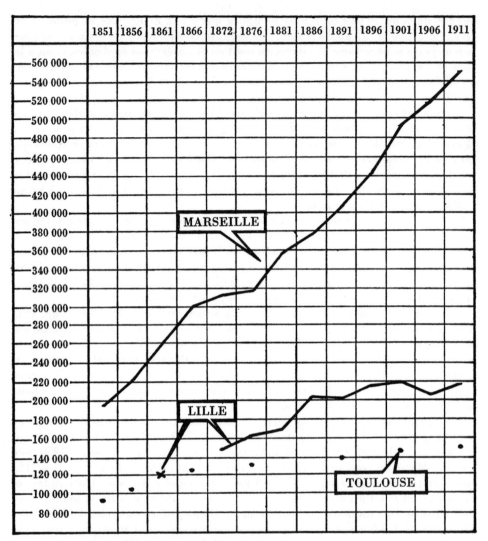

	1851	1856	1861	1866	1872	1876	1881	1886	1891	1896	1901	1906	1911

10. Trois types de population urbaine : Lille, Marseille, Toulouse.

Les annexions de 1858 ayant changé les bases du calcul, la population de Lille n'est comptée qu'à partir de 1861.

communication modernes, les grandes cités évoluent dans des conditions identiques. Quand les principaux aménagements sont terminés, la fièvre du milieu du siècle retombe; bientôt la guerre menace et la crainte des hostilités entraîne partout un ralentissement des activités.

Seule la capitale (fig. 11) reprend un rapide développement dès les débuts de la Troisième République : elle gagne encore 850 000 habitants durant les trente dernières années du siècle, et sa banlieue, jusque-là peu importante, atteint le million au début du XXᵉ siècle; on peut discerner des phases de moindre progression, en particulier durant la mauvaise période qui suit 1882, mais il ne s'agit jamais d'un renversement de la tendance; chaque année, de 15 000 à 20 000 personnes s'établissent dans la capitale; parfois l'approche d'un événement exceptionnel, comme l'exposition de 1900, ou bien un très bon développement économique, tel celui que l'on peut observer entre 1910 et la guerre, précipitent le mouvement et l'on dénombre, alors, jusqu'à 40 000 nouveaux venus.

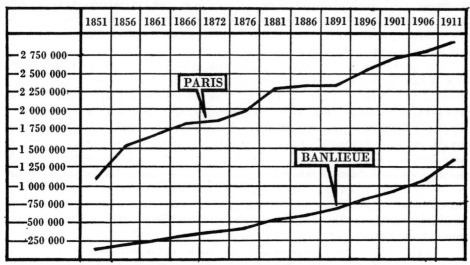

11. **Accroissement de la population de Paris et de sa banlieue.**
La population de Paris est indiquée dans les limites de 1859.

La province réagit moins vite (fig. 10); certains centres ne connaissent jusqu'à la guerre qu'une lente évolution : Toulouse ne gagne pas 1 000 personnes chaque année et, sous la Troisième République, augmente juste de 12 %; les progrès de Rouen, de Saint-Etienne, sont à peine mieux marqués. Cependant, l'émigration vers ces villes ne s'est pas tarie, mais elle est compensée par les départs; entre 100 000 et 150 000 habitants, les centres sont des lieux de transit : les Rouennais vont au Havre ou à Paris, les Stéphanois à Lyon. Les grands centres industriels finissent eux aussi par être atteints; de 1872 à 1901, Lille enregistre un gain de 40 %; partie d'un niveau proche de celui de Toulouse, elle est arrivée

Les grandes villes   **107**

largement au-dessus, grâce à ses usines; puis la chute commence : 15 000 personnes partent entre 1901 et 1906; Lille a été une étape; de là on est reparti vers les cités voisines ou vers la capitale. En définitive, seuls Lyon et Marseille conservent leur vitalité; le port méditerranéen dépasse même sa rivale; il y entre régulièrement 6 000 ou 8 000 personnes par an et, comme dans la capitale, le début du XXe siècle y est marqué par une accélération du peuplement.

Le développement urbain n'a pas été, dans la France du XIXe siècle, un phénomène simple; les ruraux ne se sont pas dirigés régulièrement vers les villes, ils ont traversé des périodes de remords et d'hésitations. Le mouvement a été dominé par l'accroissement de la capitale. Si Paris n'a fait que doubler en soixante ans, le département de la Seine, c'est-à-dire l'ensemble de l'agglomération parisienne, a triplé; en dehors de Marseille, aucun centre n'a connu une semblable extension : il faut 800 kilomètres de distance pour que l'attraction de la capitale se fasse moins sentir. La croissance de Paris précède celle des autres cités; elle n'est certes pas régulière, mais elle est continue, sans phases d'interruption, ce qui est rarement le cas ailleurs.

Des provinciaux vont, sans cesse, à Paris, et les périodes de crise ne les découragent pas; ils se montrent plus méfiants à l'égard des autres centres, dont ils se détournent pendant les années difficiles. Les métropoles régionales ont chacune leur période de succès, plus ou moins prolongée, mais jamais sans retour.

La ville attire parce qu'elle offre des emplois. L'immigration atteint son maximum, pour l'ensemble des centres urbains, à l'époque des grands travaux, au début de l'Empire; entre 1866 et 1876, Marseille semble immobile : c'est le moment où les industries textiles et alimentaires y sont menacées par la concurrence, où le trafic du port diminue, où l'on débauche manœuvres et dockers; mais l'essor du commerce méditerranéen avec l'ouverture de Suez, la multiplication des envois en direction des colonies relancent les activités et l'immigration reprend aussitôt.

La coïncidence entre les possibilités de travail et l'importance des migrations n'est cependant pas totale. Nous avons déjà noté que les paysans se font peu d'illusions sur le sort qui les attend en ville; nous verrons d'autre part qu'aux plus bas échelons les salaires de la capitale et ceux de la province ne diffèrent pas sensiblement. Les considérations économiques n'entrent pas seules en ligne de compte.

Il s'y ajoute d'abord une question de moyens pratiques : on va dans les cités parce que l'on peut s'y rendre; les chemins de fer ont réglé le problème des déplacements; avant 1840, c'étaient surtout des célibataires qui partaient en ville; ensuite, on voit se déplacer des familles entières. L'influence de la voie ferrée est parfois très nette : Bordeaux connaît sa meilleure phase de développement après 1853, c'est-à-dire après l'arrivée du train; il en va de même à Nantes où, dans les dix années qui suivent l'ouverture de la gare, on voit arriver 20 000 personnes.

L'existence d'un groupe originaire d'une même région constitue un puissant facteur d'attraction ; le rôle et la place des Auvergnats ou des Bretons à Paris est trop connu pour qu'on y insiste. A une moindre échelle, on reconnaît ce trait à Marseille : les immigrés venus des Alpes sont assurés de trouver du travail dans les transports urbains ou au P.L.M. ; ceux du Vaucluse deviennent commerçants ; la Corse fournit des fonctionnaires municipaux, la Drôme et l'Ardèche des domestiques.

On rejoint ici la question de l'emploi, mais par un autre biais : les nouveaux venus ont plus de chance de se faire embaucher là où quelque compatriote pourra les guider et leur rendre moins longues les démarches préliminaires. La Corrèze, l'Aveyron, la Lozère déversent leur excédent de population sur la capitale ; la logique voudrait que Lyon et Marseille aient leur part de ce mouvement, mais l'orientation du réseau ferré français jointe à la présence de colonies issues de ces trois départements fait que Paris a la priorité.

La hantise des travailleurs, dans la France du XIXᵉ siècle, est le chômage ; dans les centres urbains, les industries se relaient et l'essor de l'une compense le déclin de l'autre ; la construction se développe, l'augmentation de la population oblige à créer des services et des commerces : à salaire égal, les chances sont plus fortes dans une grosse ville que dans une cité provinciale ou à la campagne et c'est d'abord cela qui explique l'ampleur des déplacements opérés vers les grands centres.

Physionomie des villes

Le nom d'Haussmann reste lié à toute une période de l'histoire parisienne ; les transformations qui furent apportées au visage de la capitale sous son administration ont tellement frappé les esprits qu'on disserte aujourd'hui encore sur les mérites et les défauts de ses entreprises.

L'empereur ni Haussmann n'ont tout fait. Sous Louis-Philippe, on avait déjà commencé de grands travaux que l'arrivée du chemin de fer, la création d'industries nouvelles, l'essor démographique, rendaient, en tout état de cause, indispensables. Mais le gouvernement impérial a su trouver la manière de présenter et de faire accepter une œuvre nécessaire ; il a eu vraiment une « politique » et il l'a fait savoir. En 1853, le préfet du Rhône, Vaisse, écrit, à propos de Lyon, qu'il est nécessaire de « frapper les esprits par une grande entreprise d'intérêt local qui frappe l'amour-propre et témoigne que la ville n'a rien perdu au changement d'administration ». Soigneusement orchestrée, l'ouverture des chantiers devient un excellent instrument de propagande.

L'adresse du pouvoir ne suffit pas à expliquer le souvenir qu'a laissé l'époque d'Haussmann. L'audace des autorités a semblé presque sacrilège ; depuis des siècles le centre des villes demeurait inchangé et les constructions neuves n'apparaissaient qu'à la périphérie ; soudain, des préfets osaient tailler au travers des maisons : la réaction fut largement défavorable. Pourtant, ni l'Empire ni la République n'ont révolutionné le monde urbain ; ils se sont contentés de mener à bien quelques travaux urgents et le bilan de leurs efforts semble mince si l'on tient compte du considérable développement de la population.

Ce retard semble avoir deux origines ; il tient pour une part à l'inertie des Français : les citadins répugnent au changement. La municipalité de Bordeaux décide en 1853 de procéder à l'adduction d'eau ; les critiques ne lui sont pas ménagées et nombre de Bordelais assurent que les fontaines publiques leur suffisent largement ; il faut procéder quartier par quartier, mener chaque fois de longues négociations pour vaincre les résistances ; cette opération simple, conduite dans un terrain facile à travailler, demande finalement douze années ; les édiles entreprennent ensuite des égouts, et les difficultés sont telles qu'ils se contentent finalement d'un grand collecteur. Partout, la modernisation de la voirie, de l'éclairage, du système de vidange, provoque les mêmes résistances ; des habitudes se sont créées et la rénovation coûte cher ; l'augmentation des taxes municipales est un sujet de récrimination et bien des maires dont la réélection semble problématique n'osent pas affronter les mécontents.

Si elles savent, en général, surmonter les obstacles psychologiques, les autorités n'ont pas de véritable programme ; elles vont au plus pressé. L'étude du vocabulaire est, une fois encore, révélatrice : le mot « urbanisme » n'apparaît dans la langue courante que vers 1910 ; il n'y a, auparavant, que des architectes, des ingénieurs, qui conçoivent leurs tâches séparément. Vers 1850, le problème de la circulation à l'intérieur des villes, dans des rues médiévales, devient angoissant ; on le règle en effectuant de grandes percées ; pourtant on ne songe qu'aux voies, et non à ce qui devrait les accompagner : à Marseille, la rue Impériale est achevée en moins de deux ans ; mais on néglige d'amener l'eau et il faut, trente ans après, reprendre les éventrations, dans de moins bonnes conditions. Jusqu'en 1902, les permis de construire sont accordés à la seule condition que l'on respecte l'alignement ; pourvu qu'une façade ne dépare pas la rue, l'administration n'a pas d'objections à faire et les cours de nombreux immeubles élevés au XIXe siècle témoignent de cette indifférence à ce qui est pourtant le cœur du bloc d'habitation.

Avenues et boulevards sont à peu près toujours compris de façon intelligente ; compte tenu des moyens de l'époque et du nombre relativement réduit de véhicules, on doit reconnaître que, sous l'Empire comme sous la République, l'administration a eu les vues larges ; les chaussées ont de 15 à 20 mètres et l'on va parfois jusqu'à 45 mètres, en particulier pour le boulevard Michelet à Marseille. On a choisi des tracés rectilignes, en partie sans doute pour éviter la construction de barricades, mais surtout parce que c'est, du point de vue des échanges, la solution commode.

Les artères nouvelles ont profondément changé le visage des centres urbains. Généralement bordées d'arbres, bien éclairées le soir, elles ont attiré les flâneurs ; les magasins modernes s'y sont établis de préférence, on y a ouvert des cafés, des théâtres, des boutiques de mode. Le boulevard devient une unité à part, étrangère aux arrondissements traversés. Même à l'aube du XXe siècle, les voitures n'y sont pas trop nombreuses et l'on y circule facilement ; ils constituent des lieux de rencontre et de promenade, comme l'étaient autrefois les jardins et les places. Le spectacle y est permanent ; on y voit des baraques foraines, des camelots, des crieurs de journaux ; les régiments y défilent et l'on y organise des cortèges : à Paris, pour la mi-carême, d'immenses chars se rassemblent place de la Nation et descendent le boulevard Voltaire. Les boulevards n'ont donc pas seulement amélioré les échanges entre les diverses parties des villes, ils ont suscité une autre forme d'activité, et, dans une certaine mesure, fait reculer le particularisme propre à chaque quartier.

Entre les axes majeurs, la vie n'a pas été profondément bouleversée ; à quelques mètres du boulevard de Sébastopol, qui est vite devenu un important centre commerçant, la rue Saint-Denis est demeurée ce qu'elle était. Encore, dans la capitale, a-t-on eu le courage d'ouvrir le vieux centre. Ailleurs, on s'en est bien gardé ; à Marseille, la ville ancienne n'est pas entamée ; on la ceinture d'avenues commodes, tout en la laissant subsister ; aucune artère ne permet de gagner rapidement le port depuis la gare ; à Lille, deux belles rues aboutissent à la Grand-Place, mais elles sont tournées vers l'extérieur, l'une en direction de la gare, l'autre du côté des communes annexées : le Lille historique n'en est pas affecté.

La cité moderne et la cité traditionnelle évoluent parallèlement, ce qui confère aux grandes villes un caractère hybride et fait que, par endroits, Paris demeure proche de la province.

Dans les vieilles rues, le peuplement reste très serré ; les familles aisées émigrent vers les boulevards ou vers la périphérie ; elles sont vite remplacées. A Paris, sous le Second Empire, la densité humaine diminue à peine entre la rive droite de la Seine et les boulevards extérieurs ; les expulsions imposées par les travaux expliquent seules la légère décrue enregistrée ; en 1881, les immeubles de la Cité, du Châtelet et du Louvre, de Maubert, demeurent surchargés et il faut attendre la dernière décennie du siècle pour que les départs vers les arrondissements du Nord-Est ou vers la banlieue modifient la situation. La presqu'île lyonnaise, le Ier canton de Marseille et les abords de la Joliette gardent, au début du XXe siècle, de 1 000 à 1 200 habitants par kilomètre carré. Dans ces zones persiste un petit artisanat, lié surtout au vêtement ou à la chaussure, et un très important commerce de détail.

Au-delà du noyau primitif, les changements sont au contraire immenses. Si le Paris de 1858 est étranglé dans ses murs, on ne voit, hors de l'agglomération, que des centres disséminés (carte IV) ; au sud, trois taches, Grenelle, Vaugirard et

La société française (1840-1914)

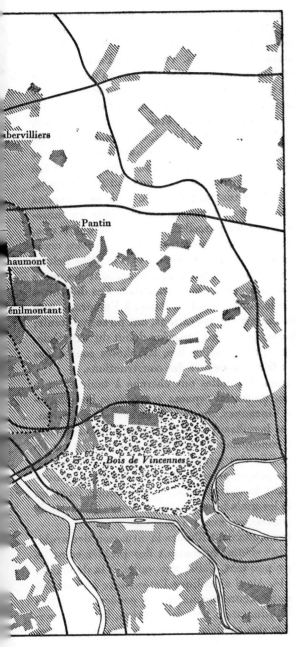

.... Limites urbaines en 1850

--- Limites urbaines après les annexions de 1859

Extension de la ville en 1850

Extension de la ville en 1914

bervilliers

Pantin

haumont

énilmontant

Bois de Vincennes

IV. Le développement de l'agglomération parisienne.

D'après *Atlas de Paris et de la
région parisienne.*

Les grandes villes

113

les Gobelins, sont séparées par de larges espaces inoccupés. A gauche du Rhône, Lyon n'a guère poussé que deux timides avancées, les Brotteaux et la Guillotière, entre lesquelles subsiste un vaste hiatus.

Trente années suffisent pour combler ces lacunes. Vers 1890, Paris a rempli sa dernière enceinte, Lyon a rejoint Villeurbanne, Lille ne fait qu'un avec les anciennes communes suburbaines. Les quartiers achevés à cette époque manquent de caractère. L'administration a défini des tracés et les entrepreneurs ont eu toute latitude pour agir à leur convenance. Quand le terrain était parfaitement libre, on a pu dessiner sans peine un damier ; tel est le cas à Lyon, où la majeure partie des terrains de la rive gauche appartenait aux hospices : les achats ont été réalisés en bloc ; trois rues parallèles, distantes de 200 mètres, une rue en oblique ont été les seules fantaisies qu'on se soit permises. Autour de Bordeaux, au sud de Paris, la présence de maraîchages complique la situation ; il existe déjà des chemins ruraux à l'emplacement desquels on crée des artères, ce qui explique les sinuosités déroutantes de nombre d'entre elles ; les parcelles, expropriées une à une, ont des formes peu régulières qui imposent aux architectes de véritables acrobaties. Dans les XIVᵉ et XVᵉ arrondissements, ou, à Bordeaux, vers la place Belcier et la gare du Midi, derrière des façades de bonne apparence, se cachent des cours sordides, voire des jardins encore utilisés par des maraîchers. Ces difficultés expliquent les différences qui séparent le nord du sud de Paris ; à Vaugirard, aux Gobelins, des artisans, profitant de la lenteur des opérations, ont pu se maintenir ; les tanneries, les teintureries des Gobelins persistent jusqu'au début du XXᵉ siècle. A Ménilmontant, aux Buttes-Chaumont, aux Batignolles, les choses sont allées vite et les ouvriers se sont installés au fur et à mesure des constructions.

Durant cette période d'essor urbain, les édiles ont cherché à tenir compte des besoins du public. On leur doit au moins les espaces verts, avec l'aménagement du bois de Boulogne, du bois de Vincennes, du parc de la Tête-d'Or à Lyon. Pour suppléer les hospices, vétustes et insuffisants, on bâtit des hôpitaux ; dans la majorité des centres, une même conception hospitalière prévaut autour de 1890 : pour éviter la contagion, on édifie des pavillons séparés, de dimensions moyennes, ayant leur spécialité et leur propre personnel ; à côté de cette innovation intéressante, on retrouve pourtant la marque du passé ; comme dans les hospices du Moyen Age, on rassemble les malades en vastes dortoirs, pourvus de plafonds hauts de 6 mètres : la salle commune demeure une règle.

Ce mélange de tradition et de renouvellement illustre la situation des architectes durant la seconde moitié du XIXᵉ siècle ; affrontant des problèmes qu'ils n'ont pas les moyens de résoudre, ils répondent, vaille que vaille, à la demande, sans avoir le temps de définir un style. Ainsi s'explique l'étonnante laideur des édifices de cette période : si les constructeurs ne manquent généralement pas d'idées, s'ils s'efforcent d'adapter les bâtiments à leur destination, ils se contentent pour le décor extérieur de copier des modèles classiques. On en prendra comme exemple les plus fameux édifices religieux du moment : Montmartre, Fourvière et Notre-Dame de la Garde. Dans les trois cas, le site a été remarquablement choisi ; on a su tenir compte de la destination particulière de ces églises, réservées à des pèlerinages, ainsi que le montrent le plan du Sacré-Cœur ou la distribution des accès et des dégagements à Fourvière. Pour le reste, on a puisé dans le répertoire historique. Pendant cinquante ans, on balance entre l'« éclectisme », mélange bizarre d'emprunts faits à divers modèles, ou le pastiche pur et simple.

L'utilisation systématique du fer donne pourtant lieu à des tentatives intéressantes ; suggérée dès les débuts du Second Empire, avec la bibliothèque Sainte-Geneviève et les Halles, elle atteint son point culminant au moment de l'exposition de 1889, dont les monuments essentiels sont la tour Eiffel et le palais des Machines. Toutefois, cet art demeure exceptionnel jusque dans ses buts ; il s'applique à des bâtiments uniques, parfois éphémères, et ne trouve pas sa place dans le décor quotidien. L'entreprise demeure sans lendemain et l'exposition de 1900 marque la revanche de l'académisme.

L'architecture privée ignore les querelles d'écoles. Elle a découvert très tôt le type de l'immeuble de rapport qui va triompher soixante années durant sur toute l'étendue du territoire national ; sauf à Bordeaux où le sous-sol ne permet pas de creuser des fondations assez importantes, on le retrouve fidèlement d'une ville à l'autre. L'édifice a quelque 20 mètres de hauteur ; sa façade, très large, est percée par une porte cochère à deux battants. Le rez-de-chaussée, assez élevé, est surmonté par un étroit entresol, par quatre étages et par des combles. Les matériaux sont riches ; on a renoncé aux murs crépis, aux briques, en faveur de la pierre de taille ; les balcons sont nombreux et l'on n'hésite pas à ajouter, entre les fenêtres, des motifs sculptés ; pour les escaliers, on prévoit des marbres ou des faïences et, pour les croisées, des vitrages « gothiques ». Dans les quartiers modestes comme le xve arrondissement, le faux luxe tient moins de place ; pourtant, la conception d'ensemble demeure identique.

Des villes hors de la ville : les banlieues

Par-delà la seconde auréole urbaine, développée entre 1860 et 1890, s'étend, surtout à l'aube du xxe siècle, une troisième ville : la banlieue.

L'extension des quartiers périphériques est inséparable de la modernisation des transports. Si le train atteint Paris dès 1837, il ne contribue guère, pendant une vingtaine d'années, à élargir le rayonnement de la capitale ; c'est à peine si, vers 1855, on distingue de timides avancées du côté de Versailles : le chemin de fer est lent (40 kilomètres à l'heure), coûteux et peu commode. Les progrès viennent avec la création de véritables services à usage suburbain : en 1856, les compagnies inaugurent les omnibus; l'amélioration du matériel permet de circuler à 65 kilomètres à l'heure vers 1875; les tarifs réduits et les cartes d'abonnement hebdomadaires apparaissent à la fin du XIXe siècle; enfin la fréquence des convois augmente de façon considérable : sur la seule ligne d'Orléans, on passe de vingt-cinq trajets par jour en 1871 à cinquante-huit en 1902. Autour des grandes villes industrielles, Lille, Rouen, Lyon, on retrouve cette évolution : les trains sont assez nombreux et s'arrêtent assez souvent pour rendre possibles les trajets sur une moyenne distance; grâce à ses quatre voies ferrées qui tracent un vaste X, l'agglomération rouennaise s'étend sur 15 kilomètres du nord-ouest au sud-est et le développement, bloqué au centre, se poursuit à la périphérie.

Entre 1875 et 1890, les transports urbains viennent compléter le réseau ferroviaire; Bordeaux commence à installer son tramway en 1879 et le termine en 1883; Lille, dont les efforts ont été un peu antérieurs, possède en 1880 des lignes urbaines et suburbaines. La traction hippomobile, lente et relativement dangereuse, ne persiste que pendant une quinzaine d'années; au début du XXe siècle, elle a partout cédé devant la traction électrique. Ces aménagements répondent à des besoins manifestes et les bénéfices des compagnies exploitantes en témoignent; pour la seule année 1896, les tramways bordelais transportent 16 millions de voyageurs; en 1911, chacun des 550 000 Marseillais a effectué une moyenne de 187 trajets. Enfin, le métro apparaît en 1900; la première ligne, joignant Vincennes à la porte Maillot, est ouverte pour l'Exposition de 1900; à la veille de la guerre, Paris dispose de 92 kilomètres de voies souterraines.

Ces transports rendent possibles les va-et-vient; ils permettent de séparer l'habitation et le lieu de travail. L'histoire des banlieues suit à peu près fidèlement celle des réseaux d'échanges.

Avant 1890, on distingue nettement, autour de la capitale, deux types de banlieues (carte IV). Au nord-ouest s'étendent des résidences d'agrément; c'est la belle période de Neuilly et d'Asnières, d'Argenteuil et de Chatou; aux grandes propriétés sises sur les bords de la Seine s'ajoutent les villas de plaisance; il s'agit généralement de résidences temporaires; la bourgeoisie aisée, qui tend à se déplacer vers l'ouest de la capitale, aime séjourner, durant les mois d'été, hors de la ville et, par les lignes de Saint-Germain-en-Laye ou de Maisons-Laffitte, elle quitte facilement Paris.

Au nord, de Clichy à Aubervilliers, au sud, entre Montrouge et le bois de Vincennes, le peuplement permanent augmente rapidement; une petite commune comme Ivry permet d'observer cette évolution; de 1861 à 1881, sa population passe de 7 000 à 18 000 personnes; le vieux noyau ne change pas : il comporte toujours quelques centaines de cultivateurs, des commerçants, des rentiers, vivant autour de la place que détermine la croisée de deux routes. Autour d'eux, le long de la Seine et en bordure de la voie ferrée, sont venus s'établir des immigrants; il s'agit pour la plupart de jeunes gens, et la structure démographique de l'agglomération est entièrement bouleversée par leur arrivée : moins du quart des habitants dépassent quarante ans, et ce sont les personnes nées dans la commune qui fournissent l'essentiel de cette catégorie d'âge ; il y a désormais plus d'hommes que de femmes ; au conseil de révision, on voit croître la proportion des illettrés au point que, en 1872, on évalue à 26 % la part des analphabètes dans l'ensemble de la population. Ces nouveaux venus s'adaptent mal à la situation locale ; ils vivent en marge d'Ivry, dans des baraquements implantés sans ordre ; suivant les occasions, ils travaillent à la voie ferrée ou à l'aménagement du port ; les moins défavorisés se font employer à l'année dans des ateliers. La situation est un peu moins difficile au nord, où existent les entreprises métallurgiques et les usines chimiques de Saint-Denis et de Pantin. Cependant, de part et d'autre, il est manifeste que les localités de banlieue, trop vite développées, ne sont pas intégrées à l'agglomération parisienne.

A partir de 1890, le réseau de transports, plus dense et mieux réparti, accélère l'industrialisation. Les entreprises sont gênées par l'impossibilité de trouver des terrains dans Paris ; du jour où elles n'éprouvent aucune difficulté à faire venir leurs matières premières ou à transporter leur personnel, elles émigrent en banlieue ; d'autre part, de petits ateliers, qui ne bénéficiaient que d'une clientèle locale, parviennent à étendre leurs ventes. Un pharmacien de la rue Saint-Merri, Poulenc, voulant fabriquer des spécialités, achète des terrains à Vitry ; au début du xxe siècle, il emploie plusieurs centaines de personnes. Les Perrin-Panhard, qui font des machines à bois, ont une annexe dans la banlieue sud ; lorsqu'ils décident de se lancer dans l'automobile, c'est là qu'ils montent leur usine.

Les entreprises de la périphérie ne rencontrent pas d'obstacles dans leur développement ; elles deviennent vite de grosses industries, employant un personnel considérable : la Société des roulements à bille français, créée en 1904, déclare 4 000 ouvriers à la veille de la guerre. Les emplois, jusqu'ici rares et peu sûrs, se multiplient ; les ateliers d'Ivry faisaient difficilement vivre 2 000 travailleurs en 1870 ; en 1913 ils en occupent 12 500.

Les banlieues connaissent désormais un développement normal. La population se stabilise ; pour l'ensemble des communes de la Seine situées au sud de Paris, la proportion des indigènes passe de 35 % en 1872 à 45 % en 1911. L'immigration demeure forte, mais elle vient pour une part de Paris : si l'artisanat, les métiers d'art restent dans la capitale, les autres activités tendent au contraire à se déplacer ; fonderies, constructions mécaniques, raffineries, sortent de Paris et les ouvriers privés de travail se replient sur les communes suburbaines.

Paris retient d'abord l'attention ; pourtant la capitale rassemble des activités si diverses que son évolution ne peut être simple ; l'essor de la banlieue, la spécialisation des quartiers du centre apparaissent mieux dans une grande ville de province qu'au centre du pays et il convient de s'arrêter à un cas très ordinaire, celui de Rouen. Vers 1860, cette ville n'a pas de banlieue ; aux portes de la cité subsistent des agglomérations exclusivement rurales et le centre des communes limitrophes, Darnétal, Sotteville, est assez éloigné. Avec la multiplication des ateliers textiles et mécaniques, les blancs disparaissent peu à peu ; les artisans quittent Rouen pour les villes des environs. Au début du XXe siècle, le centre est abandonné aux administrations, aux bureaux et au commerce ; les familles riches l'ont elles-mêmes délaissé pour s'établir au-dessus de l'agglomération, près de la route d'Amiens, où la raideur des pentes interdit d'installer des usines. La ville est entourée par un vaste cercle industriel où se succèdent ateliers et habitations ouvrières.

La physionomie des grandes villes, au début du XXe siècle, est au total sans surprise. Il s'y juxtapose trois sortes de quartiers : les centres traditionnels, à peine changés, les boulevards modernes, longs alignements d'immeubles de rapport, enfin des banlieues industrielles qui ne cessent de s'étendre.

Les citadins et leurs activités

Quelles que soient leur importance et leur situation géographique, les villes sont d'abord des centres industriels ; Bordeaux, Toulouse, capitales de riches provinces agricoles et métropoles commerciales, ont presque une moitié de leurs habitants qui vit grâce à l'usine ou à l'atelier. L'essor de Lyon, à la fin du Second Empire, tient moins au négoce ou à la banque qu'à l'apparition d'activités nouvelles, qui sont les colorants, les produits chimiques, la mise au point de matériel mécanique et ferroviaire ; les succès financiers, loin de précéder cette étape industrielle, en sont plutôt la conséquence et, dans la première décennie du XXe siècle, les meilleures années correspondent à l'ouverture de nouvelles entreprises de tréfilerie ou d'automobile.

D'un lieu à l'autre, la proportion ne change guère : les ouvriers et leurs familles représentent partout de 40 à 60 % des citadins. Au-delà, on tombe dans les villes qui, telles Armentières ou le Creusot, se confondent presque entièrement avec une industrie : nous retrouverons ultérieurement leur histoire.

Nous aurons également à reparler des travailleurs manuels. Il convient pourtant de souligner le déclin de l'artisanat qui fut, pendant longtemps, un élément essentiel de la population urbaine. Les ouvriers isolés, travaillant en chambre, ou dans une échoppe, doivent souvent renoncer à leur profession. Ce fait est particulièrement clair pour les métiers de l'habillement, qui occupaient, au milieu du XIXe siècle, la plus grosse part des artisans. Les progrès de la confection écrasent tailleurs et cordonniers. Pressés par le besoin, ils vont offrir leurs services à des maisons spécialisées comme la Belle-Jardinière. A la fin du siècle, l'immigration de juifs russes et polonais, qui travaillent à façon, par familles entières, pour des prix dérisoires, leur crée une forte concurrence. Insuffisamment payés, ils vivent pauvrement et c'est dans leurs familles que se recrutent les jeunes gens résignés à aller travailler en banlieue. Bien qu'elle vienne moins rapidement, la même crise frappe les tanneurs et les teinturiers que menace également le chômage.

Les métiers d'art se dégradent moins rapidement. Sous le Second Empire, l'artisanat spécialisé connaît encore un certain renouvellement : des compagnons audacieux ouvrent une boutique et parviennent à s'imposer. Leur succès est pourtant éphémère. Ils sont remplacés par un fils, ou un gendre qui reprend la profession sans enthousiasme. Peu à peu, l'artisanat devient une catégorie sociale figée et sans avenir. Une seule issue reste ouverte : l'entrée dans l'administration ou dans les bureaux ; pour peu qu'ils aient reçu une certaine instruction, les enfants des travailleurs indépendants s'y précipitent.

Nous avons déjà noté, à propos des petites villes, la place que prennent les fonctionnaires dans la vie nationale. Il existe, sur ce plan, une nette différence entre les cités moyennes et les métropoles. En province, bien des fonctionnaires : magistrats, instituteurs, percepteurs, se sentent relativement proches de la bourgeoisie locale ; ils ont des responsabilités, tiennent un certain rang. Dans les grandes villes, la fonction publique comporte beaucoup plus d'emplois modestes, accessibles à ceux qui ont une bonne formation primaire : il faut des huissiers, des gardiens, des facteurs, des agents ; à Paris, la seule police utilise 15 000 hommes en 1886. A cela s'ajoutent les services municipaux, les sociétés de transports, les compagnies de gaz et d'électricité. Un garçon adroit, sachant se présenter, devient sans peine « commis aux écritures ». De tels postes conviennent à des fils d'artisans qui ont acquis, auprès de leurs parents, l'habitude de tenir des livres, et qui sont capables de répondre aux demandes du public.

De par leur origine, les fonctionnaires des grands centres sont moins passifs que ceux des petites bourgades ; le premier syndicat d'instituteurs est fondé dans la Seine. Le gouvernement réagit vite : en 1887, il interdit à ses agents de se syndiquer ; seules seront tolérées, à partir de 1901, les associations amicales. Le mouvement continue pourtant à progresser, surtout dans les villes ; les deux grèves des postiers, au printemps 1909, ne sont réellement suivies que dans la capitale et les principales préfectures.

Le commerce représente une autre issue pour les artisans. Le nombre des magasins augmente sous le Second Empire ; la clientèle aisée réclame des produits peu courants, comme les denrées coloniales ; elle se montre exigeante sur la qualité des vins, de la nourriture ; même dans les vieux quartiers, rue Saint-Denis à Paris, rue Mercière à Lyon, on ouvre des boutiques spécialisées.

Le négoce ne constitue pourtant pas une étape dans l'ascension sociale, il est plutôt un aboutissement. Les enfants de marchands restent marchands, ou se tournent vers les emplois de bureau et l'administration ; il est rare qu'ils deviennent industriels ou très gros commerçants. Les années 1860, si favorables aux échanges, voient apparaître les grands magasins qui font concurrence aux boutiquiers ; l'essor du petit commerce s'en trouve ralenti.

L'histoire de Boucicaut, petit colporteur devenu millionnaire, est trop célèbre pour qu'il soit utile de la rappeler ; les anecdotes relatives à la naissance du Bon-Marché sont d'ailleurs moins intéressantes que le fait même de son apparition. Les principaux grands magasins sont fondés à un moment précis, quand commencent les premières grandes percées à travers Paris ; à l'exception du Bon-Marché, ils s'installent au long des nouveaux axes ; ils correspondent bien à ce phénomène nouveau, extérieur à la ville, que sont les boulevards. Leur succès est rapide parce qu'ils offrent un grand choix à des prix relativement moins élevés que ceux des boutiques traditionnelles. La province suit quelques années après ; tour à tour, Lyon et Marseille, Bordeaux, Toulouse, Lille, ont leurs « Galeries » ou leurs « Grands Bazars ».

Les petits négociants se plaignent énormément de leurs redoutables adversaires ; à Toulouse, la fondation d'un grand magasin est considérée comme une catastrophe locale et les boutiquiers assurent qu'il en résulte plusieurs faillites. Des associations de défense contre les grosses entreprises sont créées dans la capitale et connaissent un vif succès dans les départements. Très vite, on accuse le « capital étranger » d'avoir monté ces établissements pour tuer le commerce national. De fait, si les magasins de luxe, joailleries, pelleteries, maisons de mode, ne sont pas touchés, les autres négoces progressent difficilement ; ils continuent à avoir une clientèle suffisante pour fonctionner normalement, mais ils ne profitent pas vraiment du développement urbain. Un commerçant parisien doit se retirer avec des rentes solides, lui assurant une bonne aisance ; en revanche, il n'a presque jamais constitué une véritable fortune.

Si le nombre des négociants continue à augmenter jusqu'à la veille de la guerre, c'est essentiellement à cause de la banlieue. A mesure que se construisent les maisons ouvrières, s'ouvrent des épiceries, des charcuteries et surtout des cafés. Le travail est dur dans ces quartiers ; la clientèle, pauvre, ne prend qu'à crédit ; le boulanger, le légumier, eux-mêmes modestes, achètent par petites quantités et ne réalisent jamais de forts bénéfices ; ils n'ont aucun moyen pour contraindre à payer les débiteurs récalcitrants. Malgré ses inconvénients, la boutique est moins repoussante que l'usine ; l'ouvrier qui accède au négoce change de monde ; il cesse de dépendre d'un employeur et, bien qu'il vive très mal, il est sorti du prolétariat. Aussi les magasins, les estaminets sont-ils légion. A Lille, on recense 2 500 cabarets à la fin de l'Empire, près de 3 000 en 1914 ; Ivry, qui n'a pas 40 000 habitants, aligne 250 débits de boisson, un pour 150 personnes. Les autres boutiques ne sont pas beaucoup mieux loties ; dans la banlieue nord de Paris, les épiceries peuvent compter sur une moyenne de 200 clients et il leur faut découvrir un assortiment de denrées à bas prix pour encourager les achats.

A Lille, à Rouen et au Havre, à Nantes, commerce et industrie concentrent à peu près toutes les activités. En revanche, Toulouse, Nice, Amiens, ont une structure sociale qui rappelle celle des villes moyennes : membres des professions libérales, employés, rentiers y représentent un tiers des habitants. Les trois villes principales figurent entre ces deux extrêmes ; schématiquement, on peut considérer que la moitié de la population y vit de l'industrie, un quart des échanges, un autre quart d'activités diverses qui sont principalement des gestions de portefeuilles ou des métiers libéraux (fig. 12). Nous retrouverons cette partie de la population en évoquant la bourgeoisie.

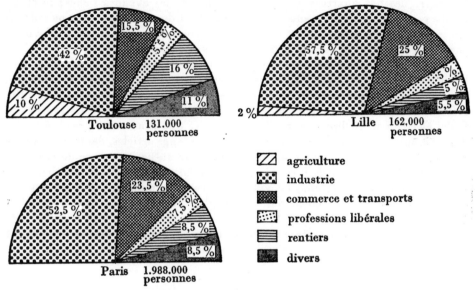

12. Structure sociale et professionnelle de trois grandes villes
en 1876 : Toulouse, Lille et Paris.

Les recensements ont d'ailleurs un gros défaut : ils indiquent la tâche que chacun est censé accomplir, et ne tiennent plus compte du chômage partiel ou permanent. Même en dehors des moments de crise, un bon nombre d'immigrants ne trouvent pas à s'employer et vivent de la charité publique.

Durant la première moitié du siècle, la population flottante était très nombreuse dans la capitale. Louis Chevalier a montré comment les hommes des années 1830 étaient sensibles à la constitution, dans les murs de Paris, d'une sorte de ville parallèle, composée de mendiants, de vagabonds, de sans-travail, isolés, dépourvus d'abri ; la crainte des « classes dangereuses » est un thème courant de la littérature contemporaine, qui s'attarde également sur le développement de la criminalité.

Les grandes villes   **121**

La situation change beaucoup après 1850. Le nombre des individus sans ressources diminue légèrement ; il demeure assez élevé, comme nous le verrons, mais il ne s'agit plus des mêmes personnes : les indigents sont d'abord des vieillards ; en 1911, sur 600 000 dossiers de secours ouverts par l'Assistance publique, 400 000 concernent des personnes ayant dépassé soixante-dix ans. D'autre part, la concentration des miséreux dans un certain périmètre du centre de la capitale a été remplacée par la dispersion au hasard des zones de banlieue. Malgré la Commune, qui a beaucoup effrayé la bourgeoisie, les journaux n'évoquent guère le spectre des bas quartiers déversant leur lie sur les avenues riches ; la classe aisée a peur des ouvriers organisés, des syndicats et des socialistes ; elle ne redoute pas les émeutes de la faim. Il est d'ailleurs symptomatique que la presse n'évoque pas les « classes dangereuses » mais les « individus dangereux ».

Ces derniers défraient les chroniques de presse sans préoccuper réellement l'opinion. Dans la vertueuse décennie qui suit la chute de l'Empire et la défaite, les Parisiens s'en prennent aux souteneurs ; de curieux mouvements d'hostilité collective se dessinent en particulier sur la rive gauche ; à plusieurs reprises la foule, alertée par quelques journalistes, organise une chasse aux proxénètes. La décennie suivante s'intéresse aux récidivistes ; de longs articles, des livres copieux montrent que les délits sont toujours commis par un petit nombre de criminels endurcis à l'égard desquels il convient de se montrer impitoyable ; des pétitions circulent dans une vingtaine de villes, des conseils municipaux émettent des vœux, le Parlement se penche sur la question. Bientôt, l'anarchisme prend la relève et l'on change de sujet. L'analyse de ces thèmes est intéressante : elle prouve qu'il subsiste une crainte vague, mais que les gens sans emploi ne tiennent plus autant de place dans la vie sociale que sous la Monarchie censitaire.

Quartiers riches et quartiers pauvres

A la « Belle Époque », les pauvres sont moins visibles qu'ils ne l'étaient au temps du romantisme ; une division sociale s'est introduite dans les villes et les gens aisés peuvent ignorer ceux qui peinent pour gagner leur vie ; au long des boulevards où ils aiment se promener, ils constatent, d'année en année, les progrès de la civilisation. Dès 1886, quand beaucoup de rues n'ont encore qu'un bec de gaz tous les 60 mètres, ils y voient installer des lampadaires électriques ; peu après, ils assistent au remplacement des durs pavés de grès par des pavés de bois, et bientôt par de l'asphalte ; ils regardent passer les fiacres, puis les automobiles dont le nombre est déjà considérable au début du XXe siècle ; ils savent que beaucoup d'immeubles se sont fait installer une ligne téléphonique depuis 1880.

L'existence dans les quartiers riches devient toujours plus distrayante ; les nouvelles courent vite et, avec les taxis, les relations sont faciles. La « haute société » sort de son ancien isolement. Dans le Paris de Balzac, les diverses fractions de la haute bourgeoisie, celle du faubourg Saint-Germain, celle de la chaussée d'Antin, celle du faubourg Saint-Honoré, ne se fréquentaient guère. Les barrières tombent quand le problème des distances disparaît et quand les boulevards jettent des ponts entre les différents quartiers. La vieille bourgeoisie parisienne qui, jusque-là, donnait le ton, est d'ailleurs submergée par l'invasion des provinciaux. Sous le Second Empire, elle voit se hisser au premier plan les hommes d'affaires, les banquiers, les industriels. Des parvenus, Mirès, les Pereire, des chefs d'entreprise provinciaux, Schneider, Chagot, Solages, se sont mués en Parisiens et il a fallu leur faire une place. Puis la République attire les politiciens ; de leurs bourgades arrivent des avocats, Poincaré, Leygues, Briand, des aventuriers, Rouvier, Constans, des journalistes, des avoués, qui à leur tour s'imposent et créent leurs propres cercles. Enfin les dernières années du siècle ramènent les familles nobles dégoûtées de leurs terres désormais peu rémunératrices, et lassées par la monotonie de la vie champêtre.

Officiellement, on s'ignore d'un « monde » à l'autre ; les aristocrates méprisent les bourgeois qu'ils prétendent ignorer. En réalité, les interférences sont constantes. Nobles et bourgeois fortunés ont les mêmes préoccupations. Les seconds cherchent à imiter les premiers et ce mimétisme finit par créer une sorte d'identification. Réceptions, dîners ou bals se ressemblent ; les grands traiteurs, Potel et Chabot, Fauchon, fournissent également les différents buffets ; des rencontres ont lieu aux manifestations qui scandent les saisons : courses d'Auteuil et de Longchamp, « Salons » d'automne et du printemps, « Fêtes des fleurs » au bois de Boulogne, réceptions de souverains étrangers. Les fêtes de charité, les ventes organisées en faveur des pauvres ou des victimes de catastrophes lointaines rassemblent des noms nobles et roturiers ; si le duel fait fureur et, après une période de déclin, devient sous la Troisième République un divertissement à la mode, les bourgeois s'y illustrent aussi bien que les aristocrates. Comme le montre toute l'œuvre de Proust, la princesse des Laumes brocarde les parvenus mais elle les rencontre partout et elle fait de Swann un de ses intimes.

Cette agréable manière d'occuper son temps concerne une faible partie de la population urbaine ; l'époque n'est belle que pour quelques dizaines de milliers de privilégiés. Les bourgeois moyens, rentiers, commerçants, avocats et médecins, y voient une période quelconque, où l'argent est assez facile, mais où les troubles politiques et sociaux assombrissent l'horizon. Et la grande majorité des citadins songe à peu près exclusivement aux moyens d'assurer son existence.

Pour ceux qui demeurent dans des rues écartées, loin du centre, le quotidien est dur. Les deux tiers des voies parisiennes ont encore des pavés de grès, voire un simple empierrement. Les quartiers neufs reliant des centres anciens, comme Rouen et Sotteville, ne sont constitués que par des chemins privés, encore boueux pendant les mois humides. Dans les banlieues, l'éclairage au gaz subsiste et les

Les grandes villes 123

réverbères sont souvent distants d'une centaine de mètres. Les transports publics sont incommodes ; les voitures, peu nombreuses, ne sont pas chauffées en hiver ; elles n'ont que des banquettes en bois et, le matin ou le soir, elles sont surchargées.

La grande préoccupation des citadins, dès qu'ils ne jouissent pas d'une relative aisance, est le logement. Nous reviendrons longuement sur ce problème à propos des ouvriers qui en sont les principales victimes. Dès maintenant, il faut, cependant, lui faire une place. Les travailleurs ne sont pas seuls à connaître cette angoissante question : à Paris, elle concerne près de la moitié des habitants ; une enquête de 1912 révèle que, sur 2 900 000 Parisiens, 1 500 000 ont des appartements convenables, 1 100 000 des appartements insuffisants, et 300 000 des logements surpeuplés, c'est-à-dire en général une pièce par famille. Dans la banlieue, on estime à 45 % le nombre des mal-logés. Contrairement à une opinion fort répandue, le problème n'est pas particulier au xxe siècle : il a, au contraire, ses sources profondes au xixe siècle ; la seule différence est que les mal logés ont alors moins de possibilités de faire entendre leurs doléances.

Les responsables connaissent cet état de fait. Dans la capitale, une enquête sur la salubrité des logements a été entreprise en 1893 ; elle s'est achevée sur la conclusion que 4 200 immeubles, abritant 200 000 personnes, devaient être détruits et que les conditions d'habitation étaient généralement très peu satisfaisantes dans les Ve, XIIIe, XVe, XIXe et XXe arrondissements. Régulièrement, des enquêteurs donnent l'alarme ; on pourrait citer des dizaines de témoignages ; il suffit d'en retenir un et l'on choisira, à cause de sa modération, le rapport adressé par le docteur Du Mesnil à la commission des logements insalubres, en 1878 : « Partout on constate qu'un grand nombre des immeubles dans lesquels sont installés des garnis sont dans l'état le plus déplorable au point de vue de la salubrité ; l'humidité y est constante, l'aération et l'éclairage insuffisants, la malpropreté sordide, les logements sont souvent incomplètement protégés contre les intempéries des saisons ; les cours et les courettes sont infectées par des amoncellements de détritus de toute nature en putréfaction, la stagnation des eaux pluviales et ménagères qui y croupissent et s'y putréfient. »

Les conséquences sont celles que l'on pouvait prévoir ; les épidémies se propagent facilement dans les maisons pauvres ; Marseille est touché par le choléra en 1884 ; la capitale est atteinte en 1892 ; dans ce dernier cas, on compte un millier de morts, dont le tiers est recensé dans trois arrondissements, les XVIIIe, XIXe et XXe. Moins spectaculaire, la variole poursuit ses ravages à Bordeaux, Rouen, Lille ; le typhus atteint le Havre et Rouen en 1892. Si l'on constate une légère amélioration en ce qui concerne ces maladies, on note au contraire une recrudescence de la tuberculose ; à Rouen, en 1909, on lui doit 573 des 3 214 décès enregistrés.

L'influence de l'habitat sur la mortalité est manifeste ; on meurt vite dans les quartiers pauvres ; tandis qu'il disparaît seulement 22 Français sur 1 000 à la fin du XIXe siècle, la proportion est de 30 °/oo au Havre, 32 °/oo à Lille, 36 °/oo à Rouen ; dans certains quartiers pauvres de Paris, Observatoire, Vaugirard, Gobelins, elle atteint 27 °/oo quand elle n'est que de 18 °/oo pour l'Opéra, le Louvre et la Bourse.

Les victimes sont surtout les enfants et les vieillards ; le recensement de 1906 montre que, sur 5 enfants nés à Rouen, 2 meurent avant un an ; encore le chef-lieu de la Seine-Inférieure vient-il assez loin derrière Roubaix, Lille et Reims. Quant aux vieillards, ils sont pendant longtemps complètement négligés, et laissés à la charité d'institutions privées ; ce sont des particuliers, ou, au mieux, des municipalités, qui organisent, à leur intention, des « soupes populaires » ; il

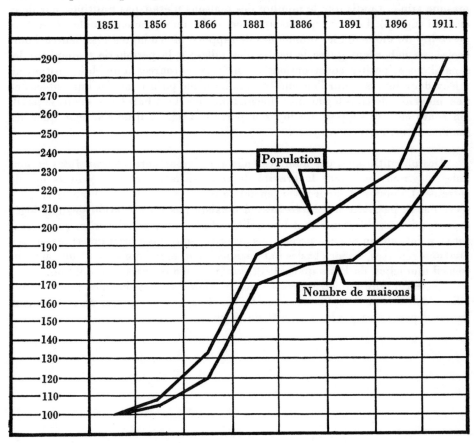

13. Croissance de la population et du nombre des constructions à Marseille.

Base 1851 : 100.

Les grandes villes 125

faut attendre 1905 pour qu'une loi prévoie une assistance matérielle permanente en faveur des peronnes sans ressources ayant dépassé 70 ans. Les « vieux » forment l'essentiel du groupe des indigents ; dans les villes, leur effectif augmente régulièrement à mesure que la population s'accroît : à Paris, sous la Troisième République, on compte en permanence 6 à 7 % de personnes ayant besoin d'être secourues.

Le seul remède immédiatement efficace serait une augmentation de la construction. Si les entrepreneurs se multiplient, ils restent au-dessous des besoins. L'exemple de Marseille, qui n'est pas un des plus tragiques, montre comment l'écart va croissant entre les besoins et les possibilités : en un demi-siècle, la population a presque triplé, tandis que le nombre des maisons n'était pas multiplié par deux et demi (fig. 13). Les conceptions architecturales ne répondent d'ailleurs pas aux nécessités du moment ; les immeubles de rapport, bien adaptés à la clientèle bourgeoise, ne débordent guère le centre des villes ; à la périphérie triomphent les « pavillons », petites constructions à un étage entourées d'un clos, abritant au mieux deux foyers ; pour l'ensemble de la banlieue parisienne, les immeubles ont une moyenne de trois logements chacun ; même s'il est bâti légèrement, le pavillon coûte cher et suppose un loyer important : par là il ne s'adresse qu'à des familles ayant certains moyens.

Des philanthropes, des hommes politiques importants, comme Jules Simon, Jules Siegfried, montrent la gravité de cette situation et les résultats qu'elle entraîne. L'opinion demeure peu sensible aux avertissements. Le moins curieux n'est pas la passivité des intéressés ; il n'existe pas d'association des mal logés et les syndicats, s'ils dénoncent la condition faite aux travailleurs, ne proposent, sur ce point, aucun remède précis. Les autorités sont aussi hésitantes ; malgré ses pressions répétées, la Société des habitations à bon marché n'obtient une aide du conseil municipal de Paris qu'en 1912, vingt-trois ans après sa fondation.

Cette timidité ou cette inconscience ne sont pas inexplicables : les grandes villes s'accroissent si rapidement que les citadins, entraînés dans un mouvement qui les dépasse, ont perdu la faculté de réagir.

5. L'argent

Du Moyen Age à l'époque contemporaine, les historiens signalent le progrès de la bourgeoisie; quel que soit le siècle dont ils parlent, ils montrent le bourgeois en train de s'enrichir et d'affirmer son influence dans la société; pourtant ils se sentent embarrassés dès qu'il s'agit de préciser qui sont les bourgeois. Comme leur nom l'indique, les bourgeois vivent dans des villes; cependant chacun s'accorde à reconnaître qu'il existe une bourgeoisie rurale. Sur quels caractères dominants convient-il alors de s'attarder? Certains insisteront sur la profession : le bourgeois refuse les tâches salissantes ou pénibles; mais il apparaît vite que ce n'est pas le métier qui fait la classe; c'est au contraire le fait d'être bourgeois qui postule un certain type de profession. D'autres s'attacheront à l'instruction et souligneront que, depuis Napoléon, la bourgeoisie passe par le lycée; ici encore, on voit que l'instruction est liée à un mode d'existence et ne suffirait pas, à elle seule, pour créer une catégorie sociale. On pourrait encore souligner divers traits de la vie bourgeoise : la gravité du comportement, l'aspect du costume, la conception des relations mondaines; ce serait limiter le problème à un nombre plus ou moins large de symptômes.

Il est sans doute préférable de voir pourquoi les bourgeois peuvent adopter une façon de vivre particulière. La réponse est alors simple : c'est parce qu'ils ont de l'argent. Pourtant, la fortune ne suffit pas : on rencontre dans le peuple des hommes qui réalisent des gains supérieurs à ceux de bien des bourgeois. Il est donc nécessaire de tenir compte à la fois de la fortune et de la manière de l'utiliser.

Le bourgeois est celui qui a plus d'argent qu'il ne lui en faut pour assurer sa subsistance, et qui juge le superflu indispensable pour tenir un certain rang social. On a dit qu'un ménage bourgeois se distinguait par la tenue d'un livre de comptes. Il est exact que les autres classes éprouvent moins le besoin de procéder à des calculs; les notables sont au-dessus de semblables préoccupations; les paysans, quand ils ont le loisir de faire des économies, les réservent presque exclusivement à des achats de terres; les ouvriers gagnent strictement ce dont ils ont besoin. Les bourgeois disposent de revenus excédentaires, mais ils les utilisent avant tout pour s'organiser un certain genre de vie. L'argent leur permet de ne pas se colleter avec les choses, d'échapper à cette lutte avec la matière qui est le lot des ruraux ou du prolétariat; il leur donne le moyen d'afficher des allures indépendantes. La bourgeoisie préfère à toutes autres les professions libérales, c'est-à-dire celles que l'on exerce librement; elle établit une sorte de hiérarchie dans laquelle le travail du corps tient la dernière place; elle juge le labeur de l'esprit supérieur à celui des mains, mais elle place au premier rang l'absence de contrainte professionnelle. Le bourgeois du XIXe siècle aspire à vivre de ses revenus; il juge naturel de « se retirer » aussi tôt que possible. En un temps où les retraites ouvrières ne sont à peu près pas organisées, où les cultivateurs ne quittent les champs que lorsque la maladie les y contraint, le rentier constitue une espèce à part. Le poids de l'argent est ici particulièrement sensible : certaines disponibilités financières créent, au sein de la société française, une barrière économique et psychologique difficile à franchir. Il existe une manière de constituer sa fortune et de la dépenser qui définit la bourgeoisie.

La répartition des revenus

Les études sur la bourgeoisie contemporaine sont encore très rares. On se heurte en effet, dès le départ, à une difficulté presque insurmontable : il est impossible de savoir exactement qui possède l'argent. La taxation des revenus intervient tardivement, à la veille de la guerre; avant 1914, il n'existe donc aucun moyen de savoir, avec une relative précision, quelles sont les ressources courantes des Français. On peut recourir à d'autres sources, mais elles sont médiocres et délicates à utiliser. La comptabilité des entreprises est établie de manière empirique; beaucoup de petits patrons ne prennent pas la peine de distinguer leur chiffre d'affaires et leurs bénéfices, ce qui interdit tout calcul. Les commerces et les professions libérales sont astreints à une patente; toutefois, ici encore, il convient de faire des réserves : d'une part, grâce à diverses sortes d'exemptions, le cinquième environ de ceux qui devraient être patentés échappent à cette charge; d'autre part, les patentes ne sont pas calculées d'après le revenu que procure une profession mais d'après la valeur locative du local dans lequel on l'exerce; il serait bien aléatoire de vouloir trop attendre d'une recherche sur les patentes. Si parfois nous sommes mieux outillés, notre documentation ne concerne pas l'ensemble de la période envisagée; l'impôt de 3 % sur les valeurs mobilières est, par exemple, un excellent instrument pour calculer les profits boursiers; malheureusement, il n'est instauré qu'en 1872, de sorte que la période impériale, pourtant si intéressante, nous échappe.

Il nous reste cependant une source extrêmement précieuse : ce sont les déclarations de succession. La transmission du patrimoine familial n'est frappée d'un impôt qu'à une date tardive, en 1901 seulement ; mais ce retard constitue pour nous un gros avantage ; avant cette date, la dissimulation ne présentait que peu d'intérêt, et la majorité des inventaires était sincère. Il ne faut d'ailleurs pas demander à ce genre de documents plus qu'il ne peut donner ; vouloir établir une relation précise entre le montant des successions et la fortune totale des Français serait illusoire. Les successions nous renseignent sur la nature des biens possédés par les particuliers ; elles nous informent sur l'évolution des revenus ; en revanche, elles ne nous apportent pas une estimation globale de la richesse nationale. D'une façon générale, il nous faut renoncer à évaluer la fortune française : les économistes qui ont essayé de le faire ont obtenu des résultats si contradictoires qu'aucun de leurs calculs ne mérite d'être retenu. Il serait également vain de vouloir se placer à un moment particulier, de choisir une année déterminée ; nos sources s'étalent souvent sur deux décennies. Bien que cette ambition puisse sembler modeste, nous chercherons simplement à envisager la répartition des fortunes sous le Second Empire, puis au début du XXe siècle.

Entre 1850 et 1870, le montant de l'actif déclaré dans les successions est passé de 2 milliards 700 millions à 4 milliards de francs. Sans trop solliciter ces chiffres, on est en droit d'admettre que la fortune privée a considérablement augmenté sous l'Empire ; peut-être s'est-elle accrue de moitié (fig. 14).

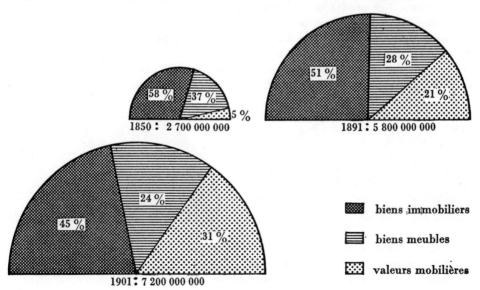

14. Évolution de l'actif des successions dans la seconde moitié du XIXe siècle.

Si l'on considère la source des revenus perçus par l'ensemble des Français (fig. 15), on constate qu'ils proviennent, pour la moitié environ, de la terre. 40 % de ces revenus sont constitués par les profits des chefs d'entreprises agricoles. Autrement dit, la population agricole qui, vers 1860, représente bien plus d'une personne sur deux, n'obtient, en argent ou en nature, que les deux cinquièmes des revenus distribués chaque année. Il y a là une disproportion flagrante, qui, cependant, n'est pas absolument scandaleuse ; comme nous l'avions déjà noté, les campagnes sont les parentes pauvres de l'économie française ; pourtant, elles ne sont pas réduites à la misère. Les paysans ont, en moyenne, de quoi vivre, mais il ne leur reste pas d'excédent.

Salaires et traitements forment le quart des revenus. Comme les fonctionnaires, les employés, les ouvriers, font vivre un tiers de la population, le rapport entre les sommes distribuées et le nombre des bénéficiaires reste à peu près le même que pour les paysans. Si l'on va un peu plus loin, on aperçoit là une injustice très marquée : les familles ouvrières, soit un quart des Français, n'ont que 15 % des revenus. Mais, pour l'instant, négligeant ce point, on ne retiendra qu'un fait : dans les campagnes et dans les villes, l'ensemble de ceux qui ne sont pas bourgeois, qui n'ont pour subsister que le produit immédiat de leur travail, forme près des neuf dixièmes de la population et se partage les deux tiers des revenus.

Le dernier tiers va aux propriétaires non exploitants, aux chefs d'entreprise, aux rentiers. Les profits immobiliers y tiennent une place prépondérante, puisqu'ils représentent environ le cinquième des revenus partagés chaque année ; viennent ensuite les bénéfices des chefs d'entreprise, qui constituent le dixième du même ensemble, et les revenus mobiliers qui n'en forment que le vingtième. On trouve dans ces pourcentages, aussi approximatifs soient-ils, une image de ce qu'est la bourgeoisie. Celle-ci demeure très attachée à la propriété, aux terres et

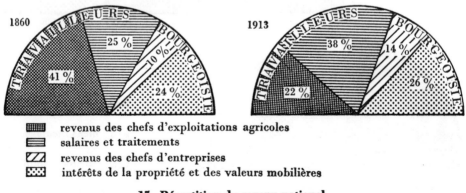

revenus des chefs d'exploitations agricoles
salaires et traitements
revenus des chefs d'entreprises
intérêts de la propriété et des valeurs mobilières

15. Répartition du revenu national.

aux immeubles ; l'essor industriel ne doit pas faire illusion, la rente vient toujours pour une large part du sol.

La géographie des revenus confirme d'ailleurs ce fait. Plus de la moitié des revenus mobiliers est encaissée à Paris ; un cinquième en est perçu dans le Nord et la région lyonnaise. Ainsi, en dehors de la capitale et des régions où les entreprises modernes se développent, les valeurs mobilières sont-elles regardées avec méfiance. En revanche, pour les profits immobiliers, l'équilibre se rétablit ; les bénéfices encaissés par les gros propriétaires normands sont à peu près aussi importants que ceux des possesseurs de maisons ou de locaux professionnels dans la capitale.

La répartition des richesses françaises montre un sensible déséquilibre régional. Près du cinquième des revenus procurés par le capital est distribué dans les trois départements de la région parisienne ; les deux tiers environ des profits sont réalisés au nord de la Loire.

Après 1870, la fortune privée continue à s'accroître régulièrement. Les deux décennies qui marquent le début de la Troisième République sont considérées comme une mauvaise période et l'on y remarque, effectivement, un fléchissement des prix. Pourtant, les déclarations de succession ne laissent place à aucun pessimisme ; pour prendre une période comparable au Second Empire, on note qu'entre 1870 et 1891, les annuités successorales passent de 4 à près de 6 milliards : la progression a été, grossièrement, identique (fig. 14). Durant les années postérieures, les calculs sont moins simples, car les projets de taxation suscitent la fraude ; cependant on relève que les 7 milliards sont dépassés en 1901.

A cette augmentation continue, il convient d'ajouter un autre fait aussi important : la propriété s'est considérablement répandue ; vers 1900, quelque deux tiers des Français laissent en mourant un héritage, plus ou moins important. Les successions demeurent généralement peu considérables ; 85 % d'entre elles correspondent à un avoir de moins de 10 000 francs ; c'est ce que lèguent un cultivateur, un petit commerçant ; souvent, il s'agit simplement d'une modeste maison ou de quelques meubles ; l'ensemble de ces legs ne représente d'ailleurs que 15 % des annuités. 13 % des héritages vont de 10 000 à 100 000 francs ; ils correspondent assez exactement à ce que l'on peut considérer comme la bourgeoisie : avec 10 000 francs bien placés, on obtient déjà une rente qui ne permet pas de vivre sans travailler mais qui donne le loisir de faire des dépenses superflues ; le total de cette catégorie de successions forme un peu moins de 30 % de l'actif déclaré. Ainsi les très gros legs, supérieurs à 100 000 francs, sont-ils rares (2 % seulement) mais parviennent-ils à constituer plus de la moitié des successions.

Les observations faites à propos d'un cas particulier, celui du Loir-et-Cher, corroborent ces remarques générales. Dans ce département, après élimination des mineurs, on constate que 80 % des défunts laissent une succession. La moitié

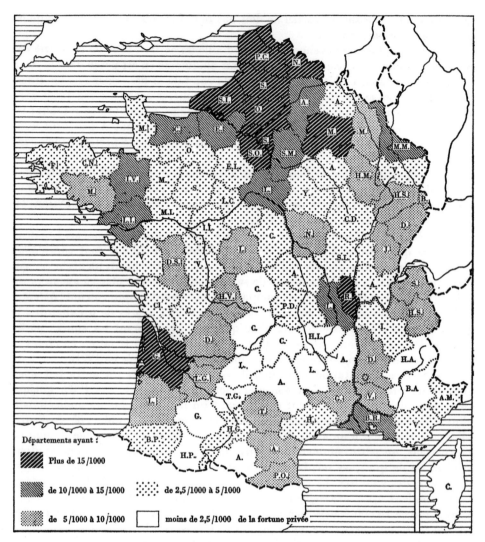

V. Géographie de la fortune privée en 1911.

des legs sont minuscules et ne dépassent pas 2 000 francs ; tout en soulignant leur modicité, il convient d'ailleurs de souligner que, vers 1850, c'étaient 70 % des successions qui se trouvaient au-dessous de ce seuil. 1,5 % des héritages dépassent 100 000 francs, mais 46, 5 % s'étagent entre 2 000 et 100 000 francs.

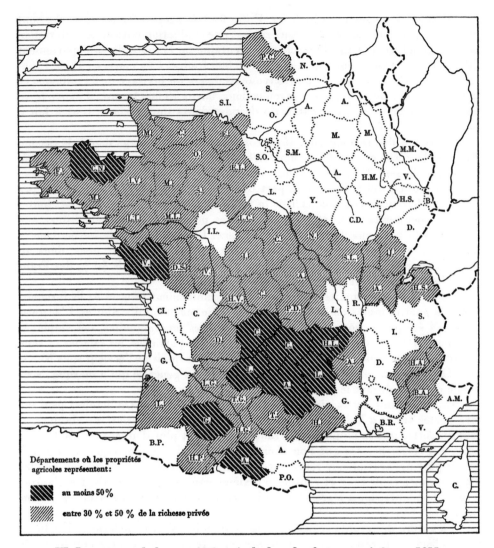

VI. Importance de la propriété agricole dans les fortunes privées en 1911.

Les conclusions seront symétriques : la majorité des Français ont un bien qui leur appartient en propre ; la part de chacun s'est accrue au long du XIXe siècle ; nombreux sont ceux qui aspirent à la condition bourgeoise et se croient près d'y accéder. Cependant, l'aisance moyenne demeure un privilège dont une petite minorité est seule à bénéficier. Enfin les très grosses fortunes, si elles sont rares, atteignent des sommes considérables ; une évaluation faite dans le Morbihan nous apprend qu'à la fin du siècle une trentaine de familles de ce département disposent de revenus annuels dépassant 50 000 francs ; à sa mort, en 1882, Francisque Bonnardel, homme d'affaires lyonnais, laisse un héritage de 22 millions, ce qui permet de supposer que ses revenus dépassaient 70 000 francs ; il existe bien, au début du XXᵉ siècle, une catégorie de possédants qui se classe tout à fait à part dans la société.

L'origine des revenus (fig. 15) a considérablement changé depuis le Second Empire. Le recul des bénéfices agricoles est particulièrement marqué ; ils représentent seulement 22 % des revenus. Cette baisse est due à l'augmentation générale des profits, qui a diminué la part relative des campagnes ; mais il n'est pas exclu que le rendement financier de la terre ait reculé en valeur absolue ; toutefois, les documents sont trop peu homogènes pour que l'on puisse risquer une comparaison à cinquante années de distance. Comme la population agricole a diminué d'un quart, la part de chacun s'est légèrement accrue, mais, dans un pays où l'enrichissement est manifeste, les paysans, soit près de 40 % des Français, n'ont pas le quart du revenu partagé.

Salaires et traitements ont, au contraire, rapidement progressé ; ils forment, avant la guerre, moins de 40 % des sommes annuellement distribuées. L'accroissement a été proportionnel à celui du nombre des fonctionnaires, des employés et des ouvriers ; en dépit de quelques améliorations partielles, les salariés ne sont pas sensiblement mieux lotis au début du XXᵉ siècle qu'ils ne l'étaient sous Napoléon III ; simplement, ils ont profité de l'expansion générale qui a marqué l'économie du pays durant le demi-siècle.

On comprend mieux ainsi comment des jugements contradictoires peuvent être portés sur la « Belle Époque ». Si l'on considère les variations absolues, il faut admettre que la plupart des Français reçoivent plus d'argent en 1900 qu'en 1850. En revanche, dès que l'on cherche à établir des proportions, on constate que la part des travailleurs représente à peine 60 % des revenus, si bien que les deux cinquièmes de ceux-ci vont à un dixième environ des Français. En d'autres termes, le paupérisme a régressé, mais les écarts sociaux se sont nettement accentués.

La nature des profits réalisés par la bourgeoisie s'est transformée. Les biens immobiliers ont perdu leur prépondérance ; en tête viennent maintenant les bénéfices des chefs d'entreprise, dont la progression a été spectaculaire, puisqu'ils sont passés de 10 % du total vers 1860 à près de 15 % à la veille de la guerre ; ce simple pourcentage montre déjà la place que les industriels et les hommes d'affaires se sont taillée dans la société. L'ascension des revenus mobiliers a été encore plus rapide et leur part a doublé ; néanmoins, ils restent légèrement en dessous des bénéfices d'entreprises.

La concentration géographique des richesses ne s'est pas démentie, le Nord l'emporte toujours sur le Sud et le Bassin parisien sur le reste du pays (carte V). Il est intéressant de noter que les départements pauvres sont en général ceux où prédomine la fortune terrienne, mais le fait n'est pas surprenant (carte VI). En revanche, l'attitude adoptée à l'égard des valeurs mobilières ne manque pas d'intérêt.

Dans bien des régions peu favorisées, comme l'Aube, la Marne, la Meuse, les livrets de caisse d'épargne obtiennent un grand succès ; les épargnants modestes sont manifestement séduits par ce type de placement simple et sans danger. Les rentes sur l'État trouvent difficilement à se placer dans le Massif armoricain, le Nord, le Massif central et le Midi ; elles rencontrent un terrain particulièrement favorable en Normandie, surtout dans le Calvados et dans la Seine-Inférieure, dans l'Est et autour de la capitale. La géographie des obligations est très comparable à celle des rentes ; la seule différence tient au fait que le Nord et le pourtour lyonnais prennent également beaucoup d'obligations. La conclusion est claire : au début du XXe siècle, les titres ne se vendent facilement qu'aux alentours des grands marchés financiers. On peut même préciser un peu cette remarque. Quand on s'éloigne de Paris, les rentes semblent préférables : dans la Loire-Inférieure, dans les Bouches-du-Rhône, les fonds d'État l'emportent. Mais, vers la capitale et dans le Nord, les faveurs vont aux obligations qui, dans les circonscriptions voisines de Lille, représentent le cinquième de la fortune locale. Quant aux valeurs étrangères, elles sont partout également appréciées ; on ne décèle sur ce point aucune variation sensible d'un pays à l'autre.

Si l'on accepte le critère défini au départ, et si l'on considère que le bourgeois est celui qui dispose d'un excédent de capitaux, l'étude des revenus français et de leur répartition dans la seconde moitié du XIXe siècle suffit pour montrer la force de la bourgeoisie : ceux qui possédaient l'argent vers 1850 ont vu leur fortune s'accroître régulièrement et absorber une part croissante des profits obtenus par le travail national. Il nous reste à définir les sources et l'utilisation de ces bénéfices.

Les rentiers

Au début du XXe siècle, un demi-million de personnes en âge de travailler n'exercent, volontairement, aucune profession. Ce sont les rentiers. Le patrimoine qu'ils ont reçu ou qu'ils se sont constitué leur assure des rentrées suffisantes pour leur permettre de ne pas avoir de métier. Ils ont pour principale activité d'attendre, une fois par an, le règlement de leurs fermages, ou d'aller, chaque trimestre, découper dans leurs paquets de titres, déposés dans un coffre de banque, les coupons qui viennent à échéance. L'existence du rentier, la place qu'il tient dans la société, constituent un des phénomènes qui nous séparent le plus du XIXe siècle et nous font le mieux sentir à quel point cette époque est lointaine.

Pendant longtemps, les redevances foncières ont constitué la « rente » par excellence. Nous les avons d'ailleurs rencontrées tout au long du XIXe siècle, en étudiant la vie paysanne comme le monde de la province et nous avons vu quelle importance elles ont gardée au moins jusque vers 1880. Sous l'Empire, la terre est un placement sûr ; les exploitations agricoles apportent à la bourgeoisie autant d'argent que le font, ensemble, le commerce et l'industrie.

Cet engouement pour la propriété du sol mérite d'être souligné. Il a, pour une part, des motifs économiques : avec le surpeuplement des campagnes, on trouve toujours un preneur pour une exploitation. Les biens fonciers ont l'avantage de satisfaire deux exigences contradictoires : ils peuvent soit procurer un intérêt régulier, soit donner de très gros profits. La bourgeoisie provinciale préfère la première solution ; en choisissant ses fermiers, en étudiant les baux, elle est assurée d'obtenir un revenu stable. Mais, durant le troisième quart du siècle, la terre apporte parfois aussi une rapide fortune ; les Clermontois qui ont des champs en Limagne voient leurs profits doubler vers 1860, quand les betteraves à sucre trouvent une nouvelle clientèle ; la bourgeoisie de Montpellier se trouve dans la même situation après que l'arrivée du chemin de fer lui a permis d'écouler les vins du Languedoc sur le marché parisien.

L'investissement foncier est d'autant plus attirant qu'il n'existe souvent pas d'alternative. Le fait est extrêmement sensible en Languedoc ; Nîmois et Montpelliérains ont de l'argent mais ne trouvent pas à le placer ; ils ne comptent guère sur les ateliers textiles régionaux qui languissent ; acheter du vignoble est sans doute la seule solution raisonnable qui s'offre à eux.

Enfin la bourgeoisie reste proche de la campagne ; bien qu'elle vive dans des cités, elle n'a pas rompu complètement avec les villages ; la majorité des successions comporte un morceau de terrain que les héritiers conservent et agrandissent. Même les grands commerçants, les industriels, n'échappent pas à ce penchant et il suffit de parcourir les environs de Paris pour en acquérir la preuve. Voici d'abord des hommes d'affaires, les Chodron ; l'aïeul, notaire sous le Premier Empire, a laissé quelques fermes ; son fils, Louis-Jules, s'est intéressé à la politique, aux chemins de fer ; il a tenu dans les milieux parisiens une place suffisante pour que Napoléon III en fasse un Chodron de Courcel, mais, tout en élargissant son champ d'action, il n'a pas cessé de penser à ses terres ; quand il disparaît en 1870, il possède près de 500 hectares que ses enfants vont doubler en trente ans. Les négociants ne sont pas en retard et l'héritage de Francisque Bonnardel, que nous évoquions plus haut, est composé pour une large part de propriétés situées dans l'Isère. Les industriels se laissent aussi tenter ; en 1864, le raffineur Constant Say achète plusieurs centaines d'hectares au sud de Paris et son fils Henry accroît ce premier lot jusqu'à la veille de la guerre ; à Thiais, les Panhard, mécaniciens, bientôt constructeurs de voitures, agissent de même. Avoir des fermes constitue une sorte de consécration et donne presque accès à la noblesse ; l'aristocratie défend encore, au début du xxe siècle, ce qui lui reste de propriétés, et la bourgeoisie l'imite ; il s'agit, à cette époque, d'un combat d'arrière-garde, qui montre surtout quelle place les valeurs foncières occupent dans la mentalité française.

Les efforts des Parisiens et des Lyonnais n'enrayent pas le déclin de la rente foncière qui, dès 1880, est dépassée par le profit des valeurs mobilières, et, en 1913, rapporte presque moitié moins que ces dernières.

Dans les déclarations de successions, le montant des biens immobiliers n'a pourtant pas cessé de s'accroître entre 1850 et 1900. Cette apparente anomalie tient au fait que, contrairement aux terres, les propriétés bâties ont pris une importance considérable.

La demande de logements a été forte dans toutes les villes sous le règne de Louis-Philippe et elle a entraîné un mouvement de construction à peu près général. Après 1850, la tendance s'est trouvée ralentie en province, mais, à Paris et dans les métropoles régionales, les maçons ont continué leur œuvre ; les besoins n'ont cependant pas été couverts et la demande est restée supérieure à l'offre. Après 1880, le dépeuplement rural, l'essor des populations urbaines font que, pour le logement, la plupart des grands centres connaissent une situation de pénurie. D'autre part, les citadins cherchent à mieux se loger, les enfants répugnent de plus en plus à vivre avec leurs parents.

Les circonstances sont favorables aux propriétaires d'immeubles. Le montant des loyers versés pour les locaux d'habitation a presque triplé entre 1850 et 1900 (fig. 16) ; vers 1910, les loyers constituent un revenu supérieur à celui que donne la location des terres de culture. En 1900, dans le département du Nord, on admet que la propriété nue rapporte 4 %, tandis que les immeubles laissent 5 %.

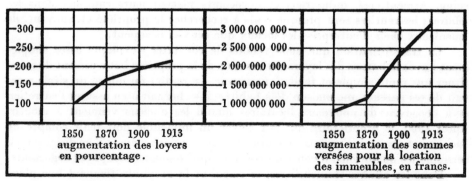

16. Augmentation des loyers et des sommes versées pour la location des immeubles.

La construction de nouveaux bâtiments a beaucoup modifié la physionomie de la catégorie des propriétaires. Sous Louis-Philippe, la possession des maisons est très éparpillée ; bien des Français sont comme les « petits bourgeois » de Balzac : ils ont un immeuble dont ils louent la majeure partie et qui leur permet de vivre sans soucis. A Paris, on dénombre environ 30 000 constructions et moins de 15 000 propriétaires ; la moitié des maisons appartiennent à de petits boutiquiers, qui en tirent un revenu supplémentaire.

L'ouverture de nouveaux chantiers change la situation. L'achèvement d'une maison de rapport exige une importante mise de fonds que des personnes fortunées sont seules en état de réaliser : à Lille, au début du XXe siècle, monter un immeuble de trois étages comportant six logements revient à 20 000 francs. A Paris, les frais sont encore supérieurs. Ainsi les propriétaires sont-ils, désormais, en grande majorité des rentiers qui ont investi une partie de leurs revenus dans la construction ; dans la capitale, vers 1880, les boutiquiers n'ont guère conservé que 14 % des maisons, alors que 54 % de celles-ci sont entre les mains de personnes déclarant comme seule raison sociale celle de « propriétaire ».

Autour de 1900, il existe deux types de propriété urbaine. Le fait apparaît clairement à Rouen. Dans cette ville, les placements immobiliers jouent un grand rôle depuis le milieu du XIXe siècle ; en 1908, sur quelque 50 millions de successions déclarées, un quart est constitué par des maisons sises dans l'agglomération. Les bâtisses du centre, généralement vétustes, ont été acquises par des négociants, voire des employés ; elles figurent dans des héritages modestes ; souvent, leurs possesseurs y ont leur boutique et leur logement ; ils se bornent à louer les étages supérieurs. A la périphérie, les constructions appartiennent à des rentiers qui n'y résident pas et les font administrer par un syndic. On retrouve un partage identique dans les cités qui possèdent des quartiers anciens et où le commerce local est actif. En revanche, dans les villes industrielles dont l'essor date seulement du milieu du siècle, la situation est plus simple ; à Roubaix, Tourcoing, Armentières, industriels et négociants placent leurs capitaux dans les affaires ; les rentiers sont presque seuls à rechercher la propriété et, souvent, ils louent aux chefs d'entreprise les locaux que ceux-ci occupent.

La transformation que nous venons de constater s'explique assez simplement : avec la hausse des loyers, les revenus de la propriété bâtie cessent de constituer une rente simple et facile à percevoir. Le rentier du milieu du siècle recevait de ses parents une maison déjà habitée, il se bornait à en assurer l'entretien et à découvrir de nouveaux locataires quand les anciens venaient à mourir. Après 1900, le propriétaire qui fait élever un immeuble doit tenir compte de l'achat du terrain, de l'amortissement de la construction ; même s'il ne dirige pas en personne les opérations, il court un risque auquel répugnent les petits négociants.

Dans les affaires immobilières, le calcul et la prévision tiennent une place croissante. C'est dans ce domaine que les spéculateurs trouvent leurs meilleurs profits. Nous découvrons ici une autre source de revenus pour les rentiers : la bourgeoisie urbaine sait jouer sur les variations de prix et se procurer ainsi un surcroît de bénéfices.

Cette tendance est déjà bien marquée au milieu du siècle, puisque la Chambre de commerce de Paris se croit obligée de la dénoncer à la fin de la Monarchie de Juillet : « Jadis, les propriétaires de terrain faisaient élever des maisons, soit pour les habiter, soit pour en tirer un revenu, par la location et comme placement de capitaux ; mais le développement rapide de la population, le morcellement des grandes propriétés urbaines, l'ouverture de quartiers nouveaux, en encourageant les constructions, ont fait de l'édification de maisons une véritable entreprise industrielle et il s'est créé une classe d'entrepreneurs et de marchands de maisons comme de tout autre produit industriel... Ce genre d'entreprise... a donné lieu à des spéculations..., on a, dans les moments de prospérité, trop construit et, depuis trente ans, cette industrie a été frappée de crises périodiques. »

La spéculation sur les terrains a, en effet, été fort importante après 1840 ; la crise de 1848 l'a un peu ralentie, mais elle a vite repris sous l'Empire. Les projets d'Haussmann ont suscité une véritable fièvre, des hommes d'affaires se sont précipités sur les rues condamnées, pour en acheter des morceaux et recevoir ensuite les indemnités d'expropriation ; ils n'ont d'ailleurs réussi qu'un nombre réduit d'affaires, et ce demi-échec constitue un symptôme intéressant à relever : il montre que les propriétaires, eux aussi avertis, ont senti le vent et n'ont pas succombé aux offres d'achat ; ils se sont réservé de spéculer eux-mêmes, en touchant les indemnités, en les utilisant pour élever des constructions neuves et en revendant ensuite leurs immeubles ; dans certaines rues de la rive gauche tracées sous Napoléon III, rue Médicis, rue Gay-Lussac, ce genre d'opération a porté sur près de 80 % des maisons. Les édifices modernes du boulevard Saint-Michel, qui sont pour une bonne part ceux que nous voyons encore, ont trouvé facilement preneurs, à des prix très élevés ; 52 % des acquéreurs ont été des rentiers qui ont pensé réaliser de la sorte un utile placement.

Dès cette époque, la spéculation s'étend à la banlieue. Paris reste encore enserré dans le « mur des Fermiers généraux » mais chacun se rend compte qu'il faudra l'élargir en annexant les communes suburbaines. Des hommes d'affaires s'empressent d'acheter des terrains en banlieue et d'y élever des édifices sans valeur pour être indemnisés. Lorsque l'élargissement de la capitale est décidé, en 1859, l'administration estime qu'il lui en coûtera 130 millions ; en fait, les spéculateurs ont si bien travaillé que l'opération revient à 352 millions.

Les excès des promoteurs aboutissent à un encombrement du marché ; après 1880, des centaines de logements sont vides à Paris et des entrepreneurs doivent déposer leur bilan ; les loyers connaissent une période de fléchissement. Mais, comme l'immigration des provinciaux ne se ralentit pas, la crise est à nouveau surmontée.

Au début du xxᵉ siècle, les opérations sur les terrains reprennent de plus belle ; elles sont désormais organisées par des agences spécialisées, qui ont leur clientèle de prêteurs auxquels elles reversent des bénéfices ; le cabinet Bernheim donne l'exemple dès 1898 et il trouve vite des imitateurs. Dans la capitale, les terrains disponibles sont devenus rares ; une combinaison comme celle qui consiste à racheter la propriété de la Païva aux Champs-Élysées, en 1904, pour y monter des immeubles, demeure exceptionnelle. Hors de Paris, les possibilités sont au contraire infinies. Il est regrettable que l'on n'ait aucun moyen de connaître les profits réels obtenus par les acheteurs de terrains à bâtir ; du moins la hausse des prix de vente laisse-t-elle pressentir ce qu'ont été ces gains. Au centre d'Ivry, la valeur des parcelles libres est multipliée par six entre 1884 et 1910. Au début du xxᵉ siècle, il existe, à Vitry, un beau domaine de 50 hectares ; en 1903, les propriétaires décident de le lotir, au prix moyen déjà fort élevé de 5,5 francs le mètre carré ; la liquidation est menée à bien en cinq ans, avec un tel succès que, en 1907, certaines parcelles sont vendues 20 francs le mètre carré.

La propriété des immeubles assure donc une double fonction. Elle procure d'abord une rente, qui s'accroît grâce à la demande de logements ; elle apporte en même temps, dans certains cas, de grosses plus-values, qui permettent aux spéculateurs de consolider sans gros risques leur fortune. Il est alors naturel que la bourgeoisie, déçue par les maigres profits des terrains de culture, se soit de plus en plus intéressée aux constructions.

Au milieu du xixᵉ siècle, nous avons remarqué que l'acquisition de biens fonciers constitue souvent, pour les bourgeois, une sorte de pis-aller : ils ont de l'argent mais ne savent comment lui faire porter un intérêt et choisissent la solution qui est à leur portée. Il serait injuste de reprocher aux rentiers leur manque d'audace, leur crainte de ce qui est nouveau ; souvent, au contraire, ils se précipitent sur les affaires industrielles quand elles passent à leur portée ; en 1865, la compagnie P.L.M. lance un emprunt à Joigny : au bout de quelques semaines, elle a déjà recueilli 400 000 francs ; les propriétaires de la région se hâtent de porter leur participation et l'un d'eux note, dans sa réponse à l'enquête de 1866, que l'apparition de valeurs mobilières a suffi pour détourner les capitaux de l'agriculture.

Pendant longtemps, le drainage des capitaux n'a pas été assuré en France ; la haute banque a consolidé ses positions sous la Monarchie censitaire, les banques d'affaires ont commencé à s'organiser au milieu du siècle, mais la capitale a seule profité de ce mouvement ; jusqu'en 1863, une grande ville comme Lyon abrite une vingtaine de petites banques, qui jouent en pratique le rôle de coffres-forts et de caisses d'avances et qui n'entretiennent de relations qu'avec le commerce local.

L'essor bancaire des années 1860 est dû, pour une large part, à l'action de quelques hommes énergiques ; elle répond également aux besoins urgents de l'industrie mais, plus encore, elle vient combler l'attente de centaines d'épargnants. Il importe de souligner que, pendant le Second Empire, la majorité des créations ne dépasse pas l'échelon local ; des comptoirs s'ouvrent un peu partout, là où existent des économies inemployées. Le fait est particulièrement sensible dans le Languedoc, où l'essor du vignoble a procuré aux propriétaires de considérables bénéfices : après avoir acheté des terres, réparé leurs maisons et consenti à quelques dépenses d'apparat, ils ont encore un excédent inutilisé. Le banquier apparaît à ce moment. Dans les trois villes de Montpellier, Béziers, Sète, on comptait vingt-trois banques en 1862 ; en 1872, il y en a trente-trois. Quatre comptoirs nouveaux apparaissent à Grenoble dans la même décennie ; en 1870, Villefranche-sur-Saône a cinq banques et Vienne trois.

De telles entreprises manquent généralement d'audace ; elles sont nées un peu par hasard, parce que les circonstances étaient propices, mais leurs promoteurs connaissent mal le marché ; les quatre banques grenobloises sont ouvertes par un maître de poste, un minotier, un marchand de drap et un négociant en grains ; c'est dire qu'elles restent proches de la boutique et se fixent pour tâche essentielle la négociation des papiers commerciaux ; elles ne font en somme qu'élargir le champ d'action des notaires. Passant à Nîmes en 1869, l'inspecteur général de la Banque de France montre les limites des banques locales ; il concède simplement que quelques-unes d'entre elles, « soit par les ressources dont elles disposent, soit par l'intelligence et la sagesse qui président à leurs opérations, constituent pour la succursale d'excellents intermédiaires» : la Banque de France garde la haute main et les maisons nîmoises se bornent à donner leur aval pour les opérations de portefeuille.

C'est d'abord l'État qui tente de remédier à cette situation, en faisant directement appel aux épargnants. Jusqu'alors, les emprunts publics, placés par l'intermédiaire des banques, n'étaient accessibles qu'à une partie du public. En 1854, à l'occasion de la guerre de Crimée, Napoléon III fait lancer un emprunt auquel on peut souscrire à tous les guichets du Trésor ; le succès est immense ; le gouvernement peut lancer une seconde émission, en réclamant 500 millions : le pays lui offre plus d'un milliard. A Paris, on affecte de voir là une sorte de plébiscite moral ; en réalité, la bourgeoisie est simplement satisfaite de prendre des titres de rente. L'Empire abuse du procédé ; en quinze ans, il émet pour 4 milliards 200 millions de titres. Le résultat est considérable : la rente s'est vulgarisée, elle a pénétré tous les départements, on la rencontre dans de nombreuses successions.

Le gouvernement encourage la démultiplication du crédit ; il autorise les compagnies de chemin de fer à émettre de petites obligations, accessibles aux bourses modestes ; il laisse les villes et surtout la capitale fonder des « caisses de travaux» destinées à financer par l'emprunt leurs transformations.

Les grandes banques de dépôt fondées sous l'Empire, Société Générale, Crédit Lyonnais, Comptoir d'Escompte, profitent du climat ainsi créé. Elles procèdent avec souplesse et prudence, étudiant longtemps les marchés locaux, ne s'avançant que lorsqu'elles sont certaines de trouver une solide clientèle. Le Crédit Lyonnais, à peine installé, s'intéresse à Mâcon, où il est certain de trouver de l'argent, grâce aux négociants en vin ; au contraire, il attend le début du XXᵉ siècle pour se tourner vers Le Creusot, tant il redoute de ne pas progresser à coup sûr.

Avec une grande lenteur, les réseaux bancaires sont mis en place ; en 1911, la Société Générale a 550 guichets, le Crédit Lyonnais 357, le Comptoir d'Escompte 271. Le but de ces agences est d'attirer les épargnants, en leur rendant faciles les opérations de crédit. Comme l'écrit en 1886 un banquier lyonnais, Édouard Aynard, il faut « mettre au jour, recueillir tous les capitaux sans emploi jusqu'aux plus minimes, leur payer un intérêt puis les appliquer, surtout par l'escompte, aux besoins du commerce et de l'industrie... amener ainsi le bon marché de l'argent et le développement des transactions ».

Il serait essentiel de connaître la clientèle des banques, mais nous possédons peu de renseignements à ce sujet. Jean Bouvier, qui a étudié le Crédit Lyonnais, avoue son incertitude sur ce point. En 1864, Henri Germain, fondateur de cette banque, note que les dépôts lui sont d'abord venus de commerçants, puis de rentiers et de membres des professions libérales ; en 1866, il précise : « Ce sont moins des négociants que nous rencontrons que des personnes retirées de la vie industrielle ou exerçant des professions libérales ou appartenant à la classe ouvrière. » Le 26 mai 1873, Roux, directeur de l'agence du Crédit à Grenoble, se donne pour but d'attirer « les rentiers et surtout les déposants de la Caisse d'Épargne, pour la plupart simples cultivateurs » ; en décembre de cette année, sa succursale a 132 clients, parmi lesquels on trouve 49 « propriétaires-rentiers », 24 ouvriers, 17 fonctionnaires, 12 boutiquiers ; la moyenne des dépôts y est modeste, puisqu'elle n'atteint pas 1 500 francs.

Un fait demeure certain : le succès des banques ne cesse de s'affirmer ; cinq ans après sa fondation, le Crédit Lyonnais a 10 000 clients ; en 1880, il en dénombre 70 000. Les dépôts effectués dans les trois établissements déjà cités et au Crédit Industriel dépassaient de peu 200 millions en 1870 ; à la veille de la guerre, ils sont largement supérieurs à 5 milliards.

Les banques mettent assez longtemps à définir leur vocation propre. Quand naissent les principales d'entre elles, l'industrie éprouve un grand besoin de capitaux ; à la fin du Second Empire, Société Générale et Crédit Lyonnais acceptent de commanditer directement certaines entreprises ; ils éprouvent quelques déboires, et constatent que ces placements rapportent peu ; après 1874, ils y renoncent.

Vers 1875, l'usage de la banque est devenu courant en France ; la reprise des affaires, vigoureuse entre 1877 et 1880, le lancement du plan Freycinet, qui vise à compléter notre système de communications, font que l'argent est fort recherché.

La spéculation qui, nous l'avons vu, sévit dans l'immobilier, s'étend également aux valeurs. Des gens ordinairement prudents se lancent à l'aventure et l'histoire de l'Union Générale témoigne de ce curieux état d'esprit. Il s'agit d'une banque fondée par un homme d'affaires catholique, Eugène Bontoux ; de grands propriétaires, des prêtres, des rentiers, voire des gens du peuple, traditionellement méfiants à l'égard des officines financières, mais désireux de profiter des circonstances et de la hausse des valeurs, viennent lui apporter leurs économies ; Bontoux se laisse prendre à cette fièvre, procède à des achats massifs, distribue des dividendes anticipés, si bien que lorsque survient une mauvaise passe, il est contraint de déposer son bilan. Les victimes du krach sont nombreuses mais la leçon ne suffit pas ; la compagnie fondée, sous l'égide de Ferdinand de Lesseps, pour percer un canal à Panama, se trouvant en difficulté, lance à partir de 1888 des obligations à lot ; les conditions apparemment fort avantageuses de cette émission attirent le public ; quand la compagnie s'effondre l'année suivante, elle laisse un passif de près de 1 500 millions dont l'épargne française fait presque tous les frais.

Désormais, les rentiers se montrent prudents. Le système bancaire se simplifie et offre à la clientèle des services diversifiés. Un grand nombre d'établissements locaux doivent disparaître et seuls persistent ceux qui ont une forte assise : à Nîmes, en 1914, le Comptoir Commercial d'Escompte l'a emporté sur ses rivaux, et tient des guichets dans huit villes du département ; comme la plupart des autres comptoirs régionaux, il travaille surtout avec les négociants et les agriculteurs auxquels il consent des avances et des facilités de trésorerie ; la plupart de ses actionnaires vivent à Nîmes ou à Béziers ; à la fin du XIXe siècle, ils sont cinquante-sept et on relève parmi eux le nom de trente-cinq commerçants ou industriels, manufacturiers en soie ou expéditeurs de vin, de onze propriétaires et de neuf rentiers ; cette clientèle stable et limitée se contente d'intérêts peu importants mais réguliers.

Généralement, le public préfère s'adresser aux grandes banques de dépôt, Crédit Lyonnais et Société Générale. Ces établissements ont renoncé à toutes les formes d'opérations présentant le moindre risque ; prudentes, elles évitent de distribuer tous leurs bénéfices aux actionnaires, pour se constituer des réserves ; elles incitent leurs clients à ouvrir des comptes à vue, parce que, de cette manière, elles ont de moins gros intérêts à leur servir. Elles se tiennent fermement à l'écart des sociétés industrielles, répugnent aux opérations à long terme ; elles pratiquent surtout les affaires commerciales : dans l'actif du Crédit Lyonnais, en 1913, les effets entrent pour 65 % et les avances pour plus de 30 % ; la Société Générale, un peu plus audacieuse, a quelques titres, qui ne dépassent jamais 5 % de son actif. En apportant leur argent, les épargnants sont assurés de ne courir aucun risque.

Le lancement des titres est assuré par les banques d'affaires, essentiellement la Banque de Paris et des Pays-Bas et la Banque de l'Union Parisienne, toutes deux fondées sous la Troisième République. Les résultats obtenus sur ce plan

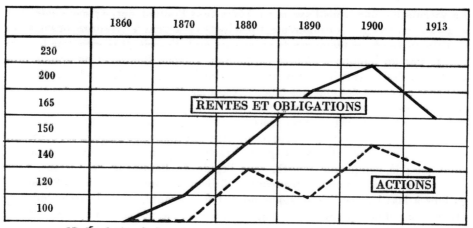

	1860	1870	1880	1890	1900	1913
230						
200						
165			RENTES ET OBLIGATIONS			
150						
140						
120					ACTIONS	
100						

17. Évolution de la valeur réelle des titres et valeurs mobilières.

sont curieux. La bourgeoisie a de tels excédents de capitaux qu'elle est contrainte d'acheter des valeurs ; mais, après les deux alertes des années 1880, elle se montre méfiante ; elle boude les placements industriels. Dans la région de Rouen, ou l'argent est abondant, ce sont des capitaux anglais qui permettent l'achèvement du réseau ferré local, puis la création des ateliers de réparation de Petit-Quevilly et des fonderies de Sotteville ; les rentiers ne font confiance qu'à l'État et au Crédit foncier ; en 1908, sur 841 successions déclarées au chef-lieu de la Seine-Inférieure, 36 seulement comportent des actions de grandes sociétés industrielles. Les obligations font prime ; en 1910, elles représentent plus du dixième de la fortune privée. Cependant, elles sont encore dépassées par les valeurs étrangères, qui constituent 13, 5% de la même fortune.

Quelle que soit la solution qu'il ait adoptée, le rentier est assuré de réaliser un profit (fig. 17). Pour ceux qui ont une fortune, aussi modeste soit-elle, la fin du XIXᵉ siècle est bien la « Belle Époque », en ce sens que l'argent y produit toujours de l'argent. Pendant soixante ans, la hausse des profits ne se dément pas. Le départ a été remarquable entre 1860 et 1880 ; puis un certain essoufflement s'est fait sentir, entre 1880 et 1895, surtout d'ailleurs pour les actions. S'il y a eu, pendant quelques années, une baisse des dividendes, à long terme cette variation n'a guère été sensible. A partir de 1907, on entre dans une période exceptionnelle que la guerre viendra vite interrompre : les commandes de guerre relancent la sidérurgie ; certaines sociétés métallurgiques versent des intérêts atteignant jusqu'à 100 % ; beaucoup de rentiers, oubliant leurs craintes antérieures, prennent des actions. L'épisode est bref, mais il n'est pas nécessaire d'en tenir compte pour souligner combien les porteurs de valeurs mobilières sont favorisés sous la Troisième République.

Depuis les années 1880, la part de la rente foncière dans le revenu national est dépassée par celle des profits réalisés sur les titres. La curieuse destinée de Ferdinand Castan, gros propriétaire de l'Hérault, symbolise ce changement : en trente ans de travail, il était arrivé à tirer de son domaine, situé à Lunel, 750 000 francs ; vers 1875, il commence à s'intéresser aux placements financiers : il lui suffit alors de cinq ans pour tripler sa fortune et quand il meurt en 1881, il laisse à ses successeurs 2 250 000 francs.

Les milieux d'affaires

En 1850, la France compte 700 000 personnes pourvues de titres de rente ; en 1870, on en dénombre 1 300 000, à la veille de la guerre, plus de 2 millions. En 1912, les Houillères du Nord et du Pas-de-Calais se vantent d'avoir autant d'actionnaires que d'ouvriers. Les porteurs de valeurs mobilières constituent le gros de la masse bourgeoise ; leur progression est pour le pays une garantie de prudence conservatrice et d'ordre social. Cependant, s'ils profitent du système capitaliste, ils ne sont pas les véritables détenteurs du capital ; leur influence est faible comparativement à celle qu'exercent banquiers, commerçants, industriels.

Jusqu'aux débuts de la Troisième République, l'accès à la direction d'une entreprise demeure relativement ouvert. Les textiles constituent encore la principale branche de l'industrie, et, dans ce domaine, le passage de la boutique au petit atelier puis à l'usine est classique. Il ne faut d'ailleurs pas exagérer l'ampleur de cette forme d'ascension ; il est pratiquement exclu qu'un ouvrier devienne jamais patron ; les artisans eux-mêmes ont de grandes difficultés à sortir de leur état. Pour fonder une entreprise, il faut avoir quelques capitaux et seul le commerce en procure suffisamment.

A l'origine de la majorité des affaires, on rencontre un homme entreprenant, qui a su économiser les bénéfices réalisés sur ses ventes. A Armentières, voici Faucheur, qui fut pendant des années démarcheur de dentelles à Lille avant d'installer un atelier à son compte ; voici encore Charvet, qui a longtemps fait travailler des tisseurs à la main dans la campagne, puis a monté un tissage mécanique à son compte.

Les patrons de cette génération sont modestes et prudents. Ils n'ont pas de gros moyens : lorsque les Peugeot, meuniers dans le Doubs, fondent une société métallurgique, leur capital est seulement de 30 000 francs. Leur progression est donc lente : les Charvet ouvrent leur tissage en 1854 ; ils attendent vingt-trois ans pour créer une filature de lin et à nouveau treize ans pour se tourner vers le coton ; chez leurs voisins les Mahieu, qui sont également partis du commerce des toiles, la courbe est identique : leur fabrication de toile mécanique date de 1855, leur filature de lin de 1880. Les Peugeot n'ont longtemps qu'un petit atelier et leur grosse usine de Valentigney vient après quarante années de patience.

La même prudence s'applique à la gestion de l'entreprise; pour adopter de nouvelles machines, on attend qu'elles aient largement fait leurs preuves et l'on s'efforce de les obtenir dans les meilleures conditions. Quand les Méquillet-Noblot, filateurs à Héricourt, veulent s'équiper avec un matériel hydraulique, ils rachètent celui dont une filature parisienne veut se débarrasser; jusqu'aux années 1880, ils cherchent à se fournir sur place et ne prennent que des machines d'occasion; ils attendent l'extrême fin du siècle pour renoncer à l'impression du tissu par le procédé de la planche et adopter les rouleaux.

Les fils et les petits-fils gardent l'esprit du fondateur : au départ, il a fallu économiser sur les ventes pour constituer un capital et l'épargne est devenue une sorte de vertu. Dans la mesure du possible, on veut se suffire à soi-même; l'auto-financement est la règle et l'on retarde le recours aux banques; on ne s'adresse jamais à un établissement parisien dont on se méfie; souvent, on préfère, quand on a besoin d'une avance, emprunter à un négociant ou à un commissionnaire. Si l'on tarde à s'agrandir ou à se moderniser, c'est que l'on songe surtout aux bénéfices et peu à la production ; on ne désire pas étendre à tout prix son champ d'action, mais simplement perpétuer un état de fait, gagner chaque année au moins autant que l'année précédente et garantir la fortune familiale. La crainte de l'inconnu est telle que, pendant longtemps, on place dans la propriété terrienne une partie des profits; jusqu'en 1875, les Mahieu achètent systématiquement des terres autour d'Armentières.

Avant 1860, les sociétés anonymes sont rares. Il est vain d'évoquer les entraves de la législation pour expliquer cet état de fait; en réalité, les industriels ne tiennent pas à sortir du cadre familial; ils font systématiquement entrer leurs enfants dans l'entreprise, ils combinent des mariages avec d'autres familles de patrons, pour éviter toute ingérence de l'extérieur.

Le milieu des chefs d'entreprise est ainsi, paradoxalement, plus fermé vers le haut que vers le bas. Il reste une certaine forme de capillarité sociale qui fait que devenir patron n'est pas, au milieu du siècle, un exploit irréalisable; mais les industriels, une fois établis, ne font que perpétuer le système établi, sans chercher à le modifier.

C'est l'évolution économique qui impose une transformation. Pendant les deux premiers tiers du siècle, la production et le marché n'ont pas sensiblement évolué et l'utilisation des procédés anciens a suffi. Il n'en va plus ainsi à partir de 1860 : l'essor des moyens de transport fait naître une concurrence sévère qui impose la recherche de nouveaux débouchés et la refonte des méthodes de production. Sous quelque forme que l'on envisage la question, on arrive toujours au même point : les entreprises ont besoin de capitaux considérables et leurs disponibilités financières sont insuffisantes.

Dès le milieu du siècle, le phénomène était sensible. La crise des années 1846 est liée, pour une bonne part, au manque d'argent; dans le Calvados, dans le Nord, bien des usines textiles, employant cependant un personnel considérable, vivent au jour le jour, sans avances; une augmentation du prix de la matière première, une défaillance des prêteurs ordinaires, comme il s'en produit une à Lisieux en juillet 1846, suffisent pour provoquer l'affolement. Autour de 1860, la guerre de Sécession provoque des effets identiques; les importations de coton tendent à diminuer et les cours montent; les filateurs ne sont pas en mesure de supporter cette hausse et ils sont incapables d'acheter un matériel adapté aux cotons indiens; le marasme sévit pendant plusieurs années : en 1864, le cinquième des broches est arrêté dans la région de Barentin.

La concurrence impose un véritable saut : il faut augmenter considérablement sa production ou disparaître; des mines comme celles de Carmaux parviennent à résister parce que, en moins de dix années, elles triplent leur extraction. Mais ce passage à un niveau différent ne peut être réalisé avec une simple fortune familiale; la mise en société devient une nécessité. A la fin du XIXe siècle, un métier à tisser mécanique coûte 4 000 francs; or un tissage ne peut guère tourner raisonnablement avec moins de 200 métiers. Les nécessités financières sont encore plus nettement sensibles au niveau de la filature : dans le Nord, une entreprise moyenne de 10 000 broches suppose un capital de 4 millions, partagés à peu près également entre le matériel et la matière première. Il est caractéristique que, sur treize filatures ouver tes à Dunkerque entre 1860 et 1870, six soient constituées en société.

Les textiles cessent d'ailleurs d'être l'industrie principale; ils cèdent la place à la métallurgie, bientôt à la chimie. Dans ces deux domaines, il faut une masse importante de capitaux. La métallurgie connaît alors une mutation technique et il est impossible de vouloir créer une aciérie sans adopter la fonte au coke ou les convertisseurs Bessemer; il faut prévoir des bâtiments assez vastes, engager d'entrée un personnel suffisant. Une entreprise de taille moyenne, mais qui entend s'imposer par sa spécialisation et son modernisme, comme les Aciéries et Forges de Firminy, créées en 1867, doit disposer, au départ, de 20 millions.

Certes, les affaires de famille ne disparaissent pas; la France du XIXe siècle ignore le degré de concentration atteint en Allemagne. Mais les vieilles firmes doivent consentir des sacrifices, accepter des participations extérieures, ou, selon l'exemple de Méquillet-Noblot, renoncer aux activités multiples, abandonner l'impression et le blanchiment pour se limiter à la filature. Encore cette survie, possible dans les textiles, est-elle difficile ailleurs. Le sort de la société Perret-Ollivier est, à cet égard, révélateur; cette firme lyonnaise, spécialisée dans le grillage des pyrites, réalisait, sous le Second Empire, de confortables bénéfices; bien que l'affaire fût parfaitement saine, elle se trouvait autour de 1865 devant une situation embarrassante : il lui fallait ou disparaître, ou franchir le pas et se lancer dans de grandes transformations; après de longues hésitations, les fils du fondateur, ne se sentant pas la force de progresser seuls, décident, en 1871, la fusion avec Saint-Gobain.

L'absorption d'une petite affaire par une autre ou la réunion de plusieurs entreprises changent la physionomie du patronat. Les mêmes personnes gardent souvent le contrôle de leur industrie, mais leur fonction n'est pas identique.

En 1837, deux maîtres de forges, Pétin et Gaudet, ouvrent à Rive-de-Gier un atelier métallurgique; bien qu'ils aient assez vite 200 ouvriers, ils restent assez proches de leur personnel; ils surveillent la fabrication, s'occupent des ventes, en un mot, conduisent eux-mêmes leur affaire. Dix-sept ans plus tard, ils s'associent à d'autres maîtres de forges et à des groupes d'origine anglaise. Ils sont alors à la tête d'une énorme entreprise, la Compagnie des hauts fourneaux, forges et aciéries de la marine et des chemins de fer; leurs usines sont éparpillées entre cinq localités, ils dirigent 5 000 ouvriers. Ils ont pour clients l'État, les compagnies de chemin de fer, des gouvernements étrangers. La vie même de l'entreprise leur échappe, ils deviennent les administrateurs d'un capital d'une trentaine de millions.

Une telle situation semble aujourd'hui normale. Mais sous le Second Empire, on passe, sans transition, d'un système à l'autre, et les firmes qui montent sont celles dont les dirigeants ont su devenir des financiers après avoir été de simples industriels.

La conduite pratique des opérations est laissée à des techniciens; toute usine importante a son directeur, son ingénieur en chef. Ces hommes ont la charge de la fabrication; ils doivent également mener le personnel et, seuls connus des ouvriers, ils sont assez souvent détestés. Malgré leurs responsabilités, ils ne sont que des agents très bien payés; la gestion et les bénéfices de l'entreprise leur échappent. Dans une ville comme Roubaix, les directeurs forment une catégorie à part, bien distincte de celle des patrons; un Motte se montre affable avec son directeur, en ayant conscience que cet homme est le premier de ses salariés. A Carmaux, les ingénieurs sont parfaitement logés et rétribués; pourtant les Solages savent maintenir les distances à leur égard.

Les sociétés anonymes appartiennent, en principe, aux actionnaires, et les prospectus distribués au moment où elles se constituent insistent sur cet avantage. Il ne s'agit guère que d'une fiction. Dans une affaire comme la Société des mines de Carmaux, la moitié des actions est vendue à des rentiers de la région toulousaine qui n'ont aucun moyen d'exercer leur droit de regard. Les décisions reviennent en fait au conseil d'administration, qui groupe les principaux actionnaires; à Saint-Gobain, l'assemblée générale n'est réunie que pour la forme; les actionnaires ont simplement le droit d'envoyer quelques délégués à un conseil extraordinaire auquel les comptes ne sont même pas intégralement soumis: les douze membres du conseil d'administration sont bien les maîtres. Les porteurs de titres songent du reste rarement à se plaindre : ils se sentent dégagés de tout souci et perçoivent régulièrement leurs dividendes ; l'ignorance dans laquelle ils sont tenus leur est commode.

Les dirigeants de sociétés constituent, sous la Troisième République, la fraction riche et influente de la bourgeoisie ; ils sont ce que l'on peut appeler les grands bourgeois.

Leur fortune les classe à part dans la société. Ils possèdent d'abord un nombre considérable de titres et, par leur portefeuille, sont des rentiers. Dans les textiles, les intérêts varient de 10 % pour les filatures à 20 % pour les tissages ; la métallurgie, les industries chimiques rapportent facilement 35 % ; une banque prudente telle que le Crédit Lyonnais ristourne annuellement 9 ou 10 % de leur capital à ses actionnaires. A cela s'ajoute une répartition des bénéfices qui peuvent être considérables : en 1863, Saint-Gobain réalise plus de 2 millions, et en 1873 plus de 7 millions de bénéfices. Tous les actionnaires sont évidemment traités de la même manière, mais il n'existe pas de commune mesure entre ceux qui ont quelques titres et ceux qui en ont plusieurs dizaines ; au Crédit Lyonnais, vers 1880, un tiers des actionnaires a moins de trente actions, un autre tiers en a plus de cent : un fossé sépare ces deux catégories.

Les principaux actionnaires reçoivent d'autre part une rémunération spéciale pour leurs fonctions administratives ; au Comptoir de l'industrie linière, les quatre gérants, qui détiennent la majeure partie du capital, se sont réservé 40 % des bénéfices ; lorsque disparaît le plus âgé d'entre eux, Armand Cohin, sa succession révèle que, pendant quinze ans, le Comptoir lui a rapporté, tant en intérêts qu'en parts sur les bénéfices, un revenu annuel supérieur à 60 000 francs.

Très vite, les affairistes sont amenés à déborder de leur cadre initial, pour s'occuper d'autres entreprises. N'ayant pas à s'occuper de technique, ils peuvent facilement jouer un rôle dans plusieurs sociétés : leur compétence financière est toujours utile. Ces participations multiples leur permettent de mieux s'informer, de connaître différents aspects du marché et de limiter les risques de faillite en partageant leur capital. Même les industriels qui continuent à mener une affaire de famille n'échappent pas à cette règle : Vaucher, filateur à Mulhouse, achète des parts dans plusieurs usines textiles alsaciennes ; Millescamps, filateur dans le Pas-de-Calais, prend des actions au Comptoir de l'industrie linière ; lorsque se constitue, en 1880, la Société de Wendel, Schneider souscrit une part du capital ; à leur tour les Wendel entrent dans le conseil d'administration de plusieurs entreprises lorraines.

Souvent, des combinaisons sont imposées par les nécessités de l'industrie : le besoin de minerai de fer conduit la Société des hauts fourneaux et forges de Denain et Anzin à devenir actionnaire de la Société des mines de Somirrostro ; ainsi les administrateurs de Denain-Anzin, Serret, Lelièvre, jouent-ils un rôle dans la gestion de la société minière. Peugeot, d'abord fabricant d'outils, se lance dans le cycle, puis dans l'automobile ; il existe à la fin du siècle trois sociétés Peugeot dont les directions sont autonomes, et qui pourtant ont les mêmes administrateurs.

Mais, dans beaucoup de cas, le développement des participations ne répond pas à une progression logique. Les Bonnardel, négociants lyonnais, ont édifié leur fortune grâce à la navigation sur le Rhône. Au début du XXe siècle, Jean Bonnardel est largement sorti de cette sphère initiale ; il est pendant vingt ans administrateur de la Compagnie du gaz de Lyon, avant de passer au conseil du Crédit industriel et commercial.

Enfin les hommes d'affaires sont étroitement liés aux milieux politiques. Si les notables ont été vaincus après 1870, la grande bourgeoisie industrielle et commerçante a dans une large mesure pris leur place. Des financiers, Henri Say, Henri Germain, Rothschild, des industriels, Méline, Motte, Solages, Schneider, se font élire au Parlement. Leur influence est sensible sur le plan local ; ils dirigent les municipalités au Creusot, à Carmaux, à Montceau-les-Mines, à Armentières. Leur tutelle est moins sensible que celle des notables ; la question du régime leur est indifférente et, en 1875, ils ont su appuyer la République, quand ils ont été persuadés qu'elle ne nuirait pas à leurs intérêts ; s'ils tiennent la religion pour une garantie d'ordre, ils se méfient des influences cléricales et ne défendent pas les congrégations ; enfin ils ne prétendent pas exercer un monopole et font une large place à la moyenne bourgeoisie, en particulier aux professions libérales.

Cette souplesse leur permet de jouer un rôle. Ce sont eux qui, prenant prétexte des souffrances de l'agriculture, lancent une grande campagne protectionniste et emportent le vote des tarifs de 1892, particulièrement favorables aux textiles et à la métallurgie. Ce sont eux également qui, après 1890, quand le mouvement ouvrier prend son essor, dirigent la résistance légale aux revendications sociales. Si le règne des propriétaires terriens est bien fini, la grande bourgeoisie est loin d'avoir renoncé au pouvoir sous la Troisième République.

Les Français ont cependant l'illusion que la démocratie progresse rapidement. Les notables formaient une sorte de caste, héréditaire et fermée ; le monde des affaires semble, au contraire, largement ouvert. Chaque jour, on voit s'ouvrir des boutiques, des ateliers ; la progression du commerce provincial, dont nous avons noté l'ampleur, n'est-elle pas un signe d'embourgeoisement ?

En fait, le négoce ne conduit plus à la direction des entreprises. Le petit épicier peut gagner beaucoup d'argent, se retirer avec des rentes solides, son fils ne sera que commerçant, ou au mieux avocat. Accéder à la moyenne bourgeoisie est certes facile, mais à ce niveau se place une sorte de palier, difficile à franchir.

On signale encore de belles ascensions sociales ; elles sont rares, parce qu'elles empruntent des voies étroites. En général, elles sont le résultat d'une compétence particulière. On peut considérer, de ce point de vue, la remarquable carrière de Léopold Pralon ; né en 1855, il passe par Polytechnique, par l'École des mines et par le bureau financier du Crédit Lyonnais ; ses connaissances lui permettent d'accéder, à moins de quarante ans, au conseil d'administration de Denain-Anzin, puis d'une dizaine d'autres sociétés. Désormais, l'homme qui monte est surtout l'ingénieur qui sait devenir affairiste ou qui réussit à épouser une grosse dot.

Quelques fortunes

La bourgeoisie est partagée en deux fractions. Une minorité dirige les affaires, et laisse à la majorité une part des profits. L'écart semble immense entre le mercier auquel suffisent ses 10 000 francs de rentes et le métallurgiste qui dispose de 80 000 ou 100 000 francs. Une chose les unit pourtant ; l'argent reçu comme intérêt du capital. Leurs revenus sont différents, mais ils ont une origine commune et ils sont dépensés d'une manière identique. Les bourgeois sont les gérants d'une fortune plus ou moins considérable ; il importe de savoir comment ils l'administrent.

Marguerite Perrot a retrouvé et analysé les livres de compte d'un certain nombre de familles bourgeoises de Paris. Elle fait ressortir à la fois leur manque d'information et leur absence d'imagination. Ils ont certes le souci de trouver des valeurs, sûres, et les chemins de fer, pour lesquels l'État garantit, depuis 1883, un dividende minimum, les intéressent particulièrement. Mais ils ne cherchent pas à comparer le rendement des titres, pour choisir les plus avantageux ; ils préfèrent les solutions faciles, prennent des rentes sur l'État, des obligations de la Ville, du Crédit foncier et des sociétés de transport ; à la fin du siècle, ils se précipitent sur les placements étrangers. Ils se méfient des actions, boudent les affaires industrielles. Ils ont rarement des revenus fonciers, mais le tiers de leur avoir est placé en immeubles.

Les Lyonnais ont des réflexes semblables ; toutefois, ils se fient surtout aux valeurs qui absorbent les quatre cinquièmes de leur capital. Les Bordelais, placés pourtant au centre d'un riche vignoble, n'ont guère de terres ; en fait, les vignes appartiennent à quelques grandes familles ou à de tout petits propriétaires et la bourgeoisie n'en possède pas ; en revanche, elle a des immeubles : le tiers de son avoir est constitué par des maisons de la ville ; elle a également des parts dans les fonds de commerce locaux ; dans l'ensemble, elle apprécie peu les valeurs mobilières, sauf les inévitables fonds d'État étrangers.

Il serait nécessaire de poursuivre plus loin cette comparaison entre deux bourgeoisies, mais les traits qui ressortent d'une rapide investigation dans les déclarations de succession sont déjà suggestifs. Il est manifeste que l'horizon des Bordelais est étroit et que, malgré leur port, ils vivent surtout des ressources locales; les Lyonnais ont mieux saisi le mouvement de l'économie moderne; l'obligation est, chez eux, la forme courante de placement.

On peut encore établir un parallèle entre deux autres grandes villes, Rouen et Lille. Les Rouennais sont restés proches de la terre; au début du xx⁰ siècle, quand le rendement du sol est tombé à 3 %, ils persistent à acheter des fermes, au point que la propriété foncière représente 15 % des déclarations de succession; à cela, ils ajoutent des immeubles et des obligations françaises ou étrangères. On retrouve à Lille des tendances assez voisines : les maisons constituent le tiers de la fortune locale, et les terres en constituent presque le cinquième; au total, l'argent lillois est investi pour moitié dans des biens immobiliers; pourtant Lille est aussi un grand centre industriel : la bourgeoisie achète largement des actions de sociétés régionales; elle leur consacre le quart de son avoir et, au contraire, dédaigne les titres étrangers.

Aux centres urbains, il serait intéressant de joindre les petites cités et les circonscriptions rurales, mais l'enquête y est moins facile. Georges Dupeux l'a conduite pour le Loir-et-Cher; il souligne que, dans ce département, les immeubles ont moins de place que les titres. Les valeurs mobilières sont constituées par des créances, des dépôts de compte courant et des actions ou des obligations. La rente est peu appréciée et les papiers industriels proviennent pour les neuf dixièmes d'entreprises françaises, ce qui prouve que, au moins dans cette circonscription, les épargnants ne dédaignent pas les entreprises nationales pour se ruer sur les fonds étrangers.

Inversement, dans le Calvados, les biens immobiliers l'emportent de très loin; les terres représentent à elles seules les deux cinquièmes du total; le papier semble peu prisé et les rentiers se risquent au mieux à prendre des obligations de sociétés françaises.

Ces brèves remarques font ressortir la diversité des comportements. Dans la défense de leur précieux capital, les bourgeois obéissent à des impulsions fort différentes. Il est certain que la propriété foncière a perdu de son importance à la fin du xix⁰ siècle, mais le recul n'est pas toujours marqué. On s'est beaucoup moqué des porteurs de titres étrangers, victimes de leur besoin de sécurité : sur ce point aussi, on constate qu'il faut introduire des nuances et tenir compte des tendances propres à chaque région.

La vie bourgeoise

Au-delà de ces contrastes, on découvre chez les bourgeois une façon d'être commune, qui varie assez peu au long du xix⁰ siècle.

La bourgeoisie est économe. Ceux qui sont devenus rentiers par leurs propres efforts ont dû travailler durement pour se constituer des économies; ceux qui ont reçu un héritage ont vu avec quelle peine leurs parents avaient édifié une fortune ; dans un cas comme dans l'autre, le goût de l'épargne a fini par devenir naturel. L'étude des successions révèle, surtout en province, la profondeur de ce besoin ; voici, à Lodève, la veuve Ménard, décédée en 1880 : elle n'avait personne à sa charge et son argent, bien placé, lui apportait une rente modeste ; au lieu de dépenser son revenu, elle en réservait encore une part pour effectuer de nouveaux placements.

La veuve Ménard appartenait à la petite bourgeoisie, la plus parcimonieuse. Il est évident qu'au-dessus d'un certain revenu, on a le sentiment que posséder est naturel et oblige à dépenser. Souvent, les enfants de familles fortunées, pourvus par leurs parents d'un solide capital, éprouvent, au moment de leur mariage, le désir de vivre sans calculer. Mais, dès que leurs enfants grandissent, ils changent d'attitude, se mettent à épargner pour constituer des dots à leurs filles. Ce souci de la dot est un trait constant dans la mentalité bourgeoise ; Balzac lui faisait déjà une très large place ; pour la fin du siècle, Marguerite Perrot en donne un exemple bien caractéristique : il s'agit d'un haut fonctionnaire qui, en 1883, alors qu'il a seulement trois enfants, dépense 24 000 francs par an, sans songer à faire des économies et qui, en 1897, avec six enfants, est parvenu à ne pas augmenter ses frais, de façon à épargner le cinquième de son revenu pour établir ses trois filles.

La parcimonie bourgeoise ne se laisse pas percevoir à l'extérieur ; elle se concentre sur ce qui échappe à l'observateur. Les repas de fête, auxquels on convie des amis, sont volontiers somptueux, mais la nourriture est d'ordinaire très simple ; dans les comptes du ménage, l'alimentation compte pour peu de chose ; elle n'absorbe guère que le quart, parfois le cinquième du budget.

Lingerie et vêtements sont acquis avec discernement. Bien des inventaires après décès, en particulier à Lyon, révèlent une grande pauvreté de garde-robe. Dans beaucoup de familles, la dot comporte un énorme trousseau dans lequel n'est oubliée aucune catégorie de torchons. La jeune femme veillera ensuite à la conservation de ce fonds initial ; elle assurera la rotation des draps pour répartir l'usure, prendra une couturière à la journée pour faire procéder à temps au raccommodage ; à sa mort, elle laissera encore le reliquat de son trousseau.

En revanche, les dépenses visibles pour l'observateur étranger sont largement assurées. C'est là que réside le fond du mode de vie bourgeois : l'argent permet d'assurer une façade, de tenir un « rang » dans la société.

Le logement vient en tête. On saisit là un de ces changements que la mentalité d'un groupe finit par imposer à toute une société. Avant 1840, dans la plupart des villes, les classes sont relativement mélangées ; les immeubles sont de moins en moins bien habités à mesure que l'on s'élève dans les étages, mais cette ségrégation verticale est la seule qui existe. Puis les gens riches se mettent à délaisser les quartiers où habitent les pauvres ; à Tours, nous avons vu le passage s'opérer autour de 1850; il se produit en même temps dans la plupart des autres cités. Désormais, il existe des rues « bourgeoisement habitées » où l'on se doit de résider. Nous avons déjà noté que le propriétaire d'immeubles réside rarement dans une de ses maisons, sauf s'il y a son travail : il se sent au-dessus de ses locataires, il entend se séparer d'eux.

Les appartements bourgeois sont conçus en fonction de leur usage social; les cuisines y sont médiocres et sans aération, les chambres petites, les commodités insuffisantes et les pièces de réception parfaitement agencées. Pour avoir un beau salon, on ira jusqu'à dépenser le tiers de son revenu; la hausse des loyers dont nous avons noté l'ampleur tient d'abord à l'insuffisance des locaux, mais aussi, pour une moindre part, à la surenchère de la classe aisée.

Le décor de la maison témoigne de cet état d'esprit. En dépit de quelques efforts de rénovation, les tendances qui se sont dégagées sous le Second Empire s'imposent à toute la France bourgeoise jusqu'à la fin du siècle. Les murs sont couverts de papiers peints sombres à ramages dorés; une profusion de bibelots, de tableaux, de petits meubles inutiles accroît l'impression de richesse. Le mobilier s'en tient aux imitations; dans les salons, il est « Pompadour »; du XVIIIe siècle, on ne conserve en réalité que les pieds contournés, mais le bois est partout débordé par l'étoffe qui envahit les sièges; les objets aux formes fuyantes et molles ne manquent pas de confort et jouent leur rôle dans des existences où la conversation tient une place prédominante. Les salles à manger voient le triomphe du Henri II; la Renaissance sert uniquement de prétexte à une débauche de ciselures et à l'édification d'énormes menuiseries de bois sombre.

Le bref épisode du « modern style », les efforts de l'école de Nancy qui, vers 1895, prétend renouveler le décor de la vie en se pliant aux leçons de la nature, ne doivent pas faire illusion : les fabricants et leur public s'en tiennent au pastiche.

Les seules transformations acceptées par la clientèle aisée concernent la céramique; il ne s'agit du reste que d'une autre forme d'imitation : les styles orientaux, japonais ou chinois, mis à la mode vers la fin de l'Empire, servent maintenant de modèles; ils apportent d'abord un certain renouveau : le décor des vases, des plats, s'allège; pourtant ces objets sont toujours employés pour la décoration, ils n'ont pas d'utilité réelle, ne servent qu'à compléter un ensemble solennel et imposant.

Les intérieurs bourgeois sont, pendant un demi-siècle, curieusement semblables dans tout le pays; à mesure qu'ils viennent s'installer dans les quartiers riches, qu'ils se sentent entrés dans la classe moyenne, les rentiers veulent acquérir ce signe extérieur d'aisance que constitue un beau mobilier; le modern style n'a pas seulement contre lui son excès d'originalité : il paraît pauvre, nu, il sent le bon marché. L'ameublement bourgeois ne doit pas être jugé d'un point de vue esthétique, sa fonction n'est pas d'être beau ou agréable : il a un rôle social, il marque l'appartenance à un milieu donné.

Tenir une maison et y recevoir oblige à disposer d'une main-d'œuvre importante ; la domesticité (fig. 9) fait partie du genre de vie bourgeois. Il est normal, pour une famille aux revenus moyens, d'employer deux bonnes ; le recours à des services mercenaires est une autre marque d'appartenance sociale. Les gages pèsent assez peu dans les budgets ; des centaines de jeunes campagnardes aspirent à quitter leurs villages pour se placer à la ville ; elles redoutent l'usine, préfèrent travailler « en maison ». Leur condition est généralement dure, bien qu'elles ne soient pas maltraitées ; elles sont très mal logées : la chambre de bonne est une invention caractéristique du XIXᵉ siècle ; on réserve au personnel le dernier étage, où l'eau n'arrive pas et où le chauffage est difficile. Dans les appartements, les commodités manquent mais la domesticité a pour tâche de rendre moins sensible cette absence de confort ; chauffage, lavage, entretien lui sont confiés et remplissent son temps. Il est rare que les serviteurs se plaignent : ils n'entrevoient pas d'autre solution, se sentiraient perdus s'il leur fallait trouver un autre emploi ; quand une bonne ne se marie pas, elle reste généralement toute sa vie avec les mêmes patrons ; elle finit par être comptée au nombre des familiers, on lui donne de menus cadeaux, ce qui permet de ne pas augmenter ses gages.

Les bourgeois voyagent ; quitter la ville à la belle saison est encore une preuve d'aisance à une époque où la grande majorité des citadins n'a jamais l'occasion ni le moyen de se déplacer. Le « changement d'air » est d'ailleurs une médication à la mode ; on parle beaucoup des ravages de la tuberculose depuis les années 1890 et l'on tente d'en prévenir les effets par des séjours en montagne. Les stations thermales des Vosges et du Massif central ont alors leur moment de succès.

La bourgeoisie de province passe l'été à la campagne où elle possède des propriétés. Celle des villes a peu de domaines ; les citadins ne seraient pas en état de surveiller l'exploitation ; parfois, ils achètent des biens dans une région de culture spéculative, comme le Languedoc, mais ils les font administrer par un régisseur et ne s'y rendent jamais. A Bordeaux, à Rouen, l'acquisition d'une terre marque nettement une étape dans la progression sociale : seuls les gros expéditeurs de vin, les industriels, se permettent une telle opération. Les biens fonciers rapportent peu et sont grevés de lourds impôts ; il convient d'avoir une importante fortune pour s'imposer une telle charge,

Si les bourgeois émigrent à partir de juillet, c'est pour s'installer dans un hôtel. Les trajets sont limités par les moyens de transport : on va dans les lieux que le chemin de fer permet d'atteindre en moins de douze heures ; ainsi s'expliquent la vogue des plages normandes, de la Belgique, de la Suisse. Peu de personnes se risquent au-delà ; les Français, à l'aube du XXᵉ siècle, ne vont guère à l'étranger, d'où sans doute leur réputation d'ignorance en matière géographique.

Dans la vie d'une bourgeoise, deux préoccupations l'emportent : recevoir et faire l'éducation de ses filles. Le souci éducatif est l'un des traits dominants de la classe moyenne. Certes, les bourgeois ont du temps ; la mère de famille dispose de loisirs que n'ont ni la paysanne, ni l'ouvrière. Cette explication ne suffit pourtant pas ; il s'y ajoute un souci très particulier de communiquer, comme un savoir, une certaine conception de l'existence : les vertus aristocratiques sont innées, les vertus bourgeoises s'apprennent.

D'un point de vue strictement scolaire, l'instruction des jeunes filles est fort négligée ; en 1910, elles ne sont que 35 000 à fréquenter les lycées ; le nombre est doublé par les cours libres, ce qui laisse supposer que deux tiers au moins des filles n'ont pas même connu un début d'enseignement secondaire. Mais ces demoiselles sont avant tout destinées à être des maîtresses de maison et des mères et c'est ce qu'on leur apprend à la maison.

La morale bourgeoise, communiquée de génération en génération, se caractérise par une extrême intransigeance. Sans doute faut-il voir là le désir de prendre ses distances à l'égard de cette liberté de mœurs et de pensée qui est censée caractériser l'aristocratie. Les bourgeois veillent sur leurs enfants et veulent les protéger ; le grand banquier Henri Germain cloître ses filles, impose à son fils un précepteur qui ne le quitte pas avant sa majorité. Cette tutelle a un autre but : elle doit faire sentir aux enfants leur dépendance, leur inculquer le sens des hiérarchies ; Henri Germain tient soigneusement sa descendance à l'écart de ses préoccupations, il se sent le maître, ne veut pas rendre de comptes.

Henri Baudrillart, moraliste des classes moyennes, a clairement défini cet état d'esprit dans son livre sur *la Famille et l'Éducation en France* (1874) : « Il faut lutter contre ce que l'on a nommé si justement la *décadence du respect*, ce mal de la société française... Comment douter que ce ne soit par la famille qu'il faille commencer ? On ne se respectera guère, ni soi-même ni ses supérieurs, si l'on n'y a appris d'abord à respecter les parents et si l'on n'y a contracté l'habitude de la règle. »

Si la bourgeoisie désire des garçons soumis, elle les veut aussi compétents ; elle n'estime aucun sacrifice trop considérable s'il touche à l'instruction de ses fils. La prolongation de l'enseignement est l'un des luxes de la bourgeoisie. Les établissements secondaires publics sont payants ; des parents qui ont deux fils dans de grandes classes dépensent plus de 1 000 francs par an en frais scolaires. Les frais s'élèvent avec l'entrée à l'Université ; inscriptions et droits d'examens représentent un millier de francs pour une licence en droit, près de 3 000 francs pour la médecine ; à cela viennent s'ajouter les dépenses quotidiennes quand on n'habite pas dans une ville de facultés ; or un étudiant vivant pauvrement à Paris, au début du siècle, a besoin d'au moins 2 000 francs.

On aperçoit ici l'un des privilèges de la bourgeoisie : elle trouve toujours, fût-ce au prix de dures économies, à faire instruire ses enfants ; ni les paysans ni les ouvriers ne pourraient réaliser cet exploit ; l'accès aux examens et aux situations qu'ils procurent est réservé à un milieu étroit.

A cela vient s'ajouter un second privilège : la classe qui profite de l'argent est celle qui paye, proportionnellement, le moins d'impôts. A part quelques retouches mineures, les contributions foncières demeurent celles qu'avait instaurées la Révolution ; la plus importante est la contribution foncière, assez lourde, dont la paysannerie supporte une très large part ; les autres taxes sont assez peu importantes ; le budget s'alimente surtout grâce aux impôts indirects dont la population pauvre, représentant les trois quarts des consommateurs, verse la majeure partie.

Les bourgeois et la vie publique

Une étude des positions politiques adoptées par la bourgeoisie pourrait facilement s'articuler autour de cette question des privilèges : les classes moyennes ont lutté d'abord pour abolir ceux des notables, puis pour défendre les leurs.

Les bourgeois ont accueilli sans déplaisir la chute de Louis-Philippe ; en dépit de ses prétentions, le régime de Juillet leur était peu favorable : il ne leur donnait aucune initiative et se perpétuait dans l'immobilité. La Deuxième République leur conviendrait bien, à condition qu'elle se montrât sage et les premières élections, au printemps 1848, lui sont favorables.

Les journées de juin transforment ces bonnes dispositions : le peuple de Paris s'est soulevé, la peur sociale a refait son apparition ; s'il existe, à partir de ce moment, une crainte des rouges, elle n'est pas le fait des paysans, mal renseignés ; ce sont les classes moyennes qui sont inquiètes ; pour les rassurer, il leur faut un homme intraitable, prêt à maintenir l'ordre, sans pourtant faire le jeu des notables : la bourgeoisie soutient, à peu près partout, Cavaignac.

Napoléon III n'est donc pas le favori des bourgeois ; ils le supportent cependant, une fois qu'il a pris le pouvoir, dans la mesure où il assure une parfaite tranquillité. Pendant près d'une décennie, une entente équivoque règne entre eux : l'Empire surveille les ouvriers, règle les problèmes budgétaires à coups d'emprunts et contribue à relancer l'activité économique ; les milieux d'affaires voient en lui un instrument commode et le supportent. Mais, quand Napoléon III prétend infléchir dans le sens qui lui semble le meilleur l'activité commerciale du pays, l'armistice est rompu, les bourgeois passent à l'opposition.

Pourtant la lutte qu'ils mènent contre le pouvoir manque de vigueur ; ils ne veulent pas faire le jeu des notables et redoutent d'être débordés par les ouvriers. Ils sont au demeurant fort divisés. En province, médecins, gens de loi, commerçants pensent surtout aux grands propriétaires dont ils veulent contrebalancer l'influence. Dans les villes, on songe d'abord aux risques de subversion sociale. Cette division et particulièrement sensible au moment de la Commune : à Paris, Lyon, Marseille, les possédants demeurent longtemps effrayés et, comme en 1848, ils approuvent la répression ; dans les départements, l'insurrection parisienne produit peu d'effet ; la classe moyenne n'oublie pas un instant que son véritable adversaire est à droite.

S'ils préparent l'avènement de la République, les bourgeois sont hors d'état de l'imposer seuls ; ils triomphent à partir du moment où les campagnes se sont prononcées en leur faveur, contre les notables. Le nouveau régime, à la fois libéral et conservateur, satisfait pleinement tous ceux qui ont de l'argent à garantir et des loisirs pour s'intéresser aux affaires publiques. Même la bourgeoisie catholique qui, par conviction religieuse, s'était d'abord attachée aux monarchistes, finit par se rallier et par réclamer sa place.

En apparence, les bourgeois républicains sont séparés par de profondes querelles de tendances ; les uns se disent « opportunistes », les autres « radicaux ». Le conflit ne porte que sur des points secondaires et l'unité se refait devant le danger ; les radicaux soutiennent d'abord Boulanger quand ils croient pouvoir se servir de lui pour éliminer les hommes en place ; du jour où ils comprennent qu'il fait le jeu des notables, ils rejoignent le rang. Le péril social a les mêmes effets ; le radical Clemenceau, qui reprochait à ses prédécesseurs de ne pas comprendre les ouvriers, sait, quand il est au pouvoir, briser les grèves et faire taire les revendications.

La bourgeoisie est d'ailleurs moins profondément égoïste que son attitude ne le laisserait croire. Plusieurs de ses membres, un Gambetta, un Deschanel, un Félix Faure, admettent que la situation des prolétaires est injuste. Mais l'idée ne leur viendrait pas d'accuser un système qui réserve l'usage de l'argent à une petite minorité ; ils n'envisagent pas d'autre solution que l'entrée progressive de toute la population française dans les rangs de la classe moyenne. En attendant ce jour heureux et lointain, ils ne tolèrent pas le moindre désordre. Ils accordent, sans grand discernement et sans aucun plan d'ensemble, des réformes sociales dont la plupart ne sont que des palliatifs peu adaptés à la situation ; pourtant ils sont persuadés, en agissant ainsi, de remplir leur devoir à l'égard des classes défavorisées.

La défense de leur patrimoine les trouve intraitables ; il a fallu une Assemblée où dominaient les notables pour que soit votée, en 1873, la taxe sur les valeurs mobilières. A propos de l'impôt sur le revenu, la bataille dure près d'un demi-siècle. Chacun s'accorde à trouver surannée la fiscalité traditionnelle ; il apparaît vite que les expédients ne suffisent pas pour équilibrer le budget et que la seule solution consiste à prendre l'argent là où il se trouve ; cependant, à trois reprises, en 1873, 1896 et 1907, la bourgeoisie réussit à écarter la menace ; en 1907, le ministre des Finances, Caillaux, lui-même grand bourgeois, peut montrer, chiffres à l'appui, l'urgence de la réforme : son projet est enterré pour sept ans encore.

Avant même que la guerre n'éclate, le déficit budgétaire s'est installé en France ; les hostilités ne feront qu'aggraver la situation. Au début du XXe siècle, dans un pays riche, où l'argent abonde et où les charges publiques ne cessent de s'accroître, l'impôt indirect fournit plus de la moitié des ressources de l'État. La bourgeoisie, qui a la conduite des affaires, loin de comprendre les dangers de cette situation absurde, ne cherche qu'à la prolonger, parce qu'elle pense y trouver son avantage.

Dans la seconde moitié du xixe siècle, la richesse française s'est accrue rapidement. Toutes les classes ont un peu profité de cette croissance. Mais la répartition des revenus s'est modifiée au profit d'une petite minorité ; tandis que le rendement de la terre demeure insuffisant, que les salaires progressent lentement, l'argent rapporte de gros intérêts à ceux qui le détiennent.

Les bourgeois connaissent une très belle période : leur fortune est stable ; ils peuvent faire des prévisions à long terme, ne pas s'inquiéter de l'avenir. Leur plus cher désir est de se retirer tôt des affaires, avant la cinquantaine si possible, et de jouir paisiblement de leurs rentes. Les riches oisifs tiennent alors une place considérable dans la société. Ils sont pourtant trop nombreux pour constituer une « élite » et il n'ont pas, derrière eux, de traditions assez anciennes pour donner le ton. La bourgeoisie s'amuse, surtout à l'aube du xxe siècle, mais elle ne fait pas la mode ; la vie intellectuelle et artistique se développe en dehors d'elle ; elle possède la richesse, l'influence politique, mais elle sent qu'elle n'a pas remplacé l'aristocratie disparue. Même l'essor économique lui échappe en partie ; seule une minorité de grands affairistes dirige le développement industriel. La classe moyenne profite de l'argent de manière passive en souhaitant simplement que ses privilèges ne lui soient pas retirés.

6. De l'atelier à l'usine

L ES classes laborieuses font les frais de la prospérité bourgeoise. Pendant le troisième quart du siècle, la classe moyenne bénéficie de la montée des prix agricoles et tire profit de la rente foncière. Après 1880, l'essor industriel lui permet d'obtenir, pour ses capitaux, un taux d'intérêt confortable. Le travail des paysans et des ouvriers sert à entretenir les rentiers, et ceux qui peinent s'en rendent compte. En 1859, l'économiste Louis Reybaud note, dans son *Étude sur le régime des manufactures*, que les ouvriers, sachant parfaitement à quel prix sont vendus les objets industriels qu'ils fabriquent, ont le sentiment que leur effort n'est pas payé et qu'ils sont exploités ; les exemples qu'il choisit sont évidemment un peu particuliers, puisqu'il s'agit de tisserands extrêmement avertis ; pourtant l'auteur a bien compris un aspect important de la mentalité prolétarienne qui est la prise de conscience d'une injustice permanente.

Avec l'essor économique qui se précipite depuis 1850, les usines ne cessent de s'agrandir ; l'artisanat tend à disparaître au profit de l'industrie ; le nombre des travailleurs augmente, la physionomie des centres manufacturiers se transforme. Moins résignés que les paysans, les prolétaires s'organisent et leur lutte permet une très lente amélioration de leur niveau de vie.

La population ouvrière

Il est difficile d'utiliser les recensements pour connaître exactement le nombre des travailleurs d'industrie : le classement y est fait par grandes branches d'activité, sans distinction entre patrons et employés.

Les statistiques apportent cependant des renseignements précieux (fig. 18). Elles montrent d'abord une rapide progression sous l'Empire : l'essor ferroviaire, la transformation des grandes villes provoquent une augmentation des effectifs

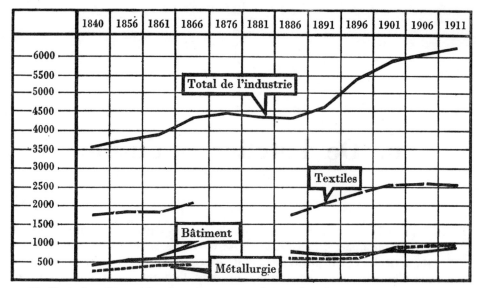

	1840	1856	1861	1866	1876	1881	1886	1891	1896	1901	1906	1911

18. Variations du nombre de personnes employées dans l'industrie (en milliers).

industriels voisine de 15 %. Puis une sorte de tassement se produit et, pendant deux décennies, les variations sont faibles ; l'économie française continue à se développer, mais avec prudence. Enfin, après 1890, la montée est spectaculaire, bien supérieure à ce qu'elle avait été sous Napoléon III, puisque la population industrielle s'accroît largement d'un tiers.

Au milieu du siècle, les textiles emploient la moitié du personnel (fig. 19) ; si l'on y joint les métiers du bois et le bâtiment, on réunit plus des trois quarts de l'ensemble. A la veille de la guerre, les textiles ont gardé leur prépondérance numérique, mais leur importance relative a diminué, ils n'ont que deux cinquièmes de l'effectif total ; la métallurgie vient désormais en seconde place et sa part a presque doublé ; le bâtiment, les mines, conservent leurs positions, tandis que le bois est en retrait.

Ces constatations ne sont pas aussi naturelles qu'on serait tenté de le croire ; elles ne vont pas sans poser des problèmes. L'importance de la main-d'œuvre textile paraît excessive : cette branche ne fournit pas 40 % du produit industriel ; à la lecture des chiffres, on pressent les conflits qui risquent de s'élever dans ce domaine entre des patrons qui remplacent la modernisation par un surcroît de travail humain et des ouvriers qui sentent qu'on finira par éliminer une partie d'entre eux.

Un autre point remarquable est le découpage chronologique en deux périodes bien marquées. La progression ne se fait ni avec la même allure, ni aussi vite

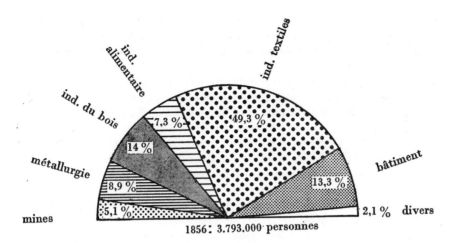

ind.
alimentaire

ind. du bois

ind. textiles

métallurgie

7,3 %

14 %

49,3 %

bâtiment

8,9 %

13,3 %

mines

5,1 %

2,1 %   divers

1856: 3.793.000 personnes

ind. alimentaire

ind. textiles

ind. du bois

métallurgie

8 %

10,6 %

41,7 %

bâtiment

15,2 %

13,6 %

mines   5,6 %

5,3 %   divers

1911: 6.223.000 personnes

19. Structure de la population industrielle en France.

avant et après 1890. Dans la première période, l'atelier le dispute encore à l'usine et celle-ci ne l'emporte qu'à la fin du XIXe siècle.

Par-delà ces indications trop générales, on souhaiterait connaître le nombre exact des ouvriers.

Sous l'Empire et au début de la Troisième République, ils sont vraisemblablement 3 millions ; ils font vivre quelque 9 millions de personnes, soit le quart de la population française.

L'évolution des effectifs est extrêmement variable suivant les secteurs

De l'atelier à l'usine 163

professionnels et suivant les régions. Les zones textiles connaissent une augmentation rapide; les filatures avaient commencé à se mécaniser dès le début du siècle, mais le tissage restait éparpillé dans de petits ateliers; la concentration ne commence guère, dans ce domaine, avant 1850; elle amène dans les villes d'une part des tisserands ruraux, d'autre part des ouvriers agricoles. Entre 1851 et 1872, la population de Roubaix, où les textiles sont presque la seule activité, passe de 35 000 à 76 000 habitants. A Lille, entre le milieu du siècle et 1876, le nombre des ouvriers, dont près des neuf dixièmes fabriquent fils ou étoffes, saute de 30 000 à 65 000. La basse Normandie occupe, dans le seul domaine textile, 81 000 personnes en 1863. On doit donc tenir compte, dans ce cas, d'un double mouvement : d'une part des campagnards, travaillant déjà le coton ou la laine, sont venus dans les villes et, d'autre part, des paysans se sont joints aux ouvriers. Au total, l'augmentation globale des effectifs demeure réduite; il est vraisemblable qu'elle n'atteint pas 10 %.

Les transformations sont bien mieux marquées dans les mines et la métallurgie; la création de grosses entreprises dotées d'un matériel moderne suppose l'emploi d'une main-d'œuvre considérable; les mines de Carmaux avaient 600 mineurs à la fin de la Monarchie de Juillet, elles en comptent 1500 en 1875; durant la même période, la Compagnie de Denain-Anzin s'est élevée de 500 à 2 000 ouvriers. Pendant le troisième quart du siècle, les effectifs de la métallurgie sont multipliés par deux autour de Paris et il n'est pas exclu que l'augmentation soit aussi importante pour l'ensemble de la France. On assiste à une métamorphose de l'emploi, qui coïncide avec l'implantation du grand capitalisme et la multiplication des sociétés anonymes.

Les autres industries ne connaissent pas une progression aussi marquée; on le remarque en particulier à propos du bâtiment : l'essor des travaux publics et des constructions dans la capitale n'a pas son équivalent en province sous le Second Empire; on recrute à peine 12 % de nouveaux maçons et la corporation ne s'accroît réellement que pendant la période de fièvre qui débute vers 1877.

L'industrie utilise certainement beaucoup de femmes et de jeunes filles, mais nous n'avons guère de précisions sur ce point; les employeurs, qui préfèrent ce personnel moins rétribué, se montrent discrets sur la composition de leur main-d'œuvre. Il existe d'ailleurs une très nette spécialisation; les femmes ne vont ni à la mine, ni dans la métallurgie. On les trouve dans l'imprimerie, la bijouterie, les métiers de la mode et surtout les textiles. Dans la région lyonnaise il est possible que la moitié des métiers à tisser soient actionnés par des femmes; les rapports administratifs laissent à penser que, dans la vallée du Rhône et sur sa bordure montagneuse, quelque 40 000 jeunes filles travaillent la soie ou la laine. Ces données officielles ne doivent pas être prises au pied de la lettre.

L'emploi des enfants a été réglementé par une loi de mars 1841, dont les stipulations sont bien peu sévères : on a le droit de les utiliser à partir de leur huitième année et, dès la douzième, on peut leur imposer une journée de douze heures. Beaucoup de travaux considérés comme moins pénibles, le renvidage dans les filatures, la pousse des wagonnets dans les mines, leur sont confiés. Les enquêtes réalisées au moment où l'on décide de modifier la législation laissent à penser qu'usines et ateliers emploient à peu près 150 000 enfants ; la majorité d'entre eux ont de douze à seize ans et la loi du 10 mai 1874 qui reporte à douze ans l'âge minimum ne fait que consacrer un état de fait.

Durant cette première période, les variations annuelles de l'emploi demeurent considérables. Globalement, l'offre d'emploi ne cesse de s'accroître ; le nombre des chômeurs permanents recule, en particulier dans les grandes villes où il était considérable. Il demeure un chômage saisonnier ou épisodique qui fait brutalement diminuer les effectifs. Une crise comme celle de 1857 a des effets extrêmement marqués : à Lyon, près de la moitié des tisserands sont arrêtés ; à Carmaux, on licencie 40 % des mineurs.

La seule période de complète régression, qui se lit même sur les courbes générales (fig. 18), correspond à la dépression des années 1882 et suivantes. Pendant trois ans, l'emploi industriel recule de près de 10 %. A Paris, où dominent les industries de luxe et le bâtiment, la différence va jusqu'à 15 % en moins.

La progression recommence ensuite, de façon continue et avec bien moins d'à-coups. C'est la seconde étape qui est caractérisée par le triomphe de la grande industrie. On remarque d'ailleurs une modification importante : le nombre des « patrons » est, en 1913, inférieur d'un tiers environ à ce qu'il était au milieu du XIXe siècle ; bien des affaires modestes ont diparu, la concentration industrielle amorcée sous l'Empire s'est accentuée.

Aussi invraisemblable que le fait puisse paraître, nous ne connaisssons pas exactement le nombre d'ouvriers travaillant dans l'industrie française au début du XXe siècle ; le recensement de 1906 confond les manuels et les employés ; celui de 1911 comporte de si curieuses variations par rapport aux statistiques du XIXe siècle qu'il est préférable de n'en pas tenir compte. Connaissant d'une part la population industrielle totale, et de l'autre l'évolution des catégories « patrons » et « employés », on est conduit à proposer une évaluation extrêmement incertaine, d'après laquelle il y aurait, à la veille de la guerre, 4 500 000 ouvriers. A ce moment les travailleurs industriels feraient donc vivre 35 % des Français, soit un peu moins que ceux qui subsistent grâce à l'agriculture.

Quelle que soit la donnée retenue autour de 1910, il demeure certain que les usines ont demandé sans cesse plus de bras à partir de 1895. D'autre part, la structure de l'emploi s'est profondément modifiée.

Les textiles ont atteint une sorte de point de saturation (fig. 19). L'essor du troisième quart du siècle est bien loin ; on note même, ici ou là, une certaine régression : Roubaix perd 3 000 habitants entre 1901 et 1906 ; les filatures lilloises ont leur maximum d'activité vers 1900 et débauchent ensuite une partie de leur personnel. Si le nombre de personnes s'occupant des tissus augmente malgré tout, c'est uniquement grâce à la confection et à la chapellerie; fileurs et tisserands connaissent au contraire une période difficile.

Les progrès de la métallurgie sont rapides. Ici encore, une distinction s'impose. Le Second Empire avait vu l'essor de la sidérurgie et de la métallurgie lourde; sur ce point, les variations restent faibles à partir de 1900; l'augmentation de la capacité des hauts fourneaux, l'adoption du four Martin puis du procédé Thomas permettent de doubler la production de fonte, de tripler celle de l'acier en accroissant l'embauche de 10 % seulement. En revanche, le domaine de la métallurgie différenciée s'étend considérablement; en deux décennies, le personnel des ateliers Peugeot fait plus que doubler; dans le Nord, les effectifs des hauts fourneaux, des marteaux-pilons et des fonderies ne varient guère, ceux des chaudronneries, des ferblanteries et des constructions mécaniques sont multipliés par deux. Vers 1910, la transformation des métaux requiert 600 000 personnes; il s'agit du principal poste d'emploi en France et l'on comprend sans peine la place que les « métallos » tiennent dans le prolétariat.

Les métamorphoses de la chimie constituent une autre nouveauté de poids. Vers 1870, les diverses manipulations de l'acide sulfurique, la préparation des engrais requièrent 30 000 personnes; puis viennent le caoutchouc, les colorants, et surtout l'aluminium; en 1913, on est passé à 130 000 ouvriers.

Les statistiques désignent sous le nom d'« industries du bois » une foule de métiers qui n'ont aucun rapport les uns avec les autres; il est préférable de ne pas tenir compte de cette incertaine catégorie. Trois professions mobilisent chacune un demi-million de travailleurs : il s'agit des industries alimentaires, du bâtiment et des transports; ces diverses branches sont en progrès. Enfin les mines et les carrières sont parvenues à un effectif de 300 000 personnes.

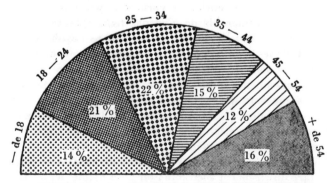

20. Répartition par âges de la main-d'œuvre féminine dans l'industrie en 1896.

Les emplois féminins sont un peu mieux connus, bien qu'il faille, ici aussi, interpréter les recensements (fig. 20). Il y a sans doute 1 200 000 ouvrières dans les usines et les ateliers vers 1910. Le travail féminin s'est développé au début du XXᵉ siècle, mais surtout dans le commerce et l'administration. Les secteurs industriels en expansion ne réclament que des hommes; seuls les textiles offrent encore de l'embauche : à Lille, la main-d'œuvre des filatures est féminine à 45 %. La part des enfants a régressé, d'abord parce que l'Inspection du Travail, en général peu efficace, veille pourtant sur le sort des mineurs, ensuite parce que la loi de 1900, limitant le temps de travail avant dix-huit ans, oblige les entreprises qui emploient des enfants à aligner tous leurs horaires sur celui des jeunes, ce qui impose en fait une réduction de la journée ; les patrons hésitent à prendre des apprentis ayant moins de quatorze ans.

Un dernier fait notable est la part prise par les étrangers dans l'accroissement de la main-d'œuvre. Sous le Second Empire, la France comptait quelque 600 000 étrangers, représentant 1,3 % de la population; en 1911, ou saute à 1 150 000, soit près de 3 %. La progression a commencé sous la Troisième République, à l'époque où le plan Freycinet provoquait une augmentation de l'offre d'emplois dans les travaux publics et le terrassement; certaines années ont été marquées par plus de 60 000 entrées ; la période de crise a ralenti ce mouvement qui n'a repris qu'à la fin du siècle. Vers 1910, 60 % des étrangers sont des hommes, venus dans notre pays pour trouver de l'embauche. Les deux cinquièmes d'entre eux n'ont fait que traverser la frontière belge pour s'établir dans le Nord : à Lille, près du quart des habitants sont belges. Les Wallons arrivent souvent avec leur famille et s'établissent de façon durable. Mais, à partir de 1890, on voit se développer dans de fortes proportions le groupe italien qui finit par représenter un tiers de l'ensemble; arrivés sans femme ni enfants, par petites bandes, les Italiens restent à Marseille ou remontent la vallée du Rhône pour se placer à Paris et dans l'Est; ils acceptent des tâches rebutantes, deviennent manœuvres dans les usines chimiques, les mines, ou, quand ils sont qualifiés, commencent à coloniser le bâtiment. En 1913, dans la région de Briey et Longwy, les trois quarts des mineurs sont des étrangers, en majorité italiens. Leur extrême pauvreté oblige l'administration à les secourir; ils se montrent entreprenants, tenaces; leur présence, la concurrence qu'ils représentent pour les Français, sont, dans bien des cas, à l'origine de conflits, voire de bagarres.

Entre le milieu du XIXᵉ siècle et le début du XXᵉ, la géographie du prolétariat s'est modifiée. Vers 1850, on rencontre des industries éparses au long des vallées de la Loire et du Rhône, dans le Languedoc, en basse Alsace. Il existe cependant quatre foyers principaux. En tête vient la région parisienne, avec les métiers d'art, l'alimentation, le vêtement, le bâtiment et la petite métallurgie; ces diverses branches se développent encore durant le troisième quart du siècle; en trente ans, le nombre des maçons double, celui des travailleurs de l'alimentation quadruple. Une autre concentration notable se trouve dans les départements du Nord et dans les Ardennes, à cause des textiles et de la petite métallurgie. La troisième zone est formée par la Seine-Inférieure et l'Eure, toujours du fait des filatures et des tissages. Enfin la bordure orientale du Massif central, avec la Saône-et-Loire, le Rhône et la Loire, rassemble des tisserands, des mineurs et des métallurgistes.

Au début du XXe siècle, le Languedoc a perdu presque toute importance par suite de l'extinction des tissages à domicile ; en revanche, une zone industrielle s'est constituée autour de Marseille et sur le bas Rhône. Si la moyenne vallée de la Loire ne compte que de rares ateliers, des regroupements se sont opérés, dans le Cher où la métallurgie berrichonne est prospère, et surtout sur l'estuaire de la Loire où chantiers maritimes et conserveries emploient 50 000 ouvriers. Le foyer Morvan-Rhône tend à s'étendre vers les Alpes et l'électro-métallurgie a fait de l'Isère un département à forte population prolétarienne. On peut encore souligner la place de certains districts, comme le Doubs avec Peugeot, ou le pourtour de Bordeaux. Pourtant l'importance de la région septentrionale est telle que ces zones paraissent maintenant secondaires ; au nord d'une ligne allant de l'embouchure de la Seine au territoire de Belfort, on recense, sur un cinquième du territoire, deux tiers des ouvriers ; s'il n'est pas utile de revenir sur les caractères de la basse Normandie, du bassin Nord-Pas-de-Calais et de Paris, il convient d'insister sur deux faits qui sont d'une part l'importance croissante de la Lorraine où l'exploitation des mines de fer a suscité de grands bouleversements, d'autre part la conquête de l'ensemble des départements par l'industrie, le moins actif, la Haute-Marne, comptant déjà un quart d'ouvriers dans sa population active.

Le parallèle entre les deux types de répartition confirme les remarques tirées de l'analyse des chiffres ; la différenciation régionale, le déclin du Sud au profit du Nord sont des aspects de la concentration industrielle qui s'affirme à partir de 1890. La seconde moitié du XIXe siècle a vu se succéder deux formes d'industries, auxquelles ont correspondu deux types de sociétés ouvrières.

Le déclin de l'artisanat

Sous le Second Empire, l'artisanat tient encore une place prépondérante. Il ne s'agit pas d'une question de nombre, toujours discutable, mais d'un état d'esprit ; dans un centre comme Paris, le nombre des ouvriers croît plus vite que celui des artisans, mais il n'existe pas d'opposition nette entre les deux catégories : elles se compénètrent et les artisans, qui sont relativement instruits, qui ont de l'expérience, influencent leurs camarades.

L'artisanat n'est pas définissable statistiquement ; il ne correspond pas à un niveau déterminé de l'emploi ; dans l'imprimerie, des ateliers ayant jusqu'à quinze personnes restent artisanaux. Il semble préférable de se référer à d'autres critères. L'un d'eux au moins est d'ordre technique : l'outillage compte moins que l'habileté professionnelle ; l'artisanat est affaire de coup de main, il laisse une large place à l'initiative individuelle. Les rapports sociaux y sont, d'autre part, très particuliers ; un atelier est artisanal quand le patron y travaille personnellement ; cette présence constante ne simplifie pas les conflits, et les haines, qui se concentrent sur un homme en particulier, sont souvent violentes ; du moins les relations entre employeurs et salariés gardent-elles un tour direct.

Les métiers d'art, typographie, bijouterie, bronze, sont pratiqués en atelier. L'apprentissage y commence tôt, vers douze ans ; le recrutement est en général familial : l'artisan prend avec lui son fils ou son neveu, lui enseigne les règles du métier. Quand le garçon a dix-huit ans, il part dans une autre région, pour connaître d'autres façons de faire ; le « tour de France » reste pratiqué dans bien des professions, en particulier la charpente, l'ébénisterie, la taille des pierres, jusqu'au début du XXe siècle. Après quelques années de voyage, le compagnon se marie et se stabilise. Sa vie professionnelle est très particulière ; il n'a pas d'horaire ; en été, il commence dès 5 heures, mais l'hiver il attend au moins 7 heures ; durant les périodes de presse, il lui arrive de rester à la tâche seize heures de rang ; en revanche, il pourra manquer plusieurs jours s'il a une fête de famille ; il n'a pas de congé, mais bien souvent il chôme le lundi.

L'artisanat exige une certaine instruction ; il impose des connaissances élémentaires de calcul, une bonne pratique de la lecture ; l'artisan ne peut se laisser glisser à l'ignorance, il est conduit à s'informer. Ayant une vue assez large du marché du travail, il cherche les moyens pratiques d'améliorer sa situation. Depuis le début du siècle, les artisans s'efforcent de se regrouper, pour se prêter assistance et pour résister aux patrons. Leurs unions ont une réelle influence ; elles inquiètent suffisamment les patrons pour que la Monarchie de Juillet les prohibe et pour que le Second Empire s'efforce de les détruire ; après le coup d'État, les coalitions ouvrières sont interdites, les sociétés de secours mutuels se voient imposer un patronage officiel qui les prive de toute liberté. Mais dès que le gouvernement relâche son emprise, les artisans présentent à nouveau leurs revendications ; les grèves qui ont lieu à partir de 1861 sont celles des typographes, des relieurs, des bronziers ; les ouvriers ne suivront cet exemple qu'à la fin de l'Empire.

Les artisans aiment à s'exprimer ; ils publient des brochures, des comptes rendus de délégations, des manifestes. Leur point de vue est facile à connaître, sinon à définir de manière synthétique. Napoléon III ayant tenté de les attirer par quelques concessions, ils sont amenés à prendre leurs distances : ils entendent ne faire le jeu de personne ; ils ont le sentiment que leurs intérêts sont tout à fait particuliers et doivent être défendus par eux seuls ; symboliquement, ils présentent, pour les élections de 1863, une « candidature ouvrière ».

Leurs revendications n'ont rien de révolutionnaire ; ils réclament surtout le droit de s'associer ; en constituant des coopératives de production et de vente, ils espèrent éliminer le salariat et faire une concurrence décisive aux entreprises capitalistes ; sans bouleversement, par leur seule union, les travailleurs amélioreront les conditions de la production. A ces demandes d'ordre général, qui manifestent surtout le sentiment très vif de leur dignité et de leur capacité, s'ajoutent des réclamations précises, relatives aux salaires et aux conditions du travail ; les artisans sont relativement bien payés, mieux en tout cas que les autres ouvriers, mais ils savent que leur compétence n'est pas rétribuée à son juste prix.

En général, les artisans se trouvent parmi les prolétaires les moins défavorisés ; ceux qui travaillent le bois ou la pierre, charpentiers, ébénistes, marbriers, reçoivent les meilleurs salaires quotidiens, soit 5 ou 6 francs par jour vers 1865 ; les mécaniciens sont dans le même cas ; puis viennent les bijoutiers, les bronziers, les typographes, les serruriers, qui ont entre 4 et 5 francs. Pourtant, ces chiffres réellement élevés ne doivent pas faire illusion ; les métiers du bâtiment connaissent jusqu'à quatre mois de chômage pendant la mauvaise saison ; les professions liées à la mode, les métiers d'art dépendent d'une clientèle peu régulière et traversent de longues périodes de marasme. Alors que la bourgeoisie s'enrichit, les artisans maintiennent simplement leurs rétributions ; ils pâtissent de la hausse des loyers et commencent à abandonner les vieux quartiers du centre des villes ; s'ils craignent rarement la véritable misère, ils sont souvent dans la gêne.

Leur sort est néanmoins enviable par rapport à celui des artisans à domicile. Ces derniers sont principalement des tisserands, mais aussi des fileurs, des horlogers, des couteliers et des cloutiers. Ils vivent dans des villages, ont une maison, parfois un lopin de terre ; la culture qu'ils pratiquent épisodiquement, chez eux ou chez des voisins, les aide à supporter les périodes de chômage ; ils sont peu exigeants, et les fabricants savent tirer bénéfice de leur patience. L'artisanat rural est maintenu artificiellement, parce qu'il profite aux employeurs : dans la région lyonnaise, la fabrication du tulle était en voie de se concentrer dans des ateliers vers 1860 ; mais, les ouvriers ayant réclamé des modifications de tarifs, plusieurs patrons transportent leurs métiers à la campagne ; par ce moyen, au lieu d'augmenter les salaires, ils parviennent à les diminuer de 80 centimes en un an et demi.

Dans le Forez, le Beaujolais, la région lyonnaise, le système est extrêmement hiérarchisé. Le fabricant n'est, en pratique, qu'un négociant, qui fournit le fil et fait exécuter les tissus à façon. Il s'adresse à des chefs d'ateliers, qui sont des travailleurs ayant deux ou trois métiers dans leur logement ; les chefs font eux-mêmes appel à des compagnons qu'ils rétribuent.

En ville comme à la campagne, les chefs sont convenablement logés. Les compagnons, souvent nomades, vivent comme ils le peuvent, couchent dans des dortoirs misérables, mangent mal. On a cherché à calculer les salaires de ces deux catégories, mais, dès 1859, Reybaud avait montré combien cette enquête était dépourvue de sens : les prix varient d'une année à l'autre, les accords sont rarement identiques, enfin les temps morts peuvent varier du simple au triple. Les chefs, qui ont généralement une famille, subsistent décemment quand ils reçoivent de l'ouvrage durant dix mois ; au-dessous, ils sont dans la misère ; en aucun cas, ils ne parviennent à constituer des économies ; la maladie, les crises économiques les jettent immédiatement dans la mendicité.

Les rapports sociaux demeurent extrêmement durs ; les fabricants n'ont pas oublié la révolte des canuts ; ils tiennent les ouvriers pour leurs ennemis, exigent des préfets qu'ils assurent l'ordre, se montrent toujours disposés à résister aux propositions des ouvriers. Ceux-ci s'entendent mal ; les compagnons exigent la moitié du prix payé pour chaque pièce ; les chefs, qui ont des frais et doivent entretenir le matériel, estiment ne pas pouvoir se tirer d'affaire dans de telles conditions ; les conflits au sein de l'atelier sont chose courante : à Lyon, deux tiers des contestations soumises aux Prud'hommes se sont élevées entre chefs et compagnons.

En Normandie, l'organisation est sensiblement différente. L'artisanat est dispersé à travers la campagne. Avant 1840, on le trouvait dans les plus petits villages et il était pratiqué par des paysans. Après cette date, on assiste à un regroupement dans les bourgs et à une spécialisation ; les métiers ont été perfectionnés, il faut à peu près cinq ans pour apprendre à les faire fonctionner correctement et ils coûtent trop cher pour qu'on envisage de ne pas les utiliser à plein. Les tisserands travaillent par familles, sans main-d'œuvre extérieure ; les enfants font le dévidage, les parents se chargent du montage des pièces et du lancement de la navette. Le travail n'est pas excessivement pénible, mais il ne laisse aucun loisir ; les enfants de tisserands commencent vers six ans, et ne vont à peu près jamais à l'école ; leur niveau d'instruction est considéré comme le plus bas dans l'Eure. Les prix consentis par les négociants qui fournissent la matière première et viennent rechercher les tissus paraissent dérisoires ; les rapports du sous-préfet d'Yvetot montrent qu'il n'est guère possible à un tisserand de dépasser 0,75 F par jour avant 1860 ; la crise cotonnière fait encore baisser des salaires déjà insuffisants. Ainsi, bien que leur logement soit correct, que leur vie familiale garde une réelle unité, les artisans à domicile constituent un prolétariat exploité et à peu près sans défense.

Le déclin de l'artisanat commence à la fin du Second Empire. Il a des origines essentiellement économiques, mais il est accéléré par un événement d'ordre politique, qui est l'insurrection communaliste.

La Commune est, dans son premier mouvement, un sursaut de fierté nationale blessée : l'Empire, la République naissante, ont été incapables de résister efficacement aux Prussiens ; les travailleurs auraient su mieux faire leur devoir que la bourgeoisie. Cet orgueil patriotique qui est aussi l'orgueil du Parisien, habitant de la cité la plus brillante du monde, est déjà un sentiment tout à fait particulier, que ne partagent guère les ouvriers provinciaux. La Section française de l'Internationale ouvrière, qui s'est constituée en 1864, est surprise par cet élan de chauvinisme tout à fait contraire à ses doctrines ; pendant les premiers jours, elle se tient à l'écart du mouvement.

Devant cet accès de colère, le gouvernement, loin de chercher à apaiser les esprits, préfère se retirer ; bien des bourgeois estiment l'occasion favorable pour réprimer l'agitation prolétarienne. Laissés à eux-mêmes, les Parisiens élisent une « Commune », assemblée de 81 membres dont 30 sont des intellectuels et où les travailleurs sont représentés à peu près exclusivement par des artisans.

Les idées qui se dégagent d'une série de mesures hétérogènes, prises à la hâte pendant les deux mois que dure la période communaliste, sont nettement inspirées par les courants socialistes de la première moitié du siècle. La notion même de Commune, la conviction que l'émancipation des travailleurs se fera au sein du groupe communal où chacun peut défendre ses droits et surveiller ses mandataires, sont d'essence proudhonienne. Les communards se gardent de condamner la propriété privée et respectent scrupuleusement les grandes banques ; ils prennent des décisions qui visent surtout à satisfaire des travailleurs honnêtes et gênés, comme la restitution des petits objets placés au Mont-de-Piété ou l'interdiction des heures de nuit dans les boulangeries ; ils s'efforcent de développer les chambres syndicales, de leur donner un rôle dans la vie économique. Rien dans tout cela n'est vraiment révolutionnaire et l'on sent l'esprit pondéré, presque conservateur, des artisans. Les ouvriers ne restent pas en dehors des événements ; Belleville et La Villette fournissent de gros contingents à la Garde nationale ; toutefois, il ne s'agit que d'exécutants ; les initiatives ne viennent pas du prolétariat industriel.

La répression atteint durement les artisans ; elle porte un coup décisif aux partisans de Proudhon et prépare l'implantation du marxisme. Les hommes au pouvoir, pour justifier leur sauvagerie, propagent la légende d'un complot perpétré par l'Internationale ; ils faussent le sens de la Commune et finissent par persuader l'opinion que, dès avant 1871, le mouvement ouvrier était dirigé, en France, par les internationalistes.

Au même moment, les progrès de l'industrialisation provoquent la disparition de secteurs entiers de l'artisanat. Clouterie, quincaillerie, serrurerie, longtemps pratiqués dans de petits ateliers, en particulier en Picardie, sont accaparées par des usines. Dans la vallée de la Loire, sur la bordure jurassienne, les minuscules tanneries qui n'avaient parfois que deux compagnons sont absorbées par des sociétés. En Languedoc, particulièrement à Nîmes et à Béziers, la tonnellerie devient une industrie. Enfin la chute est brutale pour les textiles ; les tisseurs alsaciens qui ont opté pour la nationalité française viennent installer, à Rouen, à Darnétal, des manufactures pourvues de machines modernes ; entre 1873 et 1878, près de la moitié des tisserands à domicile de la Seine-Inférieure vont chercher de l'embauche en ville.

L'artisanat ne disparaît pas complètement ; le million de « chefs d'entreprise » dont font état les statistiques comporte une large majorité de petits patrons qu'assistent seulement un ou deux compagnons. Quelques grosses imprimeries sont créées dans le Val de Loire et en Bretagne, ce qui n'empêche pas les travaux du livre, typographie, reliure, d'être exécutés, la plupart du temps, par des artisans. Les horlogers comtois demeurent farouchement individualistes avant la guerre ; ils mènent leur propre lutte contre les patrons, refusent longtemps de participer au mouvement syndical, parce qu'ils sentent parfaitement ce qui les sépare des ouvriers.

L'industrie du bâtiment, la troisième en importance du point de vue des effectifs, demeure, en 1914, un domaine presque exclusivement artisanal ; on y comptait, en 1860, un patron pour un compagnon ; en 1911, on dépasse tout juste deux compagnons par patron. Les méthodes demeurent très traditionnelles ; les grues de chantier, inventées en 1851, les machines à mortier, qui datent de 1865, sont presque toujours dédaignées ; l'apprentissage se fait uniquement « sur le tas », de façon lente, suivant une progression bien réglée ; l'apprenti passe un an à se familiariser avec les matériaux, les outils ; puis il monte sur l'échafaudage et s'initie progressivement aux gestes nécessaires. Les entreprises des grandes villes se transforment beaucoup, au début du XXᵉ siècle, avec l'afflux des Piémontais ; en revanche, la province n'a pas dépassé la période limousine.

L'artisanat survit, mais il a perdu son influence. L'artisan se sent de moins en moins un ouvrier. Ses conditions de travail et d'existence le classent effectivement à part. L'apprentissage demeure pour lui une période d'initiation très importante, qui l'introduit dans un corps de métier, le distingue du reste des travailleurs ; après une courte période, qui va de un an dans le bâtiment à trois ans dans la bijouterie, il est payé, souvent mieux que ne le serait un manœuvre.

Les salaires nous sont assez bien connus. La préfecture de la Seine publie annnuellement des *Séries de prix de la ville de Paris*, relevés des salaires imposés par la ville dans les contrats qu'elle passe avec ses fournisseurs. Ces listes ont peu de signification pour les usines qui travaillent rarement avec la municipalités ; en revanche, elles reflètent bien la situation des artisans qui sont nombreux à soumissionner pour les écoles, les mairies, les fournitures administratives.

On constate que les rétributions ont augmenté de 30 à 60 % entre 1890 et la guerre. Les artisans les mieux rémunérés sont les compositeurs d'imprimerie et sans doute également les bijoutiers sur lesquels nous sommes moins bien renseignés ; à ce niveau, le prix de la journée n'est jamais inférieur à 6 francs et peut monter jusqu'à 12 francs ; puis viennent les ébénistes, les tailleurs de pierre et, sensiblement en dessous, charpentiers et maçons (fig. 21). Ces chiffres n'ont pas, en eux-mêmes, une grande signification ; leur seul intérêt est de prouver que les artisans n'appartiennent pas au prolétariat industriel et, durant les bonnes périodes, peuvent avoir un genre de vie qui les apparente à la petite bourgeoisie.

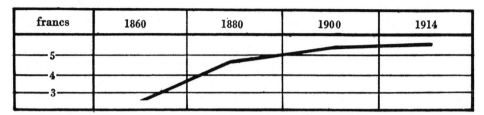

francs	1860	1880	1900	1914
5				
4				
3				

21. **Salaire journalier des maçons dans le Nord.**

Leur influence sur le mouvement ouvrier diminue. Au lendemain de la Commune, lorsque les travailleurs cherchent à se réorganiser, les artisans parviennent encore à imposer leur point de vue ; mais, à partir de 1879, le collectivisme l'emporte ; l'émancipation grâce aux groupements coopératifs semble désormais une utopie. Avant 1871, la fraction active du socialisme se trouvait à Paris ; à la fin du XIXe siècle, la capitale a perdu cette prépondérance et des régions essentiellement prolétariennes, le Nord, l'Allier, la Loire lui font concurrence.

Les villes industrielles

Les artisans se dispersaient au travers de la France ; ils travaillaient par petits groupes, ou isolément. Avec la grande industrie apparaît un double phénomène de concentration : les entreprises sont moins nombreuses et se rassemblent sur un périmètre réduit.

Le resserrement géographique est un premier fait important. Autour de 1860, on préparait des toiles en Bretagne, en Normandie, dans le Nord, on traitait la laine dans le Nord, en Normandie, dans le Massif central et le coton dans le Nord-Est, le Nord, l'Ouest. A la fin du XIXe siècle, le lin est devenu une spécialité du Nord et quatre départements font la majeure partie des tissus de laine et de coton. La production de fonte et d'acier a été longtemps répartie entre une dizaine de centres ; en 1913, la Moselle et la Meurthe-et-Moselle donnent les deux tiers de l'acier français.

Les paysans, les artisans qui ont besoin d'embauche doivent se plier à cette nouvelle géographie ; l'émigration leur est, en fait, imposée. A propos des grandes villes, nous avons déjà évoqué, rapidement, ce phénomène. Il nous faut, maintenant, y revenir, car il est d'une énorme importance pour la constitution du prolétariat.

Parfois, les régions agricoles surpeuplées sont proches des manufactures; les ruraux maintiennent, aussi longtemps qu'ils le peuvent, le lien avec la terre. Les mines du Nord recrutent leurs travailleurs en Flandre, celles du Pas-de-Calais en Artois. La multiplication des trains départementaux permet aux sociétés de Denain, de Lens, d'attirer les chômeurs de 60 kilomètres à la ronde. A la veille de la guerre, on voit encore des villages entiers se vider à la fin de la nuit, parfois dès 3 heures du matin : les habitants partent en chemin de fer, voire à pied, pour rejoindre les puits où ils sont employés.

De tels déplacements ne sont pas rares. Il est cependant plus fréquent encore de voir les ouvriers s'installer sur leur lieu de travail. On assiste en un demi-siècle au brusque développement de petites villes, jusque-là sans activité. Saint-Quentin était, au début du Second Empire, une modeste sous-préfecture; mais des industriels y font venir du matériel et des filés anglais; sans passer par le stade rural, ils lancent une industrie moderne qui utilise bientôt 25 000 ouvriers et ouvrières; la population de la ville se trouve quadruplée. L'essor est donc souvent très brutal; dans des cités qui offrent peu d'emploi, l'ouverture d'un chantier provoque une sorte d'appel; les manœuvres se présentent en foule et leur présence incite d'autres patrons à venir s'installer; une décennie suffit alors pour transformer les activités du pays. A la fin du XIXe siècle, Choisy abrite seulement des ateliers de mécanique; la population laborieuse s'est constituée progressivement et n'atteint pas 2 000 personnes; la création d'une fonderie bouleverse le marché de l'emploi et l'offre de main-d'œuvre est telle qu'une briqueterie en profite; au bout de dix années, on compte 4 800 ouvriers.

Saint-Quentin, Choisy étaient déjà des villes avant l'industrialisation; la voirie y était organisée, on y trouvait des commerces et des logements. Il en va autrement dans le cas de villages soudainement promus au rang d'agglomérations usinières (fig. 22). Montataire n'est qu'une minuscule bourgade rurale quand la métallurgie y prend naissance; en 1906, il s'agit d'une ville de 20 000 habitants; Chauny connaît, grâce au chemin de fer et à la fabrication des produits chimiques, une transformation identique; dans le Nord, Bruay, où vivaient, au début du Second Empire, 200 familles de cultivateurs, recense, en 1901, 15 000 habitants, vivant presque tous de la mine.

De tels bouleversements sont le résultat d'un énorme transfert de population. Toutefois, celui-ci ne provient pas exclusivement de l'immigration paysanne; à côté de l'exode rural, il convient de faire leur place à d'autres facteurs.

Il faut d'abord tenir compte de l'accroissement naturel des villes. On se trouve ici en présence de deux phénomènes bien distincts. Dans les vieux centres industriels, la natalité est en régression : à Lille, elle tombe de 41,6 °/oo en 1876 à 25 °/oo en 1911; en revanche, la mortalité demeure forte, surtout parmi

De l'atelier à l'usine   175

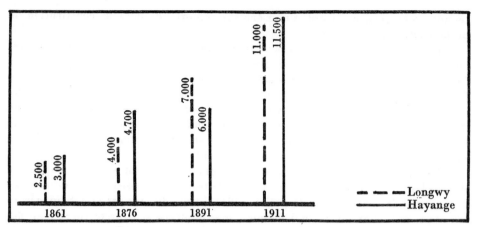

2.500 3.000   4.000 4.700   7.000 6.000   11.000 11.500

1861   1876   1891   1911

— — — Longwy
————— Hayange

22. Évolution de deux villes industrielles en Lorraine.

les enfants ; à Lille et dans sa banlieue, dans la plupart des agglomérations de la basse Loire, spécialement à Nantes, à Saint-Nazaire, il meurt plus de personnes qu'il n'en vient au monde dans les quartiers ouvriers. La main-d'œuvre disponible augmente cependant grâce à l'immigration.

En revanche, là où le développement est récent, la fécondité se maintient plus longtemps. A Roubaix, bien que le nombre des habitants ait triplé en cinquante ans, la nuptialité demeure forte ; elle est passée de 6,8 %oo en 1871 à 10 %oo en 1901, ce qui montre que, durant ces trente années, sont arrivés beaucoup de jeunes gens qui ont très vite cherché à se marier ; les nouveaux époux ont continué à avoir des familles importantes, comme dans les campagnes flamandes : en 1886, le tiers des foyers roubaisiens possède au moins quatre enfants ; ainsi, en 1901, la ville s'accroît-elle plus par les naissances que par l'immigration.

Tout se passe comme si les ruraux gardaient leur mentalité traditionnelle en s'établissant dans des villes nouvelles, au sein d'un milieu essentiellement prolétaire, mais changeaient de point de vue en partant vers les centres anciens, où le contrôle des naissances, largement pratiqué par la bourgeoisie, est devenu une règle courante. Il n'est pas impossible que l'atmosphère locale ait joué son rôle. Pourtant, les choses sont moins simples que les faits ne le laissent paraître. Il faut tenir compte des courants migratoires au sein d'une même région.

Avant 1880, les déplacements se font dans un rayon limité ; l'Artois, le Cambrésis fournissent la majeure partie des migrants dans la France septentrionale ; les pôles d'attraction sont le bassin houiller du Pas-de-Calais, de Lens à Bruay, et les tissages du Nord entre Valenciennes et Fourmies ; les ruraux n'ont pas le sentiment de changer de pays ; les entreprises qui les embauchent sont importantes, mais n'ont pas toujours modernisé l'ensemble de leur matériel ;

176   **La société française (1840-1914)**

bref, la rupture avec le milieu agricole et avec le passé artisanal n'est pas totale.

Les départs deviennent moins fréquents durant les années de crise, entre 1882 et 1890. Quand ils reprennent franchement, à la fin du siècle, la situation s'est compliquée. Il existe toujours des courants régionaux, d'origine surtout paysanne, comme ceux qui aboutissent à Roubaix. Mais il s'y ajoute des déplacements à longue portée : la Normandie entière est attirée par la basse Seine ; Nord et Pas-de-Calais recrutent jusqu'en Champagne et en Belgique ; ceux qui se déplacent ont vraiment l'impression d'effectuer une rupture ; ils entrent dans un milieu nouveau, ont du mal à s'adapter, se montrent prudents, cherchent à limiter leurs risques.

A cela s'ajoute une troisième sorte de migration : des enfants de paysans déjà établis en milieu urbain et devenus ouvriers vont chercher du travail ailleurs : des tisserands du Nord vont à la mine qui paye mieux ; des verriers et des porcelainiers de Nancy se font engager par les usines sidérurgiques.

L'origine des populations ouvrières est ainsi fort diverse. Le prolétariat urbain s'est constitué en quatre ou cinq décennies, suivant des modalités assez diverses, avec une plus ou moins grande rapidité. Il serait tout à fait inexact d'attribuer sa croissance au seul dépeuplement rural ; les villages n'ont pas été les seuls à donner les hommes ; ils se sont dégarnis au profit de l'industrie, mais de manière souvent indirecte, avec de longues périodes d'interruption.

Même quand elles se consacrent à une seule activité, les villes industrielles ne sont pas homogènes au début du XXe siècle ; elles se sont constituées par bonds successifs ; elles ont connu de soudaines invasions, pendant lesquelles il a fallu, vaille que vaille, faire face à un surpeuplement anarchique, puis des moments de tassement. Cette vie heurtée s'inscrit dans les chiffres des recensements et se lit sur les façades, dans les rues. Parcourir une cité comme Armentières suffit déjà pour en donner les grandes lignes.

Pendant des siècles, Armentières n'a été qu'un centre commerçant, assez éloigné de Lille pour avoir ses boutiques et ses marchés ; la rue des Agneaux, la rue des Capucins y gardent le souvenir d'un passé religieux et marchand. A l'aube du XXe siècle, les principaux magasins se trouvent toujours sur la Grand-Place ; les rues avoisinantes, calmes et un peu mortes, sont bordées de maisons bourgeoises vieilles de plus d'un siècle ; des usines se sont multipliées tout autour, mais le centre demeure sagement fermé à la vie extérieure et indifférent aux développements de la périphérie.

Le lin et le coton mettent longtemps à s'imposer. Avant 1856, on voit seulement pousser, au sud de la ville, quelques ateliers, encore modestes ; la place ne manque pas et les ouvriers peuvent s'établir à proximité de leur travail.

L'expansion commence autour de 1860, avec la modernisation des tissages et l'ouverture de plusieurs grosses fabriques de toiles. Cette fois, il a fallu trouver des terrains ; au sud, l'établissement de la voie ferrée bloque l'expansion. A l'est,

De l'atelier à l'usine

entre le vieux centre et la Lys, existent de vastes étendues inutilisées ; elles sont basses, humides, en partie inondables, ce qui permet de les acquérir à bon prix. Ici commencent véritablement les usines ; les bâtiments de briques sont trapus, étroits, mal éclairés et mal aérés ; on les a édifiés sans conception architecturale définie, avec le seul souci d'aller vite et de loger les machines ; ils sont souvent petits, n'ont que deux étages, car les entreprises restent modestes ; leurs longues façades sinistres, coupées de grosses cheminées, donnent l'image d'un monde désolé, qui s'est constitué trop vite au milieu du désert.

L'usine, c'est l'emploi ; en quinze ans, Armentières passe de 10 000 à 15 000 habitants. On ne sait où loger les ouvrières et les maisons du quartier est répondent, par leur laideur, aux ateliers des années 1860. Elles ont été élevées à la hâte, en mauvaises briques mal cuites. Les entrepreneurs, pris de court, n'ont su que copier, en plus petit, les habitations des cultivateurs ; ils ont dressé, côte à côte, de petites cases, avec une cuisine en bas, une pièce en haut ; le modèle est identique partout, personne n'a envisagé que les familles puissent ne pas avoir autant d'enfants les unes que les autres ; pour moins perdre de place, on n'a ménagé, d'un rang à l'autre, qu'une minuscule allée. La municipalité a été tout de suite débordée ; elle a renoncé à paver les ruelles, à prévoir le nettoyage, et il lui a semblé suffisant d'installer quelques points d'eau extérieurs.

La première génération ouvrière s'est constituée trop vite ; personne ne l'attendait et on l'a sacrifiée. La seconde génération n'est guère moins rapide, puisque, de 1871 à 1886, à nouveau en quinze ans, Armentières s'accroît de 12 000 âmes. Comme auparavant, les campagnes flamandes fournissent la quasi-totalité des immigrants. Mais cette fois, les architectes ont cherché à s'adapter, les industriels ont tenté d'améliorer les conditions de vie de la main-d'œuvre, pour la retenir.

L'est étant comble, on s'est tourné vers le nord-ouest où existent d'autres prairies, un peu moins humides, vers le sud-ouest qui est proche de la gare. En 1876, un groupement patronal achète une grosse part de ces terrains ; il y fait construire des logements ouvriers ; les noms donnés aux rues par ces respectables industriels sont à eux seuls un sujet de méditation : on invite les travailleurs à peupler les rues du Travail, de l'Épargne, de l'Industrie, du Progrès. Du moins existe-t-il maintenant de vraies rues pavées ; les immeubles, solides, ont plusieurs étages, avec des appartements de deux ou quatre pièces par étage. Les nouveaux quartiers, s'ils sont monotones, n'ont pas l'apparence sordide de ceux de l'est. D'autre part, la ségrégation sociale qui régnait en fait vers 1870 s'atténue ; une nouvelle zone résidentielle bourgeoisement habitée se constitue à l'ouest, autour de l'église Notre-Dame, entre le quartier ouvrier du nord-ouest et celui du sud-ouest.

Armentières semble alors arrivé au point de saturation ; dans les trois décennies suivantes, la ville ne gagne pas 2 000 habitants ; filatures et tissages ne s'étendent pas. Pourtant, la population n'est pas immobile. L'assainissement des quartiers pauvres a fait sensiblement reculer la mortalité, qui est tombée de 30 °/oo en 1856 à 18,5 °/oo en 1906. Comme à Roubaix, la natalité l'emporte encore ; l'écart est cependant moins marqué que dans cette ville, et les familles nombreuses n'y sont pas aussi courantes. Armentières reçoit encore des immigrants : à la veille de la guerre, près des deux cinquièmes de ses habitants sont nés ailleurs ; en revanche, des tisserands s'en vont volontiers, surtout s'ils sont jeunes, pour s'établir à Lille.

Nous avions constaté qu'il existait, dans la formation de la population ouvrière, des étapes assez distinctes ; nous avions, très grossièrement, opposé une période où l'artisanat demeurait fort à une époque où l'industrie l'emportait. L'étude des villes industrielles, tout en recoupant cette division, en précise les caractères. Les centres usiniers se sont constitués anarchiquement sous le Second Empire ; les prolétaires, paysans ou artisans à peine sortis de leurs villages, ont été entassés dans des faubourgs délabrés ; ils n'ont pu former une classe sociale au sens plein du terme, sont demeurés un groupement informe d'individus exploités. A partir des années 1890, la situation a changé ; les ouvriers ont été un peu moins défavorisés ; les municipalités et les employeurs ont cherché à donner aux quartiers pauvres un minimum d'organisation ; en même temps est arrivée à maturité une génération de jeunes nés en milieu ouvrier, et conscients de leur sort ; la relève de l'artisanat par le prolétariat dans la conduite du mouvement ouvrier apparaît ainsi plus logique.

Le travail en usine

La concentration géographique, l'entassement dans des cités où domine l'industrie, constitue le premier aspect important de la condition prolétarienne. Un autre fait aussi remarquable est la diminution du nombre des entreprises et l'importance toujours accrue de celles qui se maintiennent. Dans la Seine-Inférieure, à la fin de l'Empire et au début de la Troisième République, une centaine de filatures doivent fermer : il s'agit de firmes moyennes, ayant toutes moins de 10 000 broches ; les autres rachètent le matériel ainsi disponible et augmentent leur capacité.

Les usines deviennent ainsi des employeurs géants. Au début du XXᵉ siècle, les 32 fabriques de toile d'Armentières ont chacune en moyenne 250 ouvriers ; à Roubaix, sur 46 tissages, 38 dépassent 100 ouvriers, et les 4 peignages en ont au moins 1 200. Encore la situation des textiles est-elle modeste à côté de celle des mines qui ont une moyenne de 450 travailleurs en 1911, ou de celle des entreprises sidérurgiques, qui en déclarent près de 1 000. Les usines de Wendel à Jœuf approchent de 4 000 personnes ; les mines de Montceau en utilisent 8 500 ; au Creusot, les Schneider ne sont pas loin de 20 000.

De l'atelier à l'usine   179

Au sein de tels ensembles, la personnalité des ouvriers s'efface ; la condition prolétarienne s'uniformise ; les différences entre ateliers, entre usines, perdent leur importance : partout la vie ouvrière est aussi monotone.

Dès ses premiers pas, l'apprenti constate qu'il n'est plus libre. L'embauchage n'est pas réglementé ; le « livret ouvrier », sorte de passeport indiquant la carrière complète du travailleur, n'est guère pris en considération et l'on finit par l'abolir en 1890. Il est tombé en désuétude parce que des moyens moins primitifs permettent de garder un contrôle sur la main-d'œuvre. Dans la plupart des centres industriels, les usines sont seules à proposer des emplois (fig. 23) : il faut toujours s'adresser à elles ; à Roubaix et Tourcoing, la moitié des habitants vont dans les ateliers textiles : juridiquement, ils sont indépendants ; en fait, leur avenir est tout tracé ; vers quatorze ans, les enfants entrent à l'atelier ; l'entreprise n'est responsable ni de leur embauchage, ni de leur initiation : ils sont pris en charge par un parent, ou un ouvrier avec lequel la famille a traité ; jusqu'à ce qu'ils soient au courant, et capables de conduire un métier, la direction les ignore.

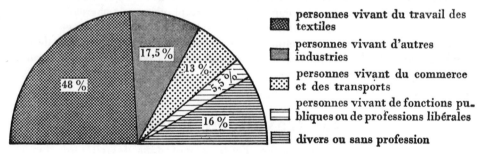

23. Structure sociale d'une ville industrielle : Armentières en 1906.

Population totale : 28 600 habitants.

La situation des mineurs et des métallurgistes est pire : ils n'ont généralement pas même le choix de leur entreprise, puisqu'il n'en existe qu'une seule : Jœuf, Longwy, Montceau-les-Mines, Le Creusot ne vivent que par et pour l'usine. Ici non plus, les patrons ne fixent aucune réserve pour l'engagement ; pourtant, il existe des limites dont chacun sait qu'il est impossible de les franchir : ceux qui ont « mauvais esprit » ou font de la politique ne trouvent pas d'emploi. En 1882, des mineurs de Montceau sont renvoyés pour avoir chômé le 14 juillet ; dans ce cas, la franchise brutale de la compagnie permet de faire réintégrer les exclus ; en général, les sociétés sont moins maladroites : les compressions de personnel, rendues soudain nécessaires, touchent toujours ceux qui se sont plaints. Bien que les syndicats soient légalement autorisés depuis 1884, nul n'ose ouvertement se dire syndicaliste dans les mines du Massif central.

L'espionnage et la délation sont encouragés; dans le Nord et le Pas-de-Calais, en Saône-et-Loire, le clergé est associé à cette surveillance : les ouvriers recommandés par la paroisse sont pris immédiatement; pour les autres, il n'y a pas de place. La surveillance à l'atelier est constante; dans les textiles et les mines, le travail est trop simple pour que le contremaître ait vraiment à contrôler l'exécution; il n'est en fait que l'agent de la direction; bien qu'il soit souvent lui-même assez misérable, il épouse la cause de l'entreprise et sa présence constante est une marque supplémentaire de dépendance.

Le marchandage, c'est-à-dire l'intervention d'un tiers, passant contrat au nom d'un groupe d'ouvriers, a été aboli par la Deuxième République. Il subsiste pourtant, en particulier là où travaillent des étrangers; en Lorraine, tous les terrassements sont pris à façon par des « tâcherons » qui recrutent des ouvriers, les logent et les nourrissent, organisent leur ouvrage; aucun manœuvre ne parvient à s'embaucher sans passer par cet intermédiaire.

Les artisans faisaient de longues journées, mais ils les entrecoupaient d'arrêts et ils ne se sentaient pas tenus par un horaire. A l'usine, le temps est mesuré, les interruptions sont calculées, les absences ne sont pas tolérées. Dans les revendications ouvrières, la réduction de la durée du travail tient toujours une grande place; bien que la situation se soit améliorée au début du XXe siècle, les syndicats ne transigent pas sur ce point : l'aménagement de certaines libertés, la diminution de l'effort, sont aussi importants que les augmentations de salaires.

En 1848, une loi limite la journée à douze heures de travail « effectif »; il suffit de décompter les « temps morts », les « mises en train » pour ajouter une ou deux heures; il est également facile de rendre les heures supplémentaires pratiquement obligatoires. Le gouvernement renonce vite à faire respecter les textes; une circulaire de 1851 autorise même explicitement les dépassements dans les ateliers. La République ne se montre pas plus audacieuse que l'Empire; avant 1914, un certain nombre de propositions de loi tendent à réglementer le temps de travail, mais le Parlement les enterre toutes; la seule mesure d'une portée réelle concerne, nous l'avons noté, les femmes et les enfants.

Il règne, en ce domaine, une complète anarchie. Dans plusieurs régions, on note quatre heures d'écart entre le minimum, dix heures, et le maximum, quatorze heures. La situation dépend largement du rapport des forces sociales. Fileurs et tisserands, isolés, dépourvus de toute qualification, subissent les règlements patronaux; au congrès ouvrier de Marseille (1879), les délégués font un tour d'horizon; ils relèvent que l'on travaille quatorze heures dans les filatures de Tourcoing, treize heures dans les tissages de Roubaix. Parfois il existe, au sein d'une entreprise, de grosses différences; dans les mines, les piqueurs ont obtenu dès avant 1870 d'être ramenés à onze heures au fond, mais les boiseurs en font treize.

Les améliorations obtenues surtout après 1880 tiennent d'abord à l'action de certaines municipalités qui, lors de leurs adjudications, inscrivent au cahier des charges la limitation du travail; lorsque, dans une grande ville, plusieurs entrepreneurs ont accepté ces conditions, les autres employeurs sont progressivement conduits à faire des concessions. D'autre part, la Confédération Générale du Travail, fondée en 1895, fait des « huit heures» une de ses revendications principales; les longues grèves de 1898-1901 et 1906-1908 placent cet objectif au premier plan.

Dans certaines zones, l'action conjuguée du conseil municipal et des organisations ouvrières aboutit à un résultat; ailleurs, le *statu quo* est maintenu. Les départements où les ouvriers sont peu nombreux et dispersés ne connaissent pas de changement; tel est le cas du Loir-et-Cher où, avant 1914, on ne descend pas au-dessous de onze heures. En revanche, les grandes industries ont consenti des aménagements.

Tisseurs et filateurs ont accordé la journée de onze et parfois dix heures. A Lille, quelques années avant la guerre, le travail débute à 6 h 30; un arrêt d'une demi-heure est consenti à 8 heures pour le déjeuner; le principal repas a lieu entre midi et 1 h 30; la journée se termine à 6 h 30; il y a donc douze heures de présence, dix heures d'effort réel. La situation est un peu moins favorable en basse Normandie, où les arrêts ne dépassent pas une heure. Autour de Saint-Étienne, les passementiers, qui sont dispersés en petits ateliers et subissent plusieurs mois de chômage, font encore douze heures.

Les métallurgistes sont très diversement partagés. Les entreprises sidérurgiques de Saint-Étienne et du Creusot imposent onze heures, mais les ateliers mécaniques du Doubs, en particulier ceux de Peugeot, ont accepté les dix heures. Les mines de fer pratiquent également les dix heures, y compris le temps de la descente : à Longwy, la première équipe part à 5 heures et remonte à 3 heures de l'après-midi, la seconde descend à 2 heures et revient à minuit.

Les houillères n'ont pas su adopter une politique uniforme; selon une statistique du ministère des Travaux publics, en 1901, les horaires varient selon les régions (fig. 24).

COMMENTRY	DECAZEVILLE	LOIRE	NORD, P.-de-C.	GARD
9 h – 9 h 30	9 h 30	9 h	9 – 10 h	9 – 10 h

24. Durée du travail dans les bassins houillers français.

Les compagnies ferroviaires ne sont pas moins divisées; le problème s'aggrave ici du fait qu'il faut constituer des équipes et prévoir un roulement pour assurer un service continu; mécaniciens et chauffeurs ne font que dix heures sur les machines, mais ils sont astreints à une longue présence au dépôt : sur le réseau du Nord, ils doivent rester dix-sept heures.

Sous l'Empire, le repos dominical est obligatoire, pour des raisons religieuses; sauf en Champagne et en Alsace, où l'on relève quelques infractions, il est respecté. Les républicains l'abolissent (1880) sous prétexte de ne pas porter atteinte à la laïcité; ils ouvrent ainsi la voie à de nombreux abus; toutefois, les grandes entreprises ne changent pas leur règlement; le travail du dimanche n'est imposé que par de petits patrons. Les usines textiles, cependant peu sensibles aux besoins des ouvriers, n'ouvrent que trois cents jours par an; les mineurs, qui savent coordonner leurs revendications, ont obtenu, au début du XXᵉ siècle, soixante-quinze jours chômés. Le repos obligatoire n'est rétabli qu'en 1906.

Qu'il s'agisse de la durée de la journée ou de celle de la semaine, une même conclusion s'impose : les autorités ont été d'une surprenante pusillanimité pendant tout le demi-siècle; il a fallu la persévérance des groupements ouvriers et la transformation des techniques pour que soient instituées des limitations d'ailleurs peu sévères.

Une autre revendication importante des syndicats touche à la sécurité et à l'hygiène du travail. Les ateliers ont été, nous l'avons vu, construits au hasard, sans aucun souci de protection; certains d'entre eux ont été aménagés en dépit du bon sens, avec des chaudières au milieu de salles où séjournent les travailleurs, des mètres de courroies courant à nu, des roues sans protection. Dans les mines, de sérieux progrès ont été enregistrés, à partir de 1860, avec le boisage continu des galeries et l'installation de ventilateurs; pourtant certaines compagnies obligent les mêmes ouvriers à faire l'abattage et le soutènement : pour extraire plus de charbon et obtenir des primes de rendement, il est tentant de négliger les étais, ce qui ne va pas sans accidents; au manque de prudence des travailleurs répond l'insousiance des directeurs : on néglige les études du terrain, permettant de prévoir les glissements, on n'étudie pas les risques de grisou; la catastrophe de Courrières, qui, en mars 1906, fait un millier de morts, est en grande partie imputable au manque de surveillance. Chez les mineurs, le sentiment d'insécurité est permanent; dès qu'ils constituent un syndicat, ils commencent par demander de meilleures garanties et la participation de délégués ouvriers aux opérations de protection. Les travailleurs du textile courent aussi de sérieux dangers; les ateliers, installés à proximité des rivières, sont en permanence humides; l'air des filatures est saturé de poussière; la Seine-Inférieure, le Nord se trouvent parmi les départements où la tuberculose fait le plus de ravages et ce n'est pas par hasard qu'Armand Calmette crée à Lille son premier centre de dépistage. Certains métallurgistes, en particulier les nettoyeurs de tuyères et de chaudières, les lamineurs, sont en permanence exposés.

La prévention est organisée de manière dérisoire. Un certain nombre d'ingénieurs, baptisés « inspecteurs du Travail », sont chargés par le ministère du Commerce d'étudier les problèmes de chaque industrie ; ils suggèrent des règlements pour chaque corps de métier ; mais ils n'ont pas le pouvoir d'imposer le respect de ces prescriptions ; le patron qui a affiché le règlement, en sachant parfaitement que les ouvriers ne l'appliqueront pas pour gagner du temps, est libéré de toute responsabilité ; jusqu'à la fin du XIXe siècle, la faute d'un accident incombe presque toujours à l'ouvrier qui n'a droit à aucune indemnisation.

La multiplication des accidents, inévitable avec la mécanisation, conduit le gouvernement à intervenir. Une loi votée en avril 1898 écarte la notion de faute, pour ne retenir que celle de risque professionnel : le patron qui utilise une machine fait courir un danger à son employé ; si ce dernier subit une incapacité, il doit en être indemnisé. Les modalités d'application sont extrêmement souples ; les patrons ne sont astreints qu'à un versement forfaitaire qui ne permet pas à l'invalide de vivre. Bien qu'ils n'y soient pas légalement obligés, les industriels sont conduits à souscrire des assurances et ce sont les compagnies qui, en menaçant d'augmenter les primes, imposent des mesures de sécurité.

Ici comme à propos du temps de travail, on voit se manifester le manque de vigueur du gouvernement : il a fallu que la situation devienne grave pour que soient prises des mesures au demeurant insuffisantes. De leur côté, les employeurs n'ont pas fait preuve de beaucoup de bonne volonté ; ils se sont contentés de l'indispensable. A la veille de la guerre, de nombreux ateliers textiles ne sont pas chauffés en hiver ; des transformations élémentaires, comme la construction de douches, de vestiaires, ne sont généralement pas envisagées. Sur les locomotives allemandes, dès la fin du XIXe siècle, on a prévu des dispositifs protégeant les mécaniciens du vent et du froid ; en France, personne ne songe à de semblables détails ; l'idée que les travailleurs puissent mériter un relatif confort ne vient à l'esprit de personne.

Le travail en usine est par lui-même éprouvant. Avec un peu d'imagination, il serait facile d'en réduire les inconvénients, mais l'indifférence de l'opinion, la prudence des milieux gouvernementaux, la dureté des patrons contribuent à maintenir la situation et les travailleurs souffrent particulièrement de sentir le peu de cas que l'on fait de leur peine.

La vie ouvrière

Le travail en usine ne représente qu'une part de la condition prolétarienne ; quand il a fini sa journée, l'ouvrier n'est pas libéré ; dans la rue, chez lui, il continue à sentir la présence de l'usine ; même sa vie quotidienne lui impose une place à part dans la société.

La question du salaire est, pour lui, primordiale ; elle revêt une telle importance que, depuis longtemps, les économistes se sont attachés à étudier les variations des salaires. Nous disposons d'un grand nombre de travaux sur cette question, mais leur valeur est généralement mince ; en 1910, les responsables de la *Statistique de la France* ont établi une courbe rétrospective des salaires pour tout le XIXe siècle ; élaborée à partir de cas trop peu nombreux, pour des périodes quinquennales, cette tentative manque de solidité. Vers 1930, l'économiste Simiand a dressé des séries statistiques pour un certain nombre de professions, comme le bâtiment, les mines, les tissages et filatures ; sa documentation était très inégale et les résultats qu'il a obtenus ne peuvent être acceptés sans inventaire. Enfin, plus récemment, Jeanne Singer-Kerel a calculé l'évolution des salaires et du coût de la vie à Paris ; bien qu'elle se limite à la capitale, son enquête demeure la plus sûre et la plus utilisable.

Un premier fait apparaît immédiatement : les rémunérations ont augmenté de façon constante durant la seconde moitié du XIXe siècle (fig. 25) ; dans les mines, les rétributions ont à peu près doublé entre le milieu et la fin du siècle et, d'une moyenne de 600 francs par an en 1850, on est passé à 1 250 francs en 1901. Il serait facile de multiplier les exemples, mais l'énumération deviendrait vite fastidieuse. L'augmentation a été régulière et très forte de 1850 à 1880 environ ; les tisserands, qui ne sont pas spécialement favorisés, obtiennent en trois décennies 80 % d'augmentation. Entre 1883 et 1905, on perçoit un net ralentissement ; dans certains secteurs, on assiste même à une régression passagère : les mineurs perdent environ 80 francs par an de 1883 à 1885 ; en négligeant ces baisses, qui sont rattrapées ultérieurement, on peut conclure que les salaires ont poursuivi très lentement leur avancée antérieure. La progression reprend à partir de 1905 et ne s'interrompt pas jusqu'à la guerre.

Ces données ne manquent pas d'intérêt ; elles montrent en particulier que le mouvement ouvrier n'est pas demeuré inefficace ; la pression des travailleurs sur leurs employeurs a produit des effets évidents. Mais il ne suffit pas de voir ce que gagnent les ouvriers ; il convient de s'arrêter sur les conditions dans lesquelles ils perçoivent leur salaire et sur la manière dont ils doivent le dépenser.

Dans la majorité des cas, les augmentations de salaire sont le résultat d'un surcroît de travail. Il existe deux systèmes de rétribution : suivant le temps passé à l'usine, ou suivant les tâches effectuées. Les compagnies ferroviaires, les entreprises sidérurgiques et chimiques, les tissages et filatures du Nord payent à la journée ou au mois ; les ateliers mécaniques, les tissages du Massif central prennent en considération le nombre de pièces rendues et les mines de charbon comptent les bennes de houille extraites.

Les salaires à la journée ou à la semaine varient peu ; quand les employeurs acceptent une modification, elle se traduit par l'attribution de primes au rendement. Ainsi existe-t-il, sur les chemins de fer du Nord, une prime de parcours et une prime d'économie de combustible ; mécaniciens et chauffeurs ont intérêt à

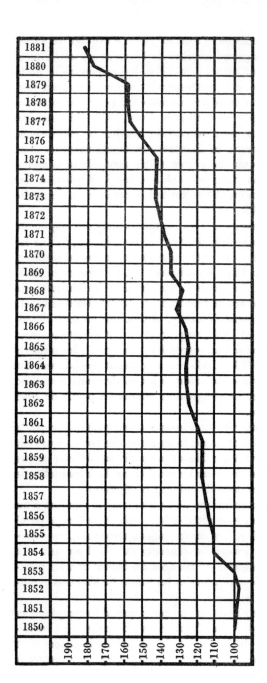

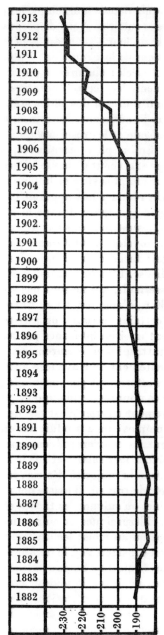

25. Évolution des salaires nominaux à Paris.
Base 1850 = 100

La société française (1840-1914)

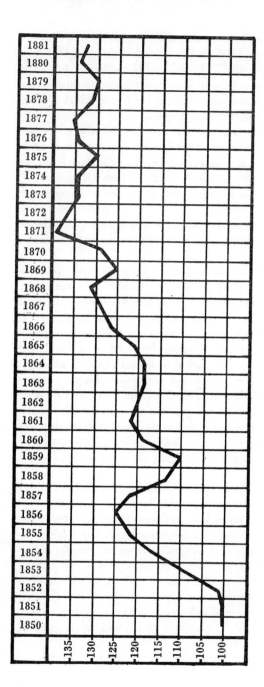

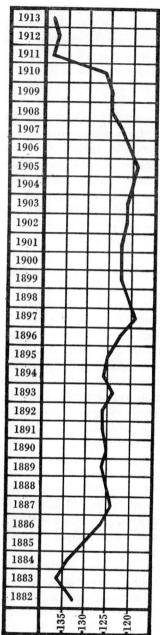

26. Évolution du coût de la vie à Paris.
Base 1850 = 100

De l'atelier à l'usine

187

faire le maximum de kilomètres et à utiliser les moins bons charbons. Comme le souligne avec satisfaction un rapport de 1885 : « Les agents ne demandent qu'à faire des parcours, quelle que soit la rigueur de la saison ; ils cherchent le travail au lieu de le fuir. » Les primes représentent de 40 à 55 % de leur rétribution et si les salaires progressent régulièrement, c'est parce que, grâce à leur effort d'adaptation, mécaniciens et chauffeurs accroissent leurs primes.

Les entreprises préfèrent le règlement suivant le nombre de pièces : durant les périodes difficiles, elles ont la faculté de diminuer le prix de la « tâche ». Qu'il s'agisse de la rubannerie stéphanoise ou des mines du Nord et du Pas-de-Calais, on constate les mêmes réactions : dès que les cours commencent à fléchir, après 1880, les paiements sont réduits. Les ouvriers n'ont pas d'autre solution que d'améliorer leur rendement. Dans les houillères, on constate que l'extraction passe de 540 kilos par jour et par mineur en 1870-1875 à 815 kilos en 1890-1895 ; aucune transformation technique n'est intervenue entre-temps, mais les hommes ont travaillé plus et mieux.

Les patrons jugent cet état de choses satisfaisant : l'ouvrier voit son assiduité récompensée. Ils oublient que cet effort devient vite inhumain ; pour obtenir un salaire décent, les prolétaires sont conduits à demander d'eux-mêmes la multiplication des heures supplémentaires, à réclamer la violation des lois sur la durée du travail. D'autre part, ce sont les entreprises qui tirent le meilleur profit de ce surcroît d'effort ; après 1873, commence une période de baisse générale des prix ; or, nous avons noté que la rétribution du capital ne fléchit pas à ce moment : les ouvriers ont augmenté la production et ce qui est perdu sur chaque unité se trouve compensé par la quantité. En s'adaptant, en tirant un bon parti de leurs machines, les travailleurs réalisent des économies qui sont un gain pour les entreprises ; un rapport de la Compagnie des chemins de fer du Nord montre que, sur les sommes épargnées pendant le premier semestre 1885, grâce à l'utilisation de charbons médiocres, 44 % vont aux agents sous forme de primes, tandis que 56 % restent à la société.

L'augmentation des salaires n'est donc pas le résultat harmonieux d'une progression conjuguée des rétributions, des profits et de la production ; elle n'est possible que grâce à un travail sans relâche. Les ouvriers n'ont pas seulement conscience de l'insuffisance de leurs salaires ; ils savent également que leur rendement croît plus vite que les primes ou les avantages dont on les gratifie et que leur peine est d'abord un bénéfice supplémentaire pour le capital.

Les sommes dont disposent les ouvriers n'ont pas de signification en elles-mêmes ; elles n'ont d'intérêt que par rapport au niveau moyen des dépenses, c'est-à-dire au coût de la vie. On distingue d'ailleurs généralement le « salaire nominal », somme perçue par le salarié, et le « salaire réel », qui est le rapport entre le salaire nominal et le coût de la vie.

Comme les salaires, le coût de la vie augmente dans la seconde moitié du

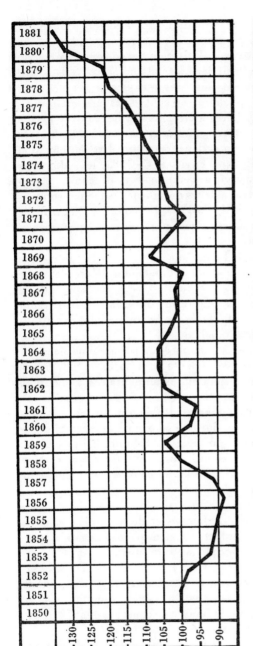

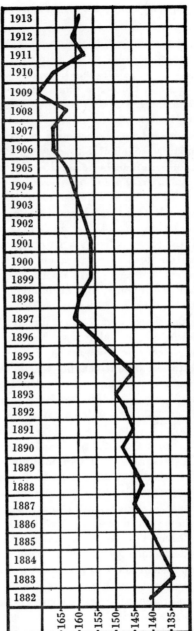

27. Évolution du salaire réel à Paris.
Base 1850 = 100

De l'atelier à l'usine

xixᵉ siècle (fig. 26). En ne considérant, pour l'instant, que la tendance générale, on relève une progression continue jusque vers 1882 ; en trente ans, le prix des objets courants s'est accru de 35 % environ. Puis commence une baisse assez durable, qui se prolonge au début du xxᵉ siècle. La tendance se renverse seulement autour de 1906, mais la reprise devient alors très marquée.

Durant le troisième quart du siècle, salaires et coût de la vie ont monté, mais de manière inégale ; la hausse des salaires a été plus rapide ; ainsi le salaire réel a-t-il progressé (fig. 27) ; en d'autres termes, à partir des années 1858-1860, les ouvriers ont vu, d'une façon générale, leurs dépenses s'accroître lentement et leurs salaires augmenter assez vite. Puis, aux environs de 1882, les salaires se sont stabilisés ; mais la baisse du coût de la vie a, pendant deux décennies, maintenu le salaire réel à un bon niveau : les travailleurs ont gagné les mêmes sommes que sous l'Empire et dépensé moins. A partir de 1909, la tendance s'est trouvée renversée ; les prix ont grimpé et les salaires n'ont pas suivi une pente aussi accusée ; le salaire réel s'est alors dégradé.

Cette brève esquisse statistique indique la tendance séculaire ; elle prouve que la condition prolétarienne a eu plutôt tendance à s'améliorer. Mais elle reste absolument étrangère à la réalité concrète. Les ouvriers se préoccupent de la situation quotidienne, non du mouvement à long terme des salaires ; leur rémunération est trop minime pour qu'ils songent à faire des économies ; les variations de prix ont donc, à leurs yeux, une grande importance.

Tandis que les salaires sont rigides, et ne connaissent pas de modifications brutales, le coût de la vie est sujet à des renversements imprévisibles. Si le risque de disette est définitivement écarté, les disponibilités alimentaires demeurent étroitement dépendantes des conditions climatiques ; de mauvaises récoltes de blé et de légumes, en 1887, suffisent pour augmenter de façon importante le prix du pain (fig 28) et celui des pommes de terre. Sur une courte période, les changements sont considérables : le kilo de bœuf, qui valait 1,33 F aux halles de Paris en 1875, saute trois ans plus tard à 1,66 F, ce qui représente une augmentation de 25 %. Durant la première décennie du xxᵉ siècle, on constate une hausse de 8 % sur la viande et de près de 30 % sur le pain.

Là se trouve le vrai problème du monde ouvrier : il n'est jamais sûr de rien ; il vit dans l'insécurité, avec une succession de bonnes et de mauvaises années. S'il ne chôme pas, il réussit à équilibrer son budget, mais il ne peut songer qu'au présent, à l'inverse du bourgeois qui sait tirer des plans sur le futur.

La *Statistique générale de la France* a reconstitué le budget annuel d'un charpentier parisien, marié et père de deux enfants ; en ne considérant qu'une période de dix ans, par exemple la première décennie de la Troisième République, on se trouve en présence d'écarts énormes : parfois, la famille ne consacre que 950 francs à sa nourriture mais il lui faut aussi, certaines années, 1 200 francs.

Les remarques présentées jusqu'ici concernent des moyennes, établies pour

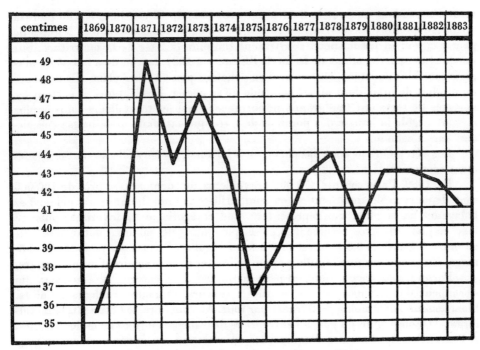

centimes	1869	1870	1871	1872	1873	1874	1875	1876	1877	1878	1879	1880	1881	1882	1883

28. **Prix du kilogramme de pain blanc à Paris.**

l'ensemble des salariés de la capitale. Mais les salaires et les conditions de vie sont extrêmement divers, suivant les professions et suivant les régions. Au lieu d'interroger les fluctuations enregistrées sur soixante ans, nous allons choisir deux périodes limitées, et envisager l'existence des travailleurs à ces deux moments. Nous prendrons d'abord les années 1880-1882, au cours desquelles le mouvement des salaires et celui des prix sont nettement ascendants, puis les années 1905-1907, où des divergences se font jour.

Vers 1880, à Paris, un célibataire doit disposer, au minimum, de 850 francs par an, et un ménage chargé de deux enfants ne peut subsister sans aide extérieure au-dessous de 1 500 francs.

Le loyer tient une place considérable dans les charges : une chambre se loue au moins 100 francs par mois et l'on ne trouve pas de garni comportant une grande pièce et une cuisine si l'on ne verse 200 francs. En moyenne, le logement absorbe 14 % du budget ; en province, cette charge n'est pas aussi lourde : elle se réduit à 10 % (fig. 29).

Près de 70 % des dépenses sont consacrées à l'alimentation. Le pain, longtemps taxé, est en vente libre depuis 1863 ; son prix est sujet à de gros change-

De l'atelier à l'usine

ments, cependant on peut le fixer à une moyenne de 42 centimes le kilo pour la meilleure qualité ; les ouvriers les moins bien rémunérés consomment 3 livres de pain par jour et les farineux constituent toujours la base de la nourriture. Sur une longue période, allant de la fin de l'Empire à 1887, la viande a baissé de manière sensible ; pourtant, les ouvriers en achètent peu : à leurs yeux, elle demeure un produit de luxe, dont on a l'habitude de se passer. Les légumes et surtout les pommes de terre ont une grande importance ; ainsi les travailleurs sont-ils plus mécontents de la hausse des pommes de terre que satisfaits de la baisse enregistrée sur la viande.

Les vêtements ne sont pas chers, mais ici aussi, les travailleurs sont extrêmement économes.

En 1880, Paris compte 350 000 travailleurs des deux sexes ; près de 100 000 sont dépourvus de qualification et sont utilisés comme hommes de peine. Les balayeurs de la ville, qui représentent une catégorie assez favorisée, puisque leur emploi est fixe, reçoivent 3,25 F par jour. Le salaire quotidien oscille ici entre 3 francs et 3,5 F ; il est tout à fait irrégulier, à cause des périodes de chômage. En aucun cas une famille ne peut subsister avec le salaire d'un manœuvre.

Parmi les autres ouvriers, on peut distinguer deux catégories. Tous ceux qui s'occupent du vêtement et des textiles : tisseurs, tanneurs, tailleurs d'habits, blanchisseurs, ont moins de 5 francs par jour. Au contraire, le bâtiment, la métallurgie, la Compagnie du gaz, les entreprises de transport offrent au moins 5 francs. A l'exception des hommes d'équipe, les ouvriers ont, en année normale, et sous réserve d'une occupation continue, ce qui leur est nécessaire pour subsister décemment.

Les salaires provinciaux sont, pour une tâche équivalente, nettement moins importants ; on peut comparer ceux de Cail, à Paris, et ceux de Peugeot, à Valentigney : la différence va de 1 à 2 francs par jour ; dans les métiers du bâtiment, qui sont naturellement plus favorisés à Paris, l'écart va jusqu'à 3 francs. En revanche, au bas de l'échelle, en ce qui concerne surtout les tisserands, l'avantage des Parisiens est à peu près nul.

Qu'il s'agisse de la capitale ou de la province, femmes et enfants sont toujours moins payés que les hommes ; on peut, sans risque d'erreur, considérer que, pour le même temps, une femme reçoit un salaire deux fois moindre ; à Paris, aucune rémunération féminine ne dépasse 4 francs ; lingères et couturières reçoivent 2 francs ; quant aux femmes de charge, elles obtiennent au mieux 1,5 F. A Valentigney, le salaire moyen atteint 4,5 F pour les hommes, 2,5 F pour les femmes.

Vers 1905, l'analyse des budgets parisiens révèle d'importants changements. La part de la nourriture s'est réduite, aux environs de 60 %. Le pain constitue toujours le fond de l'alimentation, avec les pommes de terre ; mais on note une certaine diversification, avec l'introduction du riz, des œufs ; la viande n'a fait que de légers progrès, parce que son prix s'est accru depuis le vote des lois protectionnistes. Le vêtement n'a presque pas bougé. Quelques dépenses nouvelles sont apparues, comme les journaux, les transports, les cotisations syndicales.

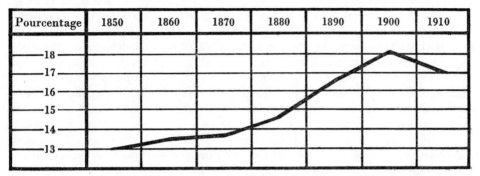

Pourcentage	1850	1860	1870	1880	1890	1900	1910

29. Part des loyers dans le budget des familles françaises (en pourcentage).

Pourtant, l'essentiel de ce qu'a perdu l'alimentation est consacré au logement : le loyer compte désormais pour au moins 18 %. Cette modification ne correspond pas à une amélioration des immeubles, mais simplement à une hausse considérable des prix ; une statistique de 1907 portant sur 2 500 logements établit qu'il ne leur a été apporté aucun changement en cinquante ans et que, cependant, leur location a presque doublé. Nous avons déjà évoqué cette situation en parlant des grandes villes ; nous la retrouvons, sous l'un de ses aspects particuliers. Les travailleurs sont particulièrement accablés par les soucis de logement ; dans les régions où le développement industriel a été rapide, la question devient obsédante. Les ouvriers sans famille s'efforcent de l'éluder en organisant des abris collectifs ; en banlieue, surtout au nord-ouest et au sud, poussent des baraquements en planches où les travailleurs couchent pendant l'été, parfois même durant toute l'année ; tel est, en particulier, le cas des étrangers employés dans les carrières et les sablières de Morsang à Draveil : de longues cabanes en planches, sans aération, avec au centre un médiocre poêle à bois ont été aménagées à leur intention et ils s'y entassent par quinze ou vingt. Dans la Lorraine métallurgique, le problème s'est posé en termes identiques ; des loueurs ont construit de vastes dortoirs où, moyennant 15 francs par mois, les ouvriers ont droit à un lit ; un système de roulement établi entre les équipes de jour et celles de nuit fait que chaque couche sert deux fois en vingt-quatre heures et permet au propriétaire de rentrer plus vite dans ses frais.

Certaines entreprises ont cependant compris qu'il était nécessaire d'assurer un toit à leur personnel. Dans des centres où une seule usine fournit l'essentiel du travail, comme au Creusot ou à Montceau, l'exemple a été donné très tôt : la

De l'atelier à l'usine

direction a son équipe de maçons, qui construit, sur un modèle uniforme, des rangées de petits logements, faciles à chauffer et relativement confortables ; avec sa feuille d'embauche, le travailleur reçoit un abri ; il est ainsi, jusque dans sa vie familiale, l'obligé de la compagnie et il sait que, s'il venait à être renvoyé, on le mettrait immédiatement à la rue. Ici, la politique patronale tend d'abord à resserrer le contrôle exercé sur les travailleurs.

Il existe également des groupements à caractère philanthropique qui tentent de faire construire des logements ouvriers, pour rendre moins pénible la vie des travailleurs, et les détourner de la tentation socialiste. Les industriels du Nord ont été, comme nous l'avons relevé à propos d'Armentières, les premiers à s'organiser dans ce sens ; en 1889 est fondée une Société des habitations à bon marché qui ouvre quelques chantiers. Les constructions nouvelles sont insuffisantes, et les résultats pratiques semblent médiocres : des édifices élevés à bas prix, en mauvais matériaux, ne peuvent que renforcer les prolétaires dans la conviction qu'ils sont délaissés.

Autour de 1882, nous avions noté un certain décalage entre la capitale et les départements. A la veille de la guerre, les écarts sont davantage liés à la profession qu'à la région. Les textiles, en Normandie comme dans le Nord, ont pris un gros retard : avec l'émigration rurale, les industriels n'ont pas à redouter le manque de main-d'œuvre ; des professions qui n'exigent pas d'aptitudes particulières, comme celles de peigneur ou de bobineuse, n'ont bénéficié d'aucune augmentation importante en deux décennies. A Roubaix, en 1901, une famille de quatre personnes a besoin d'au moins 1 000 francs par an : un peigneur en reçoit 800 ; il est indispensable d'envoyer à l'atelier la femme, puis les enfants dès qu'ils ont quatorze ans ; mais, à l'aube du XXe siècle, les textiles réclament moins de bras, et l'on répugne souvent à embaucher des enfants ; en hiver, ou pendant les moments de chômage, les services municipaux sont débordés de demandes de secours : à Lille, en 1910, sur une population de 110 000 habitants, on compte 35 000 assistés ; à Armentières, de 1900 à 1908, une famille sur huit reçoit une aide.

En revanche, ceux qui possèdent une qualification bénéficient de salaires acceptables, même dans les textiles. A Rouen, les mécaniciens, les conducteurs de machines à vapeur gagnent deux fois autant que les tisserands. Des professions industrielles nouvelles apparaissent après 1890 : celles d'électricien, de conducteur de laminoir, de soudeur autogène ; les spécialistes sont pris dès le départ avec de forts salaires et sont assurés de trouver de l'embauche. Les mineurs de houille et de fer, les lamineurs, les fondeurs ont à peu près 5 francs par jour et montent jusqu'à 7 francs. Les mécaniciens de chemin de fer, qui sont probablement les travailleurs les mieux payés, dépassent 9 francs.

Les écarts de salaires sont, au total, considérables (fig. 30). Ils expliquent pour une part le manque d'homogénéité de la classe ouvrière et la multiplication

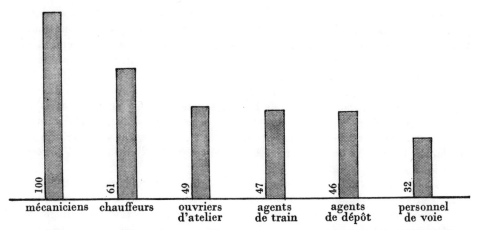

30. Échelle des salaires à la Compagnie des chemins de fer du Nord (1892-1910).

D'après F. Caron, « Les mécaniciens et chauffeurs de locomotives du Nord de 1850 à 1910 », *Le mouvement social*, janvier 1965.

des organisations par catégories. Au début du XXᵉ siècle, la différenciation tend à s'accroître ; les rémunérations très basses bougent peu ; une large fraction du prolétariat est fixée dans une condition dont elle n'espère pas sortir. Mais les travailleurs qualifiés sont déjà relativement proches de la petite bourgeoisie. En 1910, un chef de laminoir à Longwy reçoit 3 000 francs par an : il n'est guère au-dessous d'un sous-ingénieur débutant et il gagne plus que bien des commerçants.

A plusieurs reprises, les travailleurs demandent aux pouvoirs publics d'instaurer un salaire minimum. Le Parlement refuse d'examiner une semblable mesure : pour la majorité des hommes politiques, le contrat de travail doit être discuté librement, sans intervention du législateur.

De même qu'ils ont hésité à réglementer le travail à l'usine, les divers gouvernements n'osent pas adopter de mesures ayant des répercussions dans la vie des ouvriers. Il leur serait facile d'instaurer quelques réformes simples comme la retraite qui donnerait une certaine sécurité aux classes pauvres, mais ils attendent la veille de la guerre pour s'y décider. Les travailleurs en sont réduits à organiser eux-mêmes leur propre sécurité. Les sociétés de secours mutuel demeurent vivantes et se développent en particulier dans le bâtiment et les textiles ; moyennant des cotisations régulières, elles assurent une allocation en cas de maladie et, parfois, une petite rente après la cessation des activités.

Les sociétés les plus actives se trouvent dans les entreprises minières. Les dangers sont ici particulièrement menaçants ; dès le milieu du XIXᵉ siècle, cer-

De l'atelier à l'usine

taines compagnies ont fondé des organismes de secours ; de leur côté, les mineurs, pour ne pas dépendre du bon vouloir patronal, ont mis sur pied des mutualités. La concurrence entre ces deux types d'organismes a été particulièrement vive dans le bassin de la Loire, où les sociétés concessionnaires ont réussi, pendant une longue période, à éliminer l'organisation ouvrière. Sous la Troisième République, les mineurs remettent leurs caisses sur pied. Des négociations menées dans plusieurs exploitations, comme celle de la Compagnie du Nord, aboutissent à l'organisation de retraites et de secours-maladie à gestion mixte. Le Parlement se borne à constater et à généraliser cet état de fait en votant, au mois de juin 1894, une loi sur la retraite des mineurs. Les intéressés ont eu l'initiative, le gouvernement les a suivis de loin.

Les autres travailleurs n'obtiennent un régime semblable qu'en 1910 ; encore la législation est-elle soumise à de telles contestations qu'elle n'est presque pas appliquée avant la guerre. Une fois encore, la comparaison avec l'Allemagne nous est défavorable : dans le domaine de la protection ouvrière, la France est, au début du XXᵉ siècle, tout à fait retardataire.

Les ouvriers n'ont à compter que sur eux-mêmes. A l'avènement de la Deuxième République, ils ont cru pouvoir faire confiance aux autorités et le gouvernement provisoire s'est en effet engagé à organiser le droit au travail. Mais la seule mesure pratique a été l'ouverture des Ateliers nationaux, vastes chantiers sans objet où les prolétaires étaient ridiculement payés pour ne rien faire.

Le combat syndical

Les journées de juin 1848 ont, de ce point de vue, une importance considérable. La bourgeoisie se trouve unanime pour repousser la menace qu'elle croit sentir peser sur elle ; de toutes les provinces arrivent des volontaires, prêts à se battre contre les « barbares ». Les ouvriers savent désormais qu'on les tient en suspicion ; ils comprennent que le débat politique n'intéresse que les classes aisées et ne les concerne pas. En décembre 1848, beaucoup de travailleurs votent pour l'élection de Louis-Napoléon Bonaparte à la présidence de la République, non par conviction bonapartiste, mais pour marquer leur hostilité à tous les partis. Lors du coup d'État du 2 décembre, le prolétariat demeure calme ; si quelques artisans, flotteurs de bois ou maçons du Massif central, élèvent des barricades, les ouvriers ne tiennent pas à se compromettre en faveur d'un régime qui ne leur apporte rien.

En 1864, au moment où l'Empire commence à se libéraliser, et fait même des avances aux travailleurs, soixante ouvriers publient un manifeste ; loin d'être révolutionnaire, leur propos se veut au contraire conciliant ; pourtant, ils insistent sur le fait que les intérêts du prolétariat sont absolument distincts de ceux des autres classes : en dépit du suffrage universel, « nous ne sommes pas représentés... Ce que nous demandons c'est une Chambre composée exclusivement d'ouvriers, élus par le suffrage universel, une Chambre du Travail... »

Les rédacteurs de ce texte croient encore à la possibilité d'une émancipation par les coopératives et le regroupement des bonnes volontés ; nous avons vu que ces espoirs s'évanouissent avec le déclin de l'artisanat. Il ne reste alors aux travailleurs qu'une arme : le refus du travail. Par là, les ouvriers se sentent encore plus nettement étrangers à la société : ils ne peuvent se faire entendre qu'en refusant de se soumettre au système en vigueur ; s'ils s'affirment, c'est par la contestation. Le vocabulaire de l'époque traduit bien cette situation : on appelle les syndicats « sociétés de résistance » et les grèves « coalitions » ; les termes sont belliqueux dans la mesure où il s'agit bien, à une échelle réduite, d'une guerre de classes.

A Londres, en 1864, est créée la première Association internationale des travailleurs. Les quatre congrès de cette Internationale voient s'opposer les tendances les plus diverses et les principes fondamentaux de cette organisation demeurent imprécis. Pour le prolétariat, ce fait n'a guère d'importance. Ce qui compte, c'est que les ouvriers ont affirmé leur solidarité à travers le monde : avant d'appartenir à un pays, ils sont membres de la classe opprimée.

Le développement du mouvement de résistance sous l'Empire est symptomatique. Les grèves, cependant interdites, n'ont en pratique jamais cessé ; avant 1860, elles se produisent à la sauvette et donnent souvent lieu à des poursuites. A partir de 1861, elles se durcissent ; pourtant, elles ne concernent encore que des métiers spécialisés et le gouvernement pense pouvoir mieux les contrôler en les autorisant (1864). La situation change après 1868 : les ouvriers de la grande industrie, en particulier les mineurs, entrent en jeu et des ententes se nouent entre associations syndicales. Les Français envoient de l'argent pour soutenir les maçons et les charpentiers de Genève en janvier 1868, les ouvriers de Bâle en février 1869 ; à leur tour, ils reçoivent des subsides de Suisse et d'Angleterre. La grève des mineurs du Creusot, en janvier 1870, provoque un grand mouvement de solidarité : Paris, Marseille, Lyon, Mulhouse font parvenir leur contribution.

Le gouvernement et l'opinion ont parfaitement senti le changement ; les grèves n'interviennent plus sur un mouvement de colère, elles sont préparées ; les grévistes n'attendent pas passivement la suite des événements : ils se réunissent, manifestent autour des usines. Les autorités craignent maintenant d'être débordées : à deux reprises, en juin puis en octobre 1869, la troupe tire sur des grévistes ; elle laisse treize morts à La Ricamarie, quatorze à Aubin.

Quand survient la guerre, le mouvement ouvrier est en pleine transformation. Il demeure pourtant assez faible ; les industriels savent s'unir pour barrer la route aux revendications, et un grand effort comme celui des mineurs du

Creusot, qui désertent les ateliers pendant trois semaines, s'achève par un échec.

La Commune accentue l'isolement du monde ouvrier. Pendant près d'une décennie, les ouvriers ont peur et n'osent guère se manifester. Ils votent généralement pour les radicaux, qui réclament inlassablement l'amnistie en faveur des communards, mais ils ne participent pas à la vie politique. A partir de 1879, s'organisent des groupes socialistes ; leurs militants sont des artisans, des employés, des journalistes, mais pas des ouvriers. La Chambre ne comporte un groupe socialiste qu'en 1886 ; d'ailleurs cette minuscule formation, dont le programme est fort modéré, n'exprime pas le point de vue de la masse des travailleurs.

L'aventure boulangiste révèle ce qu'est la mentalité ouvrière quinze ans après la fondation de la République. Depuis 1882 sévit une crise surtout ressentie dans le domaine de l'emploi : nous avons noté que le chômage est alors sérieux. Au Parlement, républicains modérés et radicaux, opposés sur tout, s'accordent pour considérer qu'il faut d'abord des solutions politiques ; ni les uns ni les autres ne veulent intervenir dans le domaine économique. Quelques grèves éclatent, à Anzin en 1884, à Decazeville en 1886, mais elles sont purement défensives : les mineurs protestent contre la réduction de leurs salaires. Survient Boulanger qui apparaît comme l'homme étranger aux partis ; en le soutenant, on manifeste son refus et l'on espère voir arriver au pouvoir un arbitre qui soutiendra la cause ouvrière. Lorsque le général se présente à la députation dans le Nord, il recueille, ainsi que l'a établi Jacques Néré, les suffrages des métallurgistes, des mineurs, et, dans une moindre mesure, des tisserands. Le boulangisme apporte un exutoire au mécontentement et à l'inquiétude populaires ; aussi, dès que les ambitions personnelles du général commencent à se manifester, les travailleurs l'abandonnent-ils.

Les divers courants socialistes, d'abord très opposés, sont amenés à se rapprocher à la fin du XIXe siècle. La IIe Internationale naît à Bruxelles en 1891 ; elle pousse les socialistes français à dépasser leurs querelles internes ; la menace que la droite fait peser sur la vie politique et la reprise de l'agitation ouvrière contribuent également à l'unification qui est définitivement consacrée en 1905.

Un parti unique entend désormais prendre la défense des travailleurs et, cependant, ces derniers demeurent méfiants ; aux élections de 1914, les socialistes recueillent 1 400 000 voix, ce qui est considérable, mais ne représente que la moitié de l'électorat ouvrier.

Si les ouvriers soutiennent activement le socialisme, c'est essentiellement sur le plan municipal ; à l'échelon communal, la victoire d'un socialiste représente à leurs yeux une importante conquête. A Carmaux, en 1892, un ajusteur, Calvignac, entre à la mairie ; la compagnie, jusqu'alors toute-puissante, cherche à l'évincer : les mineurs se mettent aussitôt en grève pour le défendre, tant ils attachent d'importance à son élection. En dehors de cet aspect symbolique, l'arrivée de socialistes dans les hôtels de ville offre un intérêt pratique : des travaux sont enfin entrepris dans les quartiers pauvres, l'assistance se développe ;

grâce à la présence d'un ancien cantonnier à la tête de Lille, entre 1896 et 1904, des cantines et des asiles sont créés.

Les travailleurs acceptent cette forme de collaboration limitée. En revanche, ils ne veulent pas se lier à un parti. Ils considèrent que la politique n'est pas leur affaire : elle se déroule dans un monde, dans une société qu'ils n'acceptent pas ; s'y mêler activement reviendrait à accepter implicitement les règles du jeu ; précisément, les ouvriers condamnent l'ensemble du système dans lequel ils estiment ne pas avoir leur place.

Le seul milieu où ils se sentent à leur aise est celui des syndicats. Pendant les vingt premières années de la Troisième République, le mouvement syndical se développe très lentement ; les conditions économiques sont défavorables et les ouvriers, qui craignent de perdre leur emploi, n'osent guère se manifester. La reprise n'a lieu qu'à partir de 1891 ; en 1900, on compte près de 500 000 syndiqués, et en 1913 un peu moins d'un million (fig. 31). Cet essor se produit dans le désordre ; des formes très diverses de syndicalisme se constituent et il convient d'opérer des distinctions.

ANNÉE	NOMBRE DE SYNDIQUÉS	EFFECTIFS DÉCLARÉS PAR LA C. G. T.
1890	139 692	
1895	419 781	
1900	492 647	
1902		122 000
1905	781 344	
1908		285 000
1910	977 350	
1912	1 027 059	
1913		321 000

31. Évolution des effectifs syndicaux.

Certaines professions ont des problèmes qui leur sont tout à fait particuliers ; tel est le cas du bâtiment, où le chômage annuel pose de graves questions, des chemins de fer et des mines. Des syndicats s'organisent d'abord sur le plan local, puis se groupent en une fédération. L'exemple des mineurs est celui qui mérite le plus de retenir l'attention ; pour eux, nous l'avons remarqué, l'essentiel est la sécurité ; il leur semble inutile de se lier à d'autres travailleurs qui ne peuvent rien leur apporter et ils tiennent à conserver leur autonomie. Leur premier syndicat naît dans la Loire en 1876 ; le reste du Massif central, puis le Nord et le Pas-de-Calais, suivent vite cet exemple. La Fédération des mineurs, constituée en 1883, végète pendant les mauvaises années 1882-1887, mais, dès que s'annonce

De l'atelier à l'usine   **199**

la reprise économique, elle expose ses revendications. Dans le seul Pas-de-Calais, en janvier 1890, on compte 15 000 syndiqués, soit la moitié des mineurs ; les syndicats sont assez forts pour appointer des permanents, pour soutenir financièrement un quotidien de Lille ; l'organisation des caisses de retraite dont nous avons parlé est discutée entre les compagnies et les syndicalistes ; enfin, en novembre 1891, les mêmes protagonistes signent les conventions d'Arras qui réglementent les salaires pour toutes les exploitations du Nord ; nous avons remarqué que les compagnies n'ont pas toutes agi de la même manière et que des disparités subsistent ; pourtant les mineurs ont obtenu, par leur unité, de sérieux avantages. La Fédération des mineurs constitue une véritable puissance qui observe de loin les progrès du mouvement syndical.

A côté des grandes fédérations apparaissent des syndicats moins puissants. Autour de 1890, la vie provinciale demeure assez cloisonnée ; beaucoup de travailleurs songent d'abord aux conditions de travail dans la cité où ils vivent, et aux moyens de trouver sur place de l'embauche en cas de licenciement. Ainsi se développent les bourses du travail, qui sont des unions de syndicats sur le plan local. Les diverses bourses se regroupent à partir de 1892 en une Fédération des bourses du travail qui se veut apolitique et ne cache pas sa méfiance à l'égard de toute intervention des pouvoirs publics.

Le mouvement ouvrier étend donc son influence dans un très grand désordre. Pour lui donner une certaine unité, des militants fondent, en 1895, la Confédération Générale du Travail — la C.G.T. — au sein de laquelle devront trouver place les fédérations, les bourses du travail et les syndicats isolés. La C.G.T. progresse lentement ; elle n'obtient l'adhésion de la Fédération des bourses du travail qu'en 1902, tandis que les mineurs attendent jusqu'en 1908 ; à la veille de la guerre, elle réunit seulement un tiers des syndiqués, c'est-à-dire moins du dixième des travailleurs industriels.

La C.G.T. continue à penser que les ouvriers n'ont pas leur place dans la société capitaliste. Son principal manifeste, la charte d'Amiens (1906), débute par une affirmation de la lutte des classes et se fixe pour objectif « l'émancipation intégrale qui ne peut se réaliser que par l'expropriation capitaliste » ; sans cesse, elle rappelle que l'action syndicale se développe en dehors des partis politiques.

A la Fédération des bourses du travail, comme à la C.G.T., domine l'esprit du syndicalisme révolutionnaire. Il ne s'agit pas là d'une doctrine, mais d'une sorte de conception générale de l'action ; aux yeux d'une bonne partie des ouvriers, l'important n'est pas de définir un programme ; il faut, d'abord, mettre en mouvement les travailleurs ; une fois lancés, ils découvriront les solutions les meilleures pour chaque situation concrète. Deux phrases prononcées par Mathieu, secrétaire du syndicat des terrassiers, au congrès de la C.G.T., en octobre 1908, éclairent cet état d'esprit : « Nous voulons l'entente dans la révolte... On ne fait pas une armée révolutionnaire par de petites combinaisons et de petites ententes verbales, mais par l'action ; et ce n'est que par l'action qu'on arrivera à obtenir, camarades, ce que vous souhaitez : l'amélioration des conditions d'existence du prolétariat. »

L'action par excellence est, aux yeux des syndicalistes, la grève. Celle-ci n'est pas conçue comme un simple arrêt ; elle prend l'allure d'un refus conscient : les travailleurs cessent de servir les intérêts du capitalisme ; sortis de l'atelier, ils se sentent enfin libres, ils se concertent, les hésitants et les indifférents sont à leur tour entraînés. Comme les circuits économiques deviennent compliqués, et comme les divers secteurs industriels se commandent les uns les autres, on peut même imaginer qu'un mouvement de tous les travailleurs paralyserait le pays et entraînerait à brève échéance l'effondrement de la puissance bourgeoise. Ce mythe de la grève générale, lancé vers 1890, demeure, pendant deux décennies, le grand espoir du prolétariat. Griffuelhes, secrétaire de la C.G.T., s'en explique dans un article destiné aux bourgeois : « Suffrage universel, démocratie, sont toutes choses que la société capitaliste a apportées en elle, d'où leur impuissance et leurs tares... Seul le refus du travail est du domaine prolétarien ; seule la grève fait surgir quotidiennement l'antagonisme patronal et ouvrier ; seule la grève générale fera surgir la libération définitive, car elle sera pour le salariat le refus de produire pour le parasite et le point de départ d'un mode de production ayant pour seul bénéficiaire le producteur. »

A partir de 1890, le mouvement revendicatif ne cesse de s'étendre. La majorité des arrêts de travail porte encore sur des questions de rétribution : il s'agit d'empêcher une réduction de salaire, ou d'obtenir une augmentation. Pourtant, on voit apparaître d'autres demandes ; souvent, elles sont simplement pratiques : les métallurgistes lorrains réclament, en 1905, l'aménagement de leurs conditions de travail ; plusieurs grèves ont pour objet une réduction du temps de présence à l'atelier ; mais certaines exigences sont également d'ordre moral : en 1899, les mineurs du Creusot veulent que les ingénieurs les traitent sans mépris et ne tiennent pas compte de leurs opinions politiques ; en 1909, les postiers souhaitent que le ministère ne règle pas l'avancement à sa fantaisie et ne conduise pas autoritairement son personnel. L'éventail s'est élargi, on y découvre même des préoccupations économiques : les travailleurs ne se soucient pas exclusivement de l'immédiat.

L'action ouvrière s'organise ; les grèves sont préparées à l'avance ; on cherche à les coordonner, à faire intervenir des syndicats qui ne sont pas directement intéressés. Les militants comprennent qu'il faut montrer la cohésion du monde du travail, afin d'impressionner l'opinion. A partir de 1890, de grandes manifestations sont prévues pour le 1er mai : à une même date, dans tout le pays, les prolétaires rappelleront au public quelles sont leurs principales revendications ; en dépit des pressions gouvernementales, le 1er mai connaît une audience accrue.

Malgré cette prise de conscience, les résultats demeurent minces ; deux tentatives de grève générale, en 1898 puis en 1908, se soldent par un échec. On espérait que des arrêts de travail concertés à l'échelon national, dans des secteurs essentiels comme les communications, auraient de grandes répercussions ; en fait, les deux grèves des postiers en 1909, celle des cheminots l'année suivante, n'entraînent pas de résultat. Les syndicats ne sont pas assez puissants pour tenir longtemps ; ils sont appuyés par la C.G.T., mais ne peuvent pas compter sur une solidarité réelle et prolongée de tous les corps de métier.

Surtout, les patrons ont réagi. L'essor du syndicalisme et du socialisme a d'abord effrayé la bourgeoisie ; le Siècle, journal républicain modéré, assure, en février 1892 : « Le socialisme s'organise et prend, peu à peu, ses formations de combat. Il n'est plus permis d'assister avec scepticisme à cette agitation qui ne saurait manquer d'aboutir à une conflagration plus ou moins prochaine mais inévitable. » La résistance a été vite mise sur pied. Au moindre incident, le gouvernement fait intervenir la police ou l'armée ; le 1er mai 1891, la troupe tire sans raison sur un cortège de mineurs à Fourmies et fait plusieurs morts ; d'autres fusillades ont lieu, en 1908, à Vigneux et à Draveil. Des soldats sont envoyés pour suppléer les électriciens en grève et, de manière parfaitement illégale, le ministère mobilise les cheminots qui ont quitté la voie. Face au péril social, la bourgeoisie trouve d'aussi bons défenseurs sous la République que sous l'Empire.

Les employeurs passent des ententes pour s'aider les uns les autres en cas de conflit ; les compagnies minières fondent par exemple une Union des Houillères du Nord et du Pas-de-Calais, qui prélève 5 centimes sur chaque tonne extraite et constitue une caisse de défense contre les grèves ; des associations identiques existent bientôt dans le bâtiment, dans la métallurgie et dans quelques villes textiles.

La contre-offensive patronale se révèle efficace. Après le grand effort de 1907-1908, on sent un certain flottement chez les syndicalistes ; il y a moins de cartes prises en 1912 qu'en 1909 et dans plusieurs régions, particulièrement en Franche-Comté, le recul est important. Une nouvelle définition des objectifs à atteindre et de la ligne à suivre devrait être trouvée ; les dirigeants de la C.G.T. sentent qu'ils abordent une passe difficile et certains d'entre eux commencent à envisager un rapprochement avec les socialistes, prélude à une insertion dans le contexte politique. A la veille de la guerre, il semble qu'un changement se prépare dans le mouvement ouvrier. Cette annonce est pourtant bien timide et la masse des travailleurs demeure méfiante à l'égard du reste de la société.

La condition des ouvriers manifeste, mieux encore que celle des paysans, le retard que la France a pris par rapport à ses voisins. Les usines emploient moins de bras dans notre pays qu'elles ne le font en Allemagne ou en Grande-Bretagne. Les prolétaires de ces deux nations possèdent une solide organisation ; ils soutiennent à la fois des syndicats et une formation politique ; la force qu'ils représentent est appréciée à sa réelle valeur et des concessions leur sont faites. Les travailleurs allemands sont mieux payés, mieux protégés que les Français; ils bénéficient également de meilleurs conditions de travail.

Sauf dans leurs moments de grande peur, les bourgeois ne sont pas hostiles aux ouvriers; ils ignorent simplement l'existence d'une classe pauvre, ne veulent voir que des individus, plus ou moins favorisés par le sort. Le prolétariat, grâce auquel se développe l'industrie moderne, est tenu à l'écart; il a le sentiment de son isolement, et, pendant toute la seconde moitié du XIXe siècle, son effort tend avant tout à affirmer son originalité. Le combat syndical est aussi âpre qu'au-delà du Rhin, mais il n'a pas le même sens; il montre bien comment une large part de la nation n'est pas encore entrée réellement dans l'ère industrielle.

L'ignorance des réalités présentes va très loin; le capitalisme, l'industrialisation se développent sans qu'on semble s'interroger sur leur avenir; la bourgeoisie encaisse des profits croissants et ne paraît en éprouver aucune surprise. Tandis que la France traditionnelle, la France rurale, traverse une dure période de réadaptation, une autre France, celle des villes, des usines et des banques, se trouve entraînée dans un mouvement d'expansion continue; certaines zones d'ombre apparaissent; l'insuffisance des salaires ouvriers est connue et la montée du socialisme impressionne l'opinion. Pourtant, les réactions ne sont pas proportionnées aux difficultés : le syndicalisme français demeure divisé et, finalement, assez faible dès qu'il se heurte à une résistance organisée. Ni le prolétariat ni la bourgeoisie n'ont une vue claire des problèmes urgents; peut-être l'époque est-elle belle dans la mesure où l'on a ajourné les solutions.

Troisième partie

Doutes individuels et croyances collectives

7. Inquiétudes spirituelles

L ES conflits du travail tiennent une place importante dans l'histoire de la France au XIXe siècle ; pourtant, de longues périodes calmes séparent les affrontements violents ; les luttes sociales préoccupent moins durablement l'opinion que la question religieuse, toujours pendante depuis la Révolution. Le Concordat a créé une situation ambiguë ; l'Église catholique bénéficie d'avantages qu'elle trouve insuffisants et que ses adversaires jugent, au contraire, excessifs. La controverse aurait peu d'importance si elle avait un caractère purement théorique et concernait seulement quelques grands principes. Mais l'Église est, en France, une véritable puissance ; la continuité de sa tradition, l'influence qu'elle exerce dans certains milieux la font apparaître comme l'un des piliers de l'ordre établi. Le conflit n'est pas simplement idéologique ; toute une conception de la société se trouve mise en question par les attaques des anticléricaux ; l'inquiétude spirituelle manifestée sous le Second Empire et sous la République traduit les incertitudes profondes d'une large partie de la population française.

L'Église dans la société

Au sein de la société française, l'Église est elle-même comme une petite société. Elle présente une sorte d'image symbolique de la stabilité. Dans les villages, dans les cités provinciales, les édifices religieux sont au centre de l'agglomération ; le clocher demeure le point de repère qu'on propose aux étrangers. Si les banlieues pauvres sont souvent oubliées, les quartiers neufs des grandes villes évoluent assez lentement pour qu'on ait le loisir de leur assurer des édifices cultuels ; on construit de nombreuses églises nouvelles dans les principales métropoles, si bien que le secours de la religion semble partout assuré.

L'Église a pour elle la pérennité ; son cérémonial, fixé sous le Premier Empire, n'évolue pas ; les mêmes offices sont récités aux mêmes heures dans les divers lieux de culte et le fidèle se sent partout chez lui. Le clergé paraît, lui aussi, immuable. Le nombre des prêtres est important : à aucun moment, au long du XIXᵉ siècle, il ne tombe au-dessous de 50 000 personnes ; le ministre des Cultes est un de ceux qui ont le plus gros effectif de fonctionnaires placés sous leurs ordres. Les vocations ne sont évidemment pas toujours aussi abondantes ; elles diminuent au début du Second Empire, dans l'atmosphère de doute et de matérialisme qui marque l'essor du capitalisme ; elles fléchissent encore à la fin du XIXᵉ siècle et surtout après la Séparation, qui marque le début d'une crise de recrutement. Mais les prêtres ont le privilège de la longévité ; en 1875, le quart de ceux qui dirigent une paroisse a dépassé la soixantaine ; les générations plus ferventes comblent ainsi les vides de celles qui donnent moins de séminaristes. La mobilité du clergé est faible ; le jeune garçon ordonné dans son diocèse d'origine parcourt deux ou trois localités comme vicaire avant de se fixer dans une cure qu'il ne quittera pas durant un demi-siècle ; il n'est pas jusqu'aux évêques qui ne demeurent pendant plusieurs décennies sur leur siège épiscopal. Les fidèles sont attachés à leurs pasteurs et les connaissent bien ; dans les familles pieuses, le prêtre, qui suit les enfants de plusieurs générations, tient à la fois le rôle de directeur de conscience et de conseiller auquel on a recours pour les questions difficiles.

Dans certaines régions, comme le sud des Alpes, le vignoble champenois, le plateau bourguignon, les desservants connaissent parfois une situation difficile ; isolés au milieu d'une population indifférente, ils sentent que le milieu leur échappe complètement. Mais il est rare qu'ils n'aient pas autour d'eux un noyau de pratiquants dévoués ; entre les fidèles et leur curé s'établissent des liens d'inter-dépendance étroite ; le prêtre donne des avis, des règles de conduite ; les fidèles lui apportent une aide matérielle ; mal payé par le gouvernement, il n'échappe à la gêne que grâce à la générosité de ses paroissiens dont il est à la fois le guide et l'obligé.

L'influence sociale de l'Église est accrue par les nombreuses institutions dont elle a la charge. Un siècle après la Révolution, une grande partie des œuvres d'assistance n'est pas encore laïcisée. Jusqu'à la Séparation, des religieuses ont la charge de la quasi-totalité des orphelinats et de la plupart des instituts de rééducation. Elles ne commencent à être relevées, dans les hôpitaux parisiens, qu'à partir de 1881, mais le manque d'infirmières empêche de les remplacer complètement ; elles assurent le service de presque tous les hospices et maisons de santé en province.

Surtout, le clergé contrôle une part importante de l'enseignement. Depuis la Monarchie de Juillet, l'instruction primaire n'a cessé de faire des progrès ; beau-coup de communes se sont donné une école ; mais les instituteurs qualifiés com-mencent vite à manquer. Le vote de la loi Falloux (1850) n'a donc pas pour but

exclusif de rassurer les possédants en plaçant les écoles sous le contrôle des autorités départementales : il permet également de résoudre le problème des effectifs.
D'une part, toute personne pourvue du brevet se voit autorisée à ouvrir un cours
primaire libre ; d'autre part, les conseils municipaux peuvent recourir aux services
des congrégations religieuses. Au début de la Troisième République, les écoles
normales donnent déjà assez de recrues pour que les trois quarts des garçons
soient éduqués par des instituteurs publics. En revanche, plus de 85 % des filles
sont élevées par des religieuses ; dans 40% des communes rurales, l'école de filles
est appelée la « maison des sœurs » ; elle est souvent construite sur un modèle
type, avec un petit fronton triangulaire au-dessus d'une façade allongée et deux
grandes pièces que séparent un petit couloir. Les mesures de laïcisation votées
au début de la Troisième République ne suffisent pas pour renverser complètement la tendance ; au début du XXᵉ siècle, les « frères » ont à peu près complètement abandonné les établissements publics, mais les sœurs s'occupent encore
de la moitié des filles ; c'est seulement à la veille de la guerre que la situation
change radicalement avec l'interdiction faite aux congréganistes d'enseigner.

Pour l'enseignement secondaire, la portée de la loi Falloux a été presque insignifiante. En dépit du monopole universitaire instauré par le Premier Empire, les
pensionnats libres et les petits séminaires ont, dès 1840, plus d'élèves que les
lycées ; leur avantage se maintient jusqu'aux dernières décennies du XIXᵉ siècle.
Vers 1900, d'importantes modifications sont intervenues et l'enseignement public
l'emporte sur les collèges privés ; pourtant, 45 % des jeunes gens et 60 % des jeunes filles entreprennent leurs études secondaires dans des maisons religieuses.

Les institutions privées bénéficient d'un préjugé extrêmement favorable
dans la bourgeoisie ; elles ont la réputation de faire mieux travailler les élèves, et
de leur assurer une véritable formation morale ; beaucoup de pères qui professent
un anticléricalisme avoué confient néanmoins leurs enfants aux frères ou aux
sœurs. Dans un rapport de 1898, le recteur de Bordeaux note : « Je sais tel grand
établissement secondaire d'enseignement ecclésiastique où tout enfant d'officier de
la garnison est accepté sans rétribution... Dans tous les services de l'État, forêts,
douanes, finances, et surtout armée et marine, les principaux fonctionnaires nous
abandonnent... Je sais tel département où un nouveau commandant de gendarmerie, choisissant pour son fils la maison congréganiste, a causé le départ du
lycée de presque tous les enfants appartenant à la gendarmerie. »

Les séculiers seraient bien en peine pour faire face à des tâches aussi nombreuses ; ils se cantonnent dans les activités paroissiales ou diocésaines ; pour le
reste, ils laissent la place aux réguliers. Longtemps, la méfiance des Gallicans a
empêché les congrégations de se développer en France, mais, après 1850, la
surveillance se relâche ; le Second Empire estime qu'en se montrant tolérant sur
ce point, il se conciliera l'opinion catholique ; un grand nombre d'ordres religieux
peu importants, qui végétaient jusque-là, connaissent une période florissante et

fondent des maisons à travers tout le pays ; sauf dans le Massif central et dans les Alpes du Nord, il n'est pas un département qui n'ait plusieurs couvents ; vers 1880, on recense 130 000 religieuses et 30 000 religieux, ce qui représente des effectifs trois fois supérieurs à ceux du clergé séculier. Les palliatifs utilisés par la majorité républicaine ne servent qu'à entretenir l'agitation politique et, jusqu'à leur dispersion, au début du XXᵉ siècle, les ordres religieux conservent la même importance. Les défenseurs de la laïcité s'en prennent particulièrement aux jésuites, dont ils jugent la morale dégradante ; à la fin du siècle, les Compagnons de Jésus sont plus de 3 000 ; ils ont des collèges dans vingt et un diocèses, le quart des enfants confiés à l'enseignement libre passe entre leurs mains ; certains de leurs cours, comme celui de Versailles, ont la réputation d'assurer les meilleures préparations aux grands concours. Pourtant, leur présence est discrète ; ils évitent les prises de position dangereuses et leur revue, *les Études*, mensuel d'une excellente tenue, se mêle rarement de politique.

D'autres congrégations, numériquement moins importantes, ne sont pas entravées par l'image que se fait d'elles le public, et agissent très librement. Les dominicains, les rédemptoristes, dirigent des retraites et vont prêcher dans les paroisses ; les picpuciens suppléent les lazaristes, trop peu nombreux, et s'imposent dans les grands séminaires. Les assomptionistes font énormément parler d'eux ; mêlés à différentes œuvres charitables ou apostoliques, ils ont surtout l'habileté de mettre sur pied une grande entreprise d'édition, la Maison de la Bonne Presse, qui publie le premier journal catholique populaire, *la Croix*, et une dizaine d'hebdomadaires ou de revues à fort tirage.

Indépendants par rapport aux évêques, officiellement ignorés par le gouvernement, les ordres religieux peuvent se permettre des initiatives hardies ; ils s'occupent d'œuvres charitables, fondent des orphelinats et des cercles destinés à « moraliser » la classe ouvrière ; ils ne dédaignent pas l'action politique ; au temps de l'Ordre moral, ils animent les « comités catholiques » créés dans une cinquantaine de diocèses pour défendre l'Église, en particulier par une intervention dans la vie publique. Sauf pendant les débuts de la Troisième République, le clergé paroissial se tient à l'écart des élections ; les évêques, soucieux d'éviter les incidents, l'invitent à la neutralité. Les congréganistes ignorent ce genre de restriction ; ils s'efforcent d'orienter certains scrutins, comme celui de 1898, par une constante propagande en faveur des « bons » candidats ; leur influence ne suffit d'ailleurs pas à modifier les données de la vie politique, mais leurs interventions n'ont pu passer inaperçues.

Les religieux ne sont pas moins attentifs aux besoins spirituels ; ils ouvrent largement leurs chapelles aux fidèles, ils ont leurs pénitents, car, dans la bourgeoisie, on préfère souvent avoir, comme directeur de conscience, un régulier plutôt qu'un séculier. Le développement du culte rendu au Sacré Cœur, le renouveau de la piété mariale, sont encouragés et soutenus par les congréganistes.

Mais le principal succès de ces derniers est la mise sur pied de grands pèlerinages nationaux; utilisant les moyens techniques modernes, chemin de fer et navires à vapeur, ils organisent de vastes rassemblements catholiques à La Salette, puis à Lourdes, à Rome, enfin à Jérusalem.

Sous la houlette du clergé paroissial, les pratiquants restaient limités à leur horizon immédiat. Les religieux proposent de vastes entreprises; ils aident les fidèles à prendre conscience qu'ils sont nombreux et leur donnnent l'illusion que, en s'unissant, ils auraient la majorité. Les initiatives des congréganistes ont du succès parce qu'elles répondent à une attente et viennent satisfaire un besoin de dévouement resté sans emploi. La générosité des catholiques à l'égard des ordres monastiques témoigne de la profonde audience dont bénéficient ces derniers. Les défenseurs de la laïcité exagèrent beaucoup quand ils dénoncent le « milliard des congrégations», mais leurs inquiétudes ne sont pas complètement imaginaires : l'emprise de l'Église sur une fraction de la socitété s'est incontestablement renforcée dans la seconde moitié du XIXe siècle.

Le positivisme et la crise religieuse

Les fidèles sont plus fervents, mais ils se sentent de moins en moins nombreux. L'athéisme, ou, au mieux, l'indifférence, font de rapides progrès. Il est bien dangereux de vouloir définir les sources d'un malaise spirituel; pourtant, il semble que l'on puisse rattacher la crise religieuse à trois origines, qui sont les progrès de la science, l'incapacité de l'Église à comprendre le monde moderne, enfin les bouleversements sociaux apportés par l'industrialisation.

Les progrès techniques ont, au long du XIXe siècle, amélioré les conditions de l'existence; la famine ne menace plus, les maladies reculent, le chemin de fer a réduit les distances. Le monde matériel paraît moins hostile, moins fermé à l'homme qu'on l'avait cru; la résignation, l'attente de l'au-delà ne semblent pas de mise quand l'univers s'ouvre à la civilisation. La science n'apporte pas seulement des commodités; elle propose également des explications et rend compte de nombreux phénomènes qui semblaient merveilleux, voire miraculeux.

Durant le troisième tiers du siècle, une série de travaux scientifiques bouleversent les connaissances acquises. Depuis les travaux de Carnot sur l'énergie, l'idée s'était peu à peu imposée qu'il existait une unité de la matière. Cette conviction encore imprécise est renforcée quand, en 1854, Berthelot parvient à recomposer, à partir d'éléments purement chimiques, un produit organique, la glycérine; cette première synthèse, que d'autres suivent rapidement, a une importance énorme. Elle montre qu'il n'existe pas de différence de nature entre les phénomènes purement chimiques et les phénomènes qu'on observe dans les corps vivants : ce sont des réactions identiques, qu'on est en droit d'étudier parallèlement. Le public ne comprend certainement pas la portée de semblables recherches, mais le sentiment prévaut, autour de 1860, qu'une étape décisive a été franchie : partant d'éléments simples, un homme a refait le travail de la nature ; il est alors permis d'espérer une transformation de la planète en fonction des besoins humains.

La curiosité de l'opinion, son besoin de savoir, sont attestés par le fait que les scientifiques, quittant leur laboratoire, jugent utile d'exposer leurs principes. Après vingt-cinq ans de pratique médicale, Claude Bernard publie son *Introduction à la médecine expérimentale* (1865), manifeste théorique des nouvelles conceptions scientifiques, dont les premières éditions sont rapidement épuisées. Partant de son expérience de clinicien, Claude Bernard montre que la médecine n'est pas, comme beaucoup le croyaient encore à son époque, une simple affaire d'intuition ; comme la physique ou la chimie, elle requiert des expériences soigneusement organisées, groupées autour d'une idée directrice. Le chercheur émet, à partir des faits déjà connus, une hypothèse ; puis il la vérifie par une série d'observations. Les résultats qu'il obtient lui permettent de changer d'hypothèse. Loin de chercher des certitudes faciles, le savant tend au contraire à modifier sans cesse son point de vue ; à aucun moment il ne s'imagine qu'il a atteint un résultat décisif.

La quête scientifique est ainsi présentée comme une grande aventure, comme une poursuite incessante d'un pourquoi dont, progressivement, on éclaire quelques aspects. Les certitudes tranquilles de la foi semblent désormais ternes et puériles ; on les juge vite inadaptées aux temps modernes.

Vers 1840, Auguste Comte avait essayé de montrer que le développement des sciences présageait une étape nouvelle dans l'évolution de l'humanité : à l'âge théologique, où tout s'expliquait par l'intervention de Dieu, puis à l'âge métaphysique, durant lequel des forces obscures rendaient compte des choses, succéderait l'âge positif, époque des constructions rationnelles et des raisonnements logiques. L'effort de classification n'était aux yeux de Comte qu'une étape préliminaire ; il s'agissait pour lui de réorganiser la société en lui donnant une foi nouvelle, un système de croyances accessible à tous. Cette volonté de transformer la société par une réforme de l'intelligence éloigne de lui un grand nombre de personnes d'abord intéressées par sa prédication.

Après sa mort, on ne retient de lui que sa classification des sciences, et Littré, disciple infidèle, vulgarise un positivisme qui ne reflète qu'une partie des préoccupations du maître, mais qui convient parfaitement à l'attente de son époque ; infatigable, il multiplie les brochures, les dictionnaires, les conférences, affirmant partout la « décroissance du surnaturel et la croissance du naturel, la décroissance des notions subjectives et la croissance des notions objectives ».

Du domaine philosophique, le positivisme déborde sur l'ensemble des activités intellectuelles ; le sentimentalisme romantique, le culte du héros, la description des passions échevelées sont maintenant insupportables. La sociologie fait ses premiers pas, l'histoire, la philologie, la critique s'engagent sur d'autres voies, où la patience et l'exigence remplaceront l'inspiration. Tous ceux qui s'intéressent à la vie de l'esprit comprennent que l'introspection risque de conduire à une impasse : la matière est trop pleinement présente dans la vie humaine pour qu'on l'ignore. Pendant trente ans, le réalisme, qui entend accepter les faits tels qu'ils sont et les replacer dans le cadre où ils se déroulent, domine l'art et la littérature. Lorsque Flaubert se moque du réalisme, il condamne ce qui lui apparaît comme un procédé ; il entend, pour sa part, non pas suivre une mode, mais faire « du réel écrit » ; il s'astreint à une observation méthodique, à une reconstitution patiente d'une personnalité, d'un milieu : « Plus l'art ira, assure-t-il, plus il sera scientifique. »

A travers le réalisme artistique, on retrouve les données essentielles qui expliquent le succès du positivisme : la technique et la science obsèdent les esprits. La naissance de la photographie impose une autre vision de l'univers ; pendant une vingtaine d'années, tant que les prises de vues ne sont pas encore dominées, le photographe reste soumis aux modèles qui s'offrent à lui ; le vrai s'impose comme une nécessité. Les physiciens s'attachent à faire l'anatomie de l'œil et à décomposer la lumière ; depuis les travaux de Chevreul, celle-ci apparaît comme un ensemble de couleurs, jouant selon des lois qui leur sont propres et donnant leur aspect aux choses. Le peintre se fait simple observateur et Courbet, se vantant d'avoir enterré le romantisme, proclame : « Le fond du réalisme, c'est la négation de l'idéal. »

Il faudrait se livrer à une longue enquête pour déterminer par quelles voies le positivisme a cheminé avant de s'imposer tout à fait, aux environs de 1880. Il semble que, sous le Second Empire, il se soit heurté à de fortes réticences ; la bourgeoisie s'est d'abord effrayée de voir les actions humaines ramenées à un certain nombre de lois et de schémas : Littré a été l'objet de nombreuses critiques, et l'on a dénoncé Flaubert comme un contempteur de la morale.

Avant 1860, seuls les milieux étudiants ont été conquis ; les jeunes médecins parisiens se sont ralliés aux idées nouvelles et ont endoctriné leurs camarades de l'École de droit. La génération montante des derniers temps de l'Empire, celle qui va imposer la République, se veut résolument positiviste ; elle estime que l'Église a eu, dans le passé, un rôle utile, qu'elle a modéré les passions d'une humanité encore peu policée ; en ce sens, elle est prête à lui rendre hommage ; mais il lui semble que les dogmes ne peuvent résister devant les progrès de la connaissance ; aux balbutiements théologiques, il convient de substituer ce que Ferdinand Buisson appelle la « foi laïque », c'est-à-dire une morale faite de compréhension et de bienveillance, imposant à ceux que le sort a favorisés le devoir d'émanciper leurs contemporains, par l'instruction et par un effort de justice sociale. Ces jeunes gens ne tiennent pas l'anticléricalisme pour une nécessité ; ils y voient seulement une conséquence d'un état de fait déplorable : alors que la lumière des sciences est aveuglante, les « cléricaux » se cramponnent à des traditions vermoulues ; ils sont nécessairement de mauvaise foi et l'on n'a pas de raison de les ménager.

Cet optimisme conquérant exerce une influence évidente aux premiers temps de la Troisième République ; on le retrouve dans la presse, il se manifeste dans bien des proclamations électorales ; par l'école publique, et par les journaux à bon marché, il atteint certainement un public populaire ; il suffit pour s'en convaincre de reprendre les procès-verbaux des réunions ou des congrès ouvriers, entre 1865 et 1880 ; on y voit que les travailleurs croient à l'émancipation par la connaissance ; au congrès ouvrier de Marseille, en octobre 1879, le peintre Isidore Finance assure :

« La science démontre : elle substitue la paisible détermination des devoirs, c'est-à-dire des rapports, à l'orageuse discussion des droits. L'examen des règles relatives au sage exercice du pouvoir, industriel ou politique, y remplace avec avantage les débats irritants sur sa possession...

« Une des qualités incontestables de la science, c'est qu'elle produit la tolérance la plus grande pour les opinions qui ne concordent pas avec ses démonstrations. La science persuade ; elle sait qu'elle vaincra à la longue et qu'elle n'a pas besoin de la force pour se faire accepter... »

De la mystique de la science, on passe facilement au scientisme. Bien des lecteurs pressés ne vont chercher dans les théories en cours qu'un nouveau déterminisme. Le positivisme a été d'abord optimiste ; la connaissance de l'univers et de ses lois est apparue comme un moyen de conquête, un instrument pour soumettre la nature. Vers la fin de l'Empire, l'horizon s'assombrit ; la stabilité politique paraît moins assurée, l'économie capitaliste s'engage, surtout après 1872, dans une passe difficile. Un courant pessimiste se dessine dans les milieux intellectuels ; l'homme, qu'on croyait libre de lui-même, apparaît esclave de la matière qui le constitue et du milieu dans lequel il vit. Étudiant la littérature et l'art, Taine établit ce qu'il appelle un « mécanisme » des œuvres de l'esprit :

« La température physique agit par éliminations, par suppressions, par *sélection* naturelle. Telle est la grande loi par laquelle on explique aujourd'hui l'origine et la structure des diverses formes vivantes, et elle s'applique au moral comme au physique, dans l'histoire comme dans la botanique et la zoologie, aux talents et aux caractères comme aux plantes et aux animaux. »

La chimie, la biologie éclairent la physiologie, expliquent les comportements individuels, les tempéraments et les caractères. L'étude des circonvolutions de l'encéphale, de ses dimensions, ou celle de la sensibilité nerveuse prennent une importance nouvelle avec les travaux de Broca et de Manouvrier ; à force de disséquer et d'explorer les corps, on espère cataloguer toutes les réactions possibles.

Comme le dit encore Taine, le vice et la vertu sont de simples produits, comparables à des substances chimiques ; lorsque des méthodes d'investigation seront mises au point, on les analysera aussi facilement que n'importe quel acide. La littérature naturaliste s'inspire largement de cette conception; Zola paraphrase Taine lorsqu'il écrit, en tête des *Rougon-Macquart* :

« Je veux expliquer comment une famille, un petit groupe d'êtres, se comporte dans une société, en s'épanouissant pour donner naissance à dix, à vingt individus qui paraissent, au premier coup d'œil, profondément dissemblables, mais que l'analyse montre intimement liés les uns aux autres. L'hérédité a ses lois, comme la pesanteur.

« Je tâcherai de trouver et de suivre, en résolvant la double question des tempéraments et des milieux, le fil qui conduit mathématiquement d'un homme à un autre homme.»

Le succès de Zola à la fin du xixe siècle ne tient ni à la force de ses évocations, ni à son sens étonnant des foules; les contemporains admirent en lui l'observateur impavide grâce auquel les diverses catégories sociales deviennent autant de sujets d'entomologie. Il est violemment critiqué par les conservateurs, moins pour ses principes révolutionnaires que pour son matérialisme absolu : avec lui, la nature envahit tout et submerge l'esprit.

Par la littérature, la presse, l'enseignement, le scientisme pénètre un vaste public. Son audience est bien supérieure à celle du positivisme; il fournit à beaucoup de bourgeois et à bien des ouvriers une raison logique pour se détourner de l'Église; la croyance en l'au-delà est tenue pour une puérilité grossière, bonne tout au plus pour les femmes et les jeunes enfants. Le positivisme avait fait naître de douloureux cas de conscience; des jeunes gens, mis en face des découvertes scientifiques, s'étaient demandé ce qui restait des dogmes quand on cherchait à les étudier logiquement. Le matérialisme des années 1880 est un prétexte plutôt qu'une cause; ceux que le clergé ne parvient pas à toucher, qui se sentent déjà indifférents au culte, ne cherchent dans les doctrines en vogue que la justification d'une rupture antérieure.

L'Église a ainsi une considérable responsabilité dans l'extension de l'athéisme. Placée devant une crise religieuse durable et profonde, elle réagit avec maladresse. Voyant leurs convictions menacées, les clercs ripostent en sacralisant tout leur héritage : les croyances traditionnelles doivent être acceptées au pied de la lettre, sans le moindre accommodement; à l'aube du xxe siècle, dans les grands séminaires, on récuse globalement le transformisme et l'on tient pour vérité absolue l'ensemble du contenu littéral de la Bible.

Au milieu du siècle, l'orientalisme fait d'importants progrès en France; Eugène Burnouf révèle le bouddhisme aux lecteurs cultivés; ses élèves donnent une première version de quelques textes sanscrits. On commence à mettre en parallèle les diverses religions, et le christianisme apparaît simplement comme une forme du monothéisme. Prolongeant les travaux d'érudits allemands, Renan prétend appliquer les méthodes historiques classiques au peuple hébreu, à Jésus et au christianisme primitif. Sa démarche est décisive, en ce sens qu'elle humanise complètement l'Incarnation ; le miracle, la Révélation, ne sont pas niés, ils sont simplement mis entre parenthèses et les croyances se dissolvent en un vaste spiritualisme :

« Des formes religieuses qui ont existé jusqu'ici, aucune ne peut prétendre à une valeur absolue ; mais le fondement de la religion ne croule pas pour cela... Jésus a mis hardiment les intérêts moraux au-dessus des querelles des partis ; il a prêché que ce monde n'est qu'un songe, que tout ici-bas est image et figure, que le vrai royaume de Dieu c'est l'idéal, que l'idéal appartient à tous. »

Loin de mesurer la portée réelle de cet immanentisme peu consistant, l'Église s'insurge et condamne ; Renan, qui se défendait d'avoir des idées révolutionnaires, est présenté comme un dangereux négateur ; à cause des critiques dont ils sont l'objet, ses écrits touchent un public considérable ; très fréquemment, on fait pièce aux catholiques en célébrant Jésus, « homme admirable », le premier des républicains ou des socialistes.

Au début du XXe siècle, une autre vague vient déferler sur les croyances traditionnelles : il s'agit du modernisme. Un exégète, prêtre de surcroît, Alfred Loisy, oppose le Christ de l'histoire, prophète juif qui s'est présenté comme Messie sans être conscient de sa divinité, au Christ tel que se le représentent les chrétiens. La pensée des modernistes est trop ardue pour connaître un large succès ; mais, cette fois encore, la hiérarchie répond par la condamnation et le refus du dialogue.

Le catholicisme semble ne pas pouvoir supporter une pensée vivante ; s'il condamne la réflexion, c'est qu'il a conscience de sa fragilité. Le clergé est accusé de protéger l'obscurantisme pour garder son prestige et sa fonction sociale. Nombreux sont ceux qui, en dehors du positivisme, reprochent à l'Église de stériliser l'esprit humain. Telle est l'idée maîtresse de Leconte de Lisle aux yeux duquel le christianisme a comprimé la raison et tari, avec son credo étroit, le jaillissement du polythéisme antique. Tel est surtout le drame de Charles Renouvier, philosophe de tradition catholique, qui, jusqu'à sa mort, reste hanté par l'idée religieuse mais reproche au catholicisme d'imposer des vérités sans laisser à l'esprit humain la liberté de se diriger.

Tandis que la remise en question se fait pressante, les croyants se réfugient dans un rêve nostalgique ; aux difficultés présentes, ils opposent une vision idyllique du passé : jadis, l'Église dirigeait la société, pour le bien de chacun ; seul l'esprit de révolte, l'orgueil de l'homme trop sûr de lui ont détruit cette parfaite harmonie. Dans l'Univers, Louis Veuillot, remarquable pamphlétaire, mène la lutte contre-révolutionnaire, condamnant l'époque moderne au nom du Moyen Age : « Ce siècle veut partout la victoire du mauvais sur le bon et du pire sur le mauvais... La philanthropie a tué la charité, la liberté a tué le pouvoir nécessaire, c'est-à-dire l'ordre, l'égalité a tué la hiérarchie... »

Les meilleurs parmi les chrétiens, ceux qu'obsèdent réellement les difficultés de l'époque et qui connaissent l'ampleur des problèmes sociaux, ne songent bien souvent qu'à remettre le village à l'ombre du clocher et à réparer les injustices par la charité privée. Ils souhaitent l'instauration d'une société cléricale, dont le clergé assumerait la direction. A sa tête, ils placent le souverain pontife. Le pouvoir temporel du pape constitue donc pour eux une nécessité ; ils veulent un chef puissant et indépendant, dictant ses sentences aux rois. Durant un demi-siècle, la cause des États romains est ainsi confondue avec celle de la religion et les bonnes volontés s'épuisent à défendre cette survivance. Accrochée au Saint-Siège et au mythe corporatif, l'Église semble en dehors des réalités contemporaines ; entre 1860 et 1880, bien des jeunes gens, découragés par tant d'inconscience, se détournent du catholicisme.

Perdu dans sa nostalgie d'un temps révolu, le clergé ignore, dans sa majorité, les transformations qui marquent son époque ; il constate avec regret que les campagnes se dépeuplent, mais il ne voit pas la contrepartie, qui est le rapide essor des centres urbains ; les banlieues se développent sans prêtres et sans édifices du culte ; dans une série d'articles parus en avril-mai 1905 un prélat, Mgr Boeglin, souligne l'étendue du désastre :

« Autour de Paris s'étend une Chine immense où l'outillage des paroisses ne change pas depuis 1820 : même personnel, même église, mêmes ressources. Au moment de la fondation, elles comptaient 10 000 âmes ; elles les chiffrent aujourd'hui à 50 000... Le peuple n'a pas manqué à l'Église ; c'est la paroisse qui a manqué au peuple... L'accroissement des paroisses urbaines n'a pas suivi l'accroissement des communes. De là, à Paris et dans les grandes villes, une misère sans égal et sans nom. A peu d'exceptions près, la paroisse, l'Église, n'ont subi aucun changement alors que tout, autour d'elles, s'est modifié et a grandi dans des proportions inouïes. La foi meurt par ce *hiatus* entre le besoin et l'organe. Cette situation laisse des millions d'âmes dans l'impossibilité matérielle de fréquenter le temple et les sacrements.»

Dans les campagnes, la pratique était liée à un environnement social ; elle s'intégrait à la vie de la communauté villageoise ; les sacrements rythmaient l'existence et constituaient autant de signes marquant l'appartenance au groupe. Extraits de leur milieu d'origine et plongés dans l'anonymat des banlieues, les paysans n'ont plus besoin de l'Église ; ils s'initient à d'autres formes de rapports collectifs, dans lesquels la religion ne joue aucun rôle et ils n'éprouvent pas le besoin de participer, comme au pays, à des cérémonies cultuelles.

La foi et les œuvres

A la fin du xixe siècle, l'idée prévaut, chez les catholiques comme chez les anticléricaux, que la France est en train de se déchristianiser. Entre 1893 et 1910, il est courant d'entendre des prédicateurs ou des journalistes présenter notre pays comme une terre de mission. La sociologie religieuse fait ses débuts ; on cherche à découvrir des critères permettant d'apprécier l'intensité de la foi. En 1903, des athées, voulant mettre le public en face de la réalité, font une enquête sur la pratique en Seine-et-Oise ; ils assurent que celle-ci ne concerne que 2,4 % des habitants du département. De leur côté, les desservants s'astreignent à compter les sacrements qu'ils délivrent, à établir des comparaisons ; il apparaît que les baptêmes sont moins fréquents, que l'on se marie et que l'on se fait souvent enterrer civilement ; entre 1887 et 1911, le nombre des divorces passe de 500 à 15 000 et la progression de ces ruptures contre lesquelles sont édictées des peines canoniques sévères est signe de l'indifférence croissante à l'égard des prescriptions ecclésiastiques. En 1912, les prêtres du diocèse de Bourges, réunis en congrès, établissent que, sur une population dépassant 500 000 âmes, 70 000 personnes seulement vont communier à Pâques ; après les grandes villes et les banlieues, les zones rurales s'éloignent à leur tour des autels (carte VII).

Une désertion aussi générale n'est pas le fruit de changements passagers ; positivisme et scientisme, urbanisation et industrialisation ont été un prétexte ; il est certain que le recul de la foi a des sources plus anciennes. Dans beaucoup de régions, le partage s'est fait dès le Moyen Age ; seuls le conformisme local, la pression des autorités, ont maintenu l'appartenance extérieure à l'Église ; les paroissiens ont continué à fréquenter des cérémonies dépourvues de contenu. Les contraintes se sont relâchées sous la Monarchie de Juillet et toutes les barrières sont tombées durant les décennies suivantes ; la situation, telle qu'elle se présente à la fin du xixe siècle, est le résultat d'une longue évolution.

Dès le règne de Louis-Philippe, le clergé des diocèses environnant Paris déplore la tiédeur des fidèles ; à Versailles, on signale que les ruraux ignorent leurs prêtres, à Chartres que les hommes ne font même pas leurs Pâques. Malgré la présence d'un important prolétariat et malgré l'anticléricalisme affiché d'une certaine bourgeoisie, la situation est alors moins préoccupante dans la capitale que sur les plateaux du pourtour. Le recul se poursuit inexorablement après 1850. Sous l'Empire, l'évêque d'Orléans, Dupanloup, cherche à enrayer le mouvement et à reprendre l'évangélisation de ses ouailles ; sa tentative demeure vaine ; la pratique pascale commence à diminuer vers 1868 et les pays de la Loire moyenne rejoignent vite la Beauce ou la Brie.

Dans tout le centre du Bassin parisien, les desservants ont perdu, à la fin du xixe siècle, leur autorité. Autour de Versailles et de Sens, dans les centres textiles champenois, l'industrialisation rend parfois compte de cet état de fait ; ouvriers et artisans se montrent anticléricaux et tiennent les curés pour des suppôts des patrons. Il n'en va pas ainsi dans les campagnes, où l'hostilité fait place à un manque complet de curiosité et d'intérêt. En 1881, le préfet de Seine-

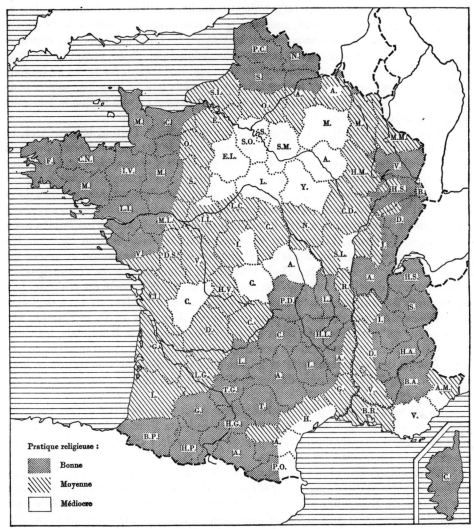

Pratique religieuse :

▨ Bonne

▧ Moyenne

☐ Médiocre

VII. La pratique religieuse en France vers 1880.

D'après Gadille, *La pensée et l'action politiques des évêques français au début de la III*e *République.*

et-Marne souligne « l'indifférence générale, absolue, profonde des populations briardes »; il ajoute : « Quelle influence pourrait avoir le clergé sur elles ? Il est difficile de s'échauffer dans une église de village devant les quelques vieilles

Inquiétudes spirituelles 219

femmes qui fréquentent les offices du dimanche. » Allant au fond des choses, l'évêque de Châlons, Meignan, essayait, quelques années auparavant, de cerner l'état d'esprit des paysans champenois : « Gagner de l'argent, voilà leur suprême ambition. Ils voient souvent le prêtre avec jalousie et ils ne comprennent pas pourquoi sa vie, son travail diffèrent de leur manière d'être. Au reste, ils lui font expier par leurs exigences et leur extrême sévérité le peu de bien-être que le traitement du gouvernement lui assure. A quoi sert le curé ? Voilà ce que le bon sens des paysans leur fait dire. »

A la fin de l'Empire, la Normandie est entamée, le Poitou, le Limousin, la basse vallée de la Garonne, le sillon rhodanien et le littoral méditerranéen ont versé du côté de la tiédeur, voire de l'irréligion. Il est aisé de définir les influences locales qui ont joué et qui ont contribué à accélérer ce mouvement ; dans le Nivernais, on discerne les efforts de plusieurs générations d'instituteurs athées ; dans le Berry et le Bourbonnais, un rôle identique a été tenu par des militants ouvriers ; en Limousin, l'émigration a vidé le plateau et la vie spirituelle s'est étiolée avec les villages. Toutefois, l'important est que cette déchristianisation concerne les deux tiers du territoire national et atteint son ampleur maximum en moins de trois décennies. Il n'y a pas là de hasard : la coïncidence avec l'émancipation économique et politique des paysans dont nous avons déjà parlé est évidente. Les desservants apparaissent, trop souvent, comme des notables ; ils sont englobés dans le discrédit qui atteint les grands propriétaires vers 1870 ; la réaction est sociale plus qu'intellectuelle : dans telles régions, comme le Beaujolais, les Charentes, baptêmes et communions persistent, mais les prêtres sont tenus en suspicion, écartés de la communauté et laissés dans un isolement volontaire ; on leur demande uniquement de remplir une fonction en leur faisant bien sentir que les fidèles les ignorent.

La foi vivante est rejetée aux frontières ou le long de l'Océan ; on pourrait presque représenter graphiquement la situation de la France chrétienne par une série de cercles concentriques : autour de la capitale l'athéisme ; puis l'indifférence et, à la périphérie, les croyants.

Le développement des mines et des ateliers textiles n'a pas modifié les dispositions des populations flamandes que l'action des grandes abbayes, puis l'épreuve des guerres de Religion, ont ancrées dans leurs convictions ; le recrutement du clergé demeure à peu près suffisant pour assurer l'encadrement des paroisses ; la bourgeoisie s'est tenue à l'écart des courants anticléricaux et son patronage a contribué au maintien de la pratique jusque dans les classes pauvres.

Le clergé a longtemps bénéficié d'un immense prestige en Bretagne ; vers 1850, les évêques sont de petits potentats que les préfets doivent ménager. Au début de la Troisième République, la situation devient moins favorable ; trop de desservants se sont compromis en défendant la cause du pouvoir temporel ou en soutenant les monarchistes. Toutefois, la piété ne subit aucune éclipse ; aux fêtes, les églises sont pleines et les grands séminaires de l'Ouest envoient des prêtres vers la capitale.

Dans le Midi indifférent, sinon hostile, le sud du Massif central et les Pyrénées constituent un solide bastion chrétien. Des luttes religieuses dont le souvenir ne s'efface pas, la présence de sanctuaires célèbres comme celui du Puy, l'isolement de bien des villages ont assuré la permanence des traditions ; le préfet du Lot souligne, en 1879, que son département demeure « soumis à des habitudes religieuses qui subsisteront encore longtemps chez les habitants telles qu'elles ont été transmises de père en fils depuis des siècles ». L'enseignement privé trouve de nombreux élèves, surtout au bord du plateau central ; le recrutement sacerdotal est assuré, la plupart des paroisses sont pourvues du clergé nécessaire. Le contraste est impressionnant entre le Roussillon ou le Languedoc déchristianisés et les Cévennes ou les Pyrénées-Orientales que la foi n'a pas désertées.

Les provinces de l'Est, des montagnes encore : Vosges, Franche-Comté, Savoie et Dauphiné, demeurent elles aussi profondément catholiques. L'influence de la géographie est, ici aussi, évidente ; dans un département tel que le Jura, les plateaux de l'est versent dans l'indifférence, tandis que les chaînes de l'ouest n'ont rien perdu de leur piété.

La déchristianisation s'accompagne d'une sorte de stratification sociale ; il est des milieux qui sont désormais sans rapports avec l'Église. Avant 1860, la bourgeoisie se proclame en général athée ; à Cahors, on se montre le seul bourgeois de la ville qui fréquente les cérémonies religieuses. La pratique acquiert ainsi une allure sentimentale qui tient à l'influence du public populaire. Le développement du culte marial a été encouragé par le clergé, mais il répond, pour une bonne part, à l'attente des fidèles. Les manifestations de caractère miraculeux se multiplient dans des régions pauvres où noux avons signalé une vie chrétienne active ; en 1858, la Vierge apparaît, près de Lourdes, à Bernadette Soubirous ; puis c'est à La Salette, dans l'Isère, à Pontmain, dans la Mayenne, que des enfants déclarent avoir vu Marie. Ces révélations provoquent de faciles critiques et les milieux cultivés affectent de ne pas y prêter attention. En revanche, dans les campagnes, de semblables événements raffermissent les hésitants.

A la fin du XIXe siècle, un certain revirement se produit dans la bourgeoisie. L'Église semble apporter une garantie d'ordre et un cachet d'honorabilité. Les manifestations « cléricales » se produisent dans les quartiers riches ; lorsque le gouvernement expulse les congrégations, ou fait procéder à l'inventaire des édifices cultuels, les paroissiens fortunés sont seuls, dans les grandes villes, à organiser la résistance. Les groupements à vocation charitable, les associations de prière, présidés par les grands noms de l'aristocratie, accueillent la haute bourgeoisie, que flatte une telle promotion ; un mariage à Saint-Honoré-d'Eylau, ou à Saint-Philippe-du-Roule, constitue un brevet de mondanité très recherché par la classe moyenne. A Paris, à Lyon, la religiosité des arrondissements aisés contraste avec l'athéisme affiché par les habitants des rues pauvres ; en 1900, un tiers des enterrements civils se déroulent dans le xxᵉ arrondissement ; les obsèques civiles sont proportionnellement six fois plus fréquentes à Charonne qu'à Passy.

Très tôt, une minorité de catholiques a ressenti cette division comme un scandale inacceptable. Des prêtres, de jeunes laïques, ont réclamé un effort en faveur des déshérités. Sous la Monarchie de Juillet, à une époque où la misère populaire était particulièrement criante, la bienfaisance apparaissait comme le premier des devoirs ; on fonda des institutions charitables. Les conférences de Saint-Vincent-de-Paul furent l'une des principales créations de cette époque ; elles réunirent des étudiants ou des employés qui désiraient à la fois prier ensemble et apporter une aide matérielle à des vieillards ou à des familles nécessiteuses ; leur développement fut rapide et ni les tracasseries de l'administration sous l'Empire, ni les critiques des anticléricaux sous la République ne parvinrent à interrompre leurs activités.

Vestiaires, ouvroirs, visites aux taudis et aux hôpitaux ne sont que des palliatifs. Au temps de Louis-Philippe, quelques chrétiens se penchent sur le problème ouvrier ; leurs appels à la justice trouvent peu d'échos et leur mouvement se perd dans la débâcle qui met fin à la Deuxième République. Le « catholicisme social » réapparaît après la défaite de 1871 ; l'écrasement de la France a constitué, pour bien des pratiquants, une sorte de mise en garde : Dieu a permis la victoire des Prussiens protestants afin de châtier une France devenue infidèle ; il convient de restaurer bien vite les anciennes croyances et les classes riches, les nobles, les grands propriétaires, qui n'ont généralement pas perdu la foi, ont le devoir de « moraliser » les pauvres. Les promoteurs du mouvement, La Tour du Pin, Albert de Mun, confondent donc apostolat et action sociale ; ils sont convaincus que, dans un pays où les préceptes du Christ seront observés, les conflits d'intérêt disparaîtront ; la misère du prolétariat les émeut profondément, mais ils ne lui découvrent guère que des origines morales et ils se croient en mesure de la faire disparaître par des échanges fraternels entre riches et pauvres. Des industriels tentent d'appliquer ces principes et s'efforcent de fonder des usines chrétiennes ; même dans des régions où la pratique a peu reculé, comme le Nord, les prières dites en commun, la présence d'un aumônier ne suffisent pas à créer une atmosphère de conciliation ; les ouvriers chrétiens ont conscience d'être d'abord des ouvriers.

A la fin du xixᵉ siècle, une nouvelle génération de catholiques militants affirme que la bienveillance ou la charité ne constituent pas des remèdes suffisants ; les travailleurs étant victimes d'un système injuste, tout chrétien a le devoir de les aider à transformer leur condition ; le christianisme n'est plus considéré comme un remède aux conflits sociaux : au contraire, il semble indispensable de faire cesser les affrontements de classes avant de songer à l'évangélisation.

Avec une certaine confusion, et sans objectif précis, ceux qui se proclament

« démocrates chrétiens» veulent aider le peuple à réaliser sa propre émancipation. Dans son journal qu'il a, symboliquement, baptisé *la Justice sociale*, l'abbé Naudet écrit en décembre 1893 : « Beaucoup semblaient croire que l'homme est seulement une âme... il est aussi un corps, il est fait pour vivre sur la terre en attendant le ciel, la question du pain quotidien ne doit pas dépendre uniquement de l'aumône et elle a son importance même pour les éternelles destinées. »

Des prêches, des considérations éthiques n'ont aucune chance de toucher ceux qui luttent quotidiennement pour gagner leur pain. Bien des prêtres se rendent compte qu'ils ignorent le monde ; à la fin du siècle, plusieurs centaines d'entre eux vont, dans les « congrès sacerdotaux » de Reims et de Bourges, s'interroger sur les moyens de s'adapter à leur époque et de mieux la comprendre. Il apparaît que le clergé ne doit pas dicter des solutions, qu'il lui faut au contraire s'adapter aux désirs de son public et à ses besoins particuliers ; pour atteindre les ouvriers, il semble préférable de mettre en train des cercles d'études ou des syndicats et de laisser, aussi vite que possible, les travailleurs en prendre la responsabilité ; ainsi que le note l'abbé Soulange-Bodin « quand vous aurez créé des œuvres économiques et sociales, vous n'aurez pas converti le peuple, mais vous l'aurez préparé à la conversion. Vous aurez préparé son cœur, vous aurez gagné sa confiance. »

Le sacerdoce traditionnel paraît trop lié aux classes dirigeantes, trop dépendant de l'argent. En 1860, un prêtre lyonnais, l'abbé Chevrier, s'établit dans une des rues les plus pauvres de la Guillotière pour vivre, presque misérablement, au milieu des pauvres, sans cette auréole sociale que confère l'appartenance à l'Église. Son exemple est d'abord passé inaperçu. Pourtant, après 1890, des séculiers commencent à trouver nécessaire de travailler pour subsister, afin de partager la condition des fidèles ; des tentatives isolées ont lieu, dans diverses régions et, en 1906, on dénombre quatre cents prêtres exerçant un métier.

Les laïques ne restent pas en retard. Ils s'attachent à créer des œuvres nouvelles, adaptées aux besoins des classes populaires, qu'il s'agisse de coopératives, de sociétés de construction immobilière, de syndicats. Les groupes les plus actifs se fédèrent en une Action catholique de la jeunesse française (A.C.J.F.) qui affiche ses objectifs sociaux et s'impose une étude des conditions réelles de la vie en milieu ouvrier. L'A.C.J.F. accepte sans réticences le régime républicain ; le *Sillon* qu'anime Marc Sangnier veut mieux encore : il espère instaurer une véritable démocratie, par un travail patient d'éducation civique, dégageant petit à petit, en dehors des considérations de classes, une élite de militants chrétiens.

De l'intense mouvement de transformation que l'on perçoit au tournant du siècle, il reste très peu de choses à la veille de la guerre. Les œuvres subsistent, sans atteindre un public important ; le syndicalisme chrétien demeure presque une curiosité et n'intéresse guère que les employés. Les prêtres qui s'étaient lancés dans l'existence active, voire dans la politique, tombent dans l'oubli. Il est facile d'incriminer la hiérarchie : le pape, les évêques, inquiets d'audaces dont ils n'étaient pas maîtres, ont mis un terme aux expériences. Mais l'autorité s'est bornée à sanctionner un état de fait ; la masse des fidèles apprécie peu le changement et réprouve ceux qui acceptent trop ouvertement le monde moderne ; le *Sillon* prend figure de groupement révolutionnaire. L'A.C.J.F. fait moins peur parce qu'elle ne sépare pas réforme sociale et catholicisme : elle entend dénouer les conflits entre bourgeois et prolétaires par l'application des doctrines de l'Église ; audacieuse lorsqu'elle exige des réformes pratiques, elle demeure timide sur le plan des principes ; sa soumission affichée aux directives du clergé lui vaut une certaine indulgence.

Quelques tentatives courageuses n'ont pas suffi à changer l'atmosphère. En 1910, l'Église semble toujours liée au conservatisme, à la bourgeoisie, au passé ; l'effervescence de la fin du xixe siècle n'a pas interrompu le mouvement de déchristianisation.

Progrès de l'instruction

Les catholiques attachent une importance considérable au maintien d'un enseignement confessionnel ; ils consentent de gros sacrifices pour entretenir leurs écoles bien que la formation des enfants et des adultes dépende de moins en moins d'eux. Le déclin de la religion n'est pas directement lié à l'essor de l'instruction publique, les instituteurs ne sont pas obligatoirement des militants de la laïcité ; pourtant, il est bien certain que la crise de la foi, comme la remise en question des autorités traditionnelles, vont de pair avec les progrès de l'instruction.

La scolarisation de la majorité des enfants (fig. 32.) est un des faits dominants du xixe siècle, un de ceux qui ont le plus profondément changé la physionomie de notre pays. Sous la Restauration, des congrégations locales apparaissent dans de nombreux diocèses ; souvent pauvres, ayant de faibles effectifs, elles se bornent à créer et à faire vivoter quelques écoles ; du moins ouvrent-elles la voie : sans elles, la loi Guizot de 1833 aurait été difficilement appliquée.

La loi Guizot est, en elle-même, un événement historique, dont l'importance ne peut être surestimée ; il est regrettable qu'aucune étude ne lui ait été consacrée et que l'on doive se contenter d'approximations pour en évaluer les conséquences. Elle consacre l'intervention des pouvoirs publics dans l'enseignement primaire et fait de l'éducation un devoir social : chaque commune doit assurer les frais d'une école élémentaire. Certes, la fréquentation scolaire n'est pas obligatoire et les instituteurs subissent le contrôle des notables ; il serait néanmoins regrettable de s'attarder sur les défauts du texte : tel qu'il se présente, il permet dans l'immédiat un réel progrès.

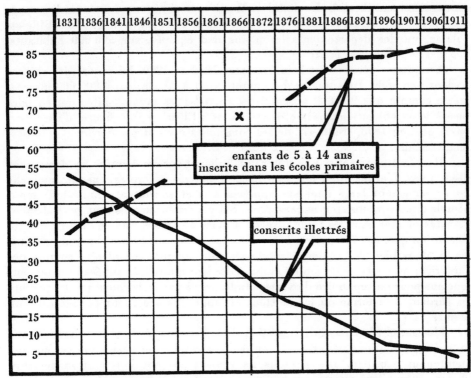

	1831	1836	1841	1846	1851	1856	1861	1866	1872	1876	1881	1886	1891	1896	1901	1906	1911

enfants de 5 à 14 ans inscrits dans les écoles primaires

conscrits illettrés

32. Progrès de l'instruction primaire en France (en pourcentage).

Durant la Monarchie de Juillet, les changements sont lents. En 1833, un tiers des enfants de cinq à quatorze ans sont inscrits dans une école; à l'aube de la Deuxième République on arrive juste à la moitié. Bien des communes n'ont pas trouvé les crédits nécessaires et se sont bornées à passer un accord avec une localité voisine; les écoles sont ainsi peu nombreuses et souvent trop éloignées des hameaux ou des petits villages. L'assiduité manque de régularité : en 1850, 3 300 000 enfants vont en classe durant les mois d'hiver, mais de mars à octobre, 1 200 000 d'entre eux restent à la maison pour aider aux travaux agricoles.

Au milieu du siècle, l'analphabétisme demeure étroitement lié à la géographie. Il est d'abord moins grave dans les départements à forte densité urbaine que dans les zones rurales. Il est surtout lié à la forme de l'habitat; dans l'Est et le Nord-Est, régions de villages groupés, les enfants reçoivent un minimum d'instruction. Dans l'Ouest et le Massif central où l'isolement est de règle, l'école a peu de rayonnement; à la fin de la Monarchie bourgeoise, les comptes rendus d'assises montrent que, dans les cinq départements bretons, 70 % des accusés sont entièrement illettrés. Le retard du Massif armoricain se perpétue tardivement, toujours pour les mêmes raisons ; une statistique de 1872 révèle que dans l'Ille-et-Vilaine, un des départements les moins mal équipés, sur 590 000 habitants, 355 000 ne savent pas écrire.

Une étape décisive est franchie entre 1850 et 1880. Ici encore, les chiffres parlent : en 1880, trois quarts des enfants vont à l'école ; sur 4 700 000 inscrits, on ne compte que 900 000 absentéistes partiels ; les municipalités ont su faire face à leurs obligations, même dans l'Ouest : l'Eure y fait figure d'exception parce que, en 1878, trente-six de ses communes n'y ont pas encore d'établissement scolaire.

Il ne faut pourtant pas s'arrêter indéfiniment sur ces données, au demeurant discutables. L'armée ne décèle que 15 % d'illettrés parmi les conscrits, mais elle est extrêmement large dans ses appréciations et se contente du déchiffrement pénible d'inscriptions en gros caractères. S'il y a des locaux, ils sont généralement vétustes et mal chauffés : une inspection faite en Ille-et-Vilaine aboutit à cette conclusion que, sur 776 écoles, 171 seulement ne donnent lieu à aucune critique. Enfin, dans bien des régions, les classes sont un peu considérées comme des garderies ; on y envoie les jeunes enfants dès leur quatrième année ; ils attendent sept ans pour entreprendre de vraies études, et, à partir de douze ans, les parents les gardent à la ferme ou les mettent en apprentissage : leur bagage est fort réduit.

L'essentiel n'est pas la progression du nombre, mais le changement d'attitude des populations pauvres. En un demi-siècle, l'école s'est imposée, elle est maintenant acceptée. Les paysans ne veulent pas que l'instruction de leurs fils les gêne et leur retire trop longtemps des bras indispensables ; cependant, ils comprennent l'utilité d'un savoir élémentaire, ils sont prêts à faire des sacrifices pour l'obtenir. La preuve en est que la rétribution scolaire ne les décourage pas : quand ils en ont les moyens ils acceptent de payer les instituteurs. En 1878, dans les cinq départements normands, 196 000 élèves sont reçus gratuitement, 195 000 versent leur redevance. En examinant les statistiques de plus près, on note une différence importante : une grosse majorité des enfants bénéficie de la gratuité en Seine-Inférieure et la proportion est particulièrement forte dans les centres industriels ; au contraire, dans l'Eure, le Calvados et la Manche, c'est la rétribution qui constitue la règle.

La différence entre villes et campagnes, sensible avant 1850, s'est atténuée, et parfois même inversée au début de la Troisième République ; les cultivateurs tiennent à l'instruction qui, pour les ouvriers, demeure souvent inaccessible ; la proportion de conscrits illettrés est presque deux fois plus forte dans l'arrondissement d'Elbeuf que dans l'arrondissement de Bernay. La scolarisation dépasse 80 % dans des régions agricoles pauvres comme la Lozère ; en revanche, à Paris, sur 260 000 jeunes de six à quatorze ans, 70 000 ne vont pas en classe.

La République hérite d'une situation favorable. En instituant la gratuité et l'obligation, elle ne fait que généraliser ce qui préexistait. Elle se heurte d'ailleurs à une forte inertie; en trente ans, les effectifs augmentent peu et, à la veille de la guerre, 15 % des enfants ne sont toujours pas inscrits; quelques familles ne veulent pas confier leurs filles aux institutrices; d'autre part, les ouvriers, en particulier ceux qui viennent de quitter le village pour l'usine, n'ont ni le temps, ni l'occasion de placer leurs enfants à l'école.

L'œuvre républicaine n'est cependant pas négligeable. Elle consiste à unifier un système laissé auparavant à la fantaisie des enseignants. Les législateurs ont une vue pragmatique des choses; ils entendent apporter à chaque petit Français un même bagage; à leurs yeux, l'école est un instrument de cohésion nationale et sociale. On y apprend le respect et l'amour de la patrie; la géographie, ignorante des autres terres, y détaille les merveilles et la variété du sol français; l'histoire insiste sur la formation de l'unité nationale et souligne que la volonté de vivre en commun s'est forgée au milieu des épreuves.

La suppression de l'enseignement religieux a provoqué la colère de la droite; les conservateurs ont raillé la morale, à leur sens trop vague, que la République entendait imposer. Si cette morale est parfois maladroitement formulée, elle ne manque pas de rigueur dans son fond. Avant tout, il s'agit de préparer les jeunes gens à vivre dans une société qui est celle du libéralisme, de l'industrialisation et du capitalisme. On y insiste sur le respect des autres, de leurs droits, de leurs biens. Chacun vivra à sa place, s'efforçant de progresser par ses vertus et son labeur, aidant les autres à s'élever eux aussi. L'acharnement, les mérites, sont payants; mais la collectivité et ses règles ne peuvent pas être remises en question; il s'agit de bien se persuader que l'on ne saurait mieux réaliser ses virtualités dans un autre milieu.

Les connaissances pratiques sont adaptées à ce dont peut avoir besoin un cultivateur, ou un bon ouvrier non qualifié : lire pour s'informer des procédés récents, compter pour prévoir ses dépenses et son épargne. Il s'y ajoute des éléments simples d'observation : l'enfant s'habituera à observer, à chercher le pourquoi; il se défera peu à peu des croyances vagues et des superstitions; le paysan attendra moins des forces célestes, et prendra garde à l'état de l'atmosphère ou à la nature du sol.

Dans leur esprit, les programmes sont positivistes, rationalistes; ils demeurent terre à terre, se méfient de la culture et des idées générales; ils font d'abord appel au bon sens moyen. Préparés par des bourgeois, ils tendent incontestablement à faire accepter, voire aimer, la société bourgeoise. On ne saurait en tout cas leur dénier la clarté, ni la logique.

L'organisation de l'enseignement primaire a connu de réels progrès au XIXe siècle. En revanche, la conception générale de l'éducation ne s'est guère transformée. Comme sous l'Ancien Régime, on se trouve satisfait avec trois niveaux bien distincts : les écoles élémentaires, destinées au peuple, les lycées, ouverts à la bourgeoisie, les grandes écoles ou les facultés chargées de recruter l'élite. Les familles ont le loisir de placer leurs enfants au lycée dès le début de la scolarité ; elles sont obligées de payer, puisque le secondaire n'est pas gratuit, mais elles ont la certitude que le *cursus* sera poursuivi, sans accident, de la onzième à la première. Le primaire ne conduit donc à rien, il constitue une fin en soi ; les jeunes gens qui l'abandonnent à quatorze ans n'ont qu'à se lancer dans la vie active.

Il apparaît vite que bien des adolescents seraient capables de faire mieux, tandis que de jeunes bourgeois perdent leur temps au lycée. La Chambre des Députés débat à plusieurs reprises du problème, sans que rien de sérieux ne sorte de ses discussions. L'échelon intermédiaire entre les classes élémentaires et l'enseignement classique est abandonné aux initiatives privées. Sous le Second Empire, des industriels ou de grosses entreprises fondent des cours d'apprentissage ; tel est le cas de l'imprimerie Chaix qui se charge de former, en deux ans, des typographes. De leur côté, des ouvriers, redoutant une trop forte mainmise patronale, organisent entre eux des classes du soir ; ainsi fonctionnent, de façon éphémère, des cours de menuiserie, d'imprimerie, d'orfèvrerie. Des philanthropes, soucieux d'éducation populaire, consacrent une partie de leurs loisirs à donner des leçons gratuites, destinées surtout aux adultes ; à Paris, l'Association philotechnique parvient, pendant plus d'un demi-siècle, à assumer la formation de plusieurs centaines d'élèves.

Ces tentatives n'ont qu'une maigre portée. Il en va autrement avec la création d'écoles municipales dans la plupart des grands centres ; des villes comme Nantes, Le Havre, Lille, Paris s'efforcent ainsi de pallier les insuffisances de l'instruction publique. On ne retiendra, à titre d'exemple, que trois écoles de la capitale fonctionnant suivant des règles identiques, Colbert, Lavoisier et Turgot. Il s'agit d'institutions privées, établies dans des quartiers où dominent l'artisanat et le petit commerce. La ville y possède un droit de regard grâce à ses subventions qui couvrent une partie des dépenses matérielles, et surtout grâce aux bourses qu'elle attribue aux élèves. Les enfants sont reçus à quatorze ans ; une première année est consacrée à réviser les acquisitions du primaire ; puis viennent trois ans de formation technique ou commerciale ; bien que les connaissances théoriques ne soient pas absentes, l'orientation de l'enseignement est d'abord pratique et vise à donner un métier.

Les résultats sont bien minces. A l'aube du XXe siècle, sur cinq jeunes gens qui, à quatorze ans, sortent de l'école communale, un seul reçoit des rudiments d'instruction professionnelle ; quant aux cours prolongés pendant trois ou quatre ans, ils intéressent seulement 8 000 élèves.

Le secondaire se veut fermement étranger aux préoccupations pratiques ; il n'est pas un tout, il se borne à former les esprits, à les ouvrir aux différentes car-

rières que se réserve la bourgeoisie. De subtils débats sont engagés sur les méthodes propres à meubler les intelligences : faut-il faire appel d'abord à la mémoire
ou au jugement, insister sur l'acquisition ou la discussion des notions de base ?
Les instructions ministérielles apportent quelques modifications de détail, mais
le fond de l'instruction demeure identique ; comme sous l'Ancien Régime les
langues anciennes et les lettres « classiques » en constituent la partie principale ;
à l'aide de textes éprouvés, les jeunes gens s'initient à un mode de pensée et à un
certain vocabulaire ; dans toute la France, la progression est identique ; la « culture » secondaire constitue un bagage bien défini qu'on acquiert sans grand mal
dès lors que l'on peut payer assez longtemps pour achever le *cursus* scolaire.
Qu'elles soient ou non sanctionnées par le baccalauréat, les années de collège
suffisent pour imprimer une marque à laquelle se reconnaissent tous ceux qui en
ont bénéficié. Privilège de la classe moyenne, le lycée devient en même temps,
pour elle, un moyen de se distinguer, de marquer son originalité en face des autres
classes.

Il ne saurait donc être question de procéder à de vraies réformes ; des mises
à jour semblent suffisantes. Sous le Second Empire, on inaugure un « enseignement spécial », qui repose sur des bases identiques mais, détail peu important,
remplace le latin par les langues modernes et fait place aux sciences. Cette branche nouvelle a d'abord peu de succès et il faut attendre la fin du siècle pour que
la « section moderne » soit considérée comme l'égale de la section classique, sans
jouir d'ailleurs du même prestige.

Les constructions de lycées sont rares ; les grandes villes elles-mêmes se
contentent d'un établissement et l'on ne prévoit aucune implantation dans les
banlieues : il semble inutile d'élargir la clientèle. Au milieu du XIXe siècle,
110 000 garçons, représentant 3,4 % de la population masculine de dix à dix-
neuf ans, fréquentent des cours secondaires, publics ou privés ; au début du XXe siècle, ils sont 160 000, soit une proportion de 5 % ; sur une soixantaine d'années,
c'est une progression faible, inférieure à celle qu'a enregistrée le primaire.

Le lycée ouvre la voie de l'enseignement supérieur. Certains établissements
d'enseignement professionnel, comme le collège Chaptal, permettent de préparer
les grandes écoles scientifiques sans passer le baccalauréat, mais cette voie parallèle est rarement empruntée. On remarque, ici, le début d'une lente évolution.
Au milieu du XIXe siècle, le baccalauréat semble une consécration presque négligeable ; ce qui compte, c'est l'esprit secondaire, et le parchemin semble superfé-
tatoire ; entre 1840 et 1880, on ne consacre en moyenne que 3 500 bacheliers ;
dans les premières années de la République, quatre élèves sur cinq ne songent
pas à franchir l'obstacle final. En revanche, après 1900, on atteint rapidement
8 000 diplômes par an ; plus du tiers des élèves passe l'examen avec succès ; le
baccalauréat commence à constituer une valeur sociale, un brevet d'accession à
la classe moyenne.

Inquiétudes spirituelles   **229**

La vague remonte jusque dans les facultés, qui enregistraient 18 000 étudiants en 1890, et, vingt ans après, en déclarent deux fois autant. Cet engouement nouveau pour des titres anciens est parallèle au développement des carrières libérales dont nous avons noté l'importance autour de 1900 (fig. 9) ; être licencié ou docteur devient un moyen courant de s'assurer une situation.

Les promoteurs de l'école laïque ont pensé faire un pas décisif en arrachant à l'Église le monopole de l'éducation féminine. Les mesures que prend la République, en 1880, sont intéressantes à analyser : elles organisent un enseignement féminin qui est comme la réplique en modèle réduit de l'enseignement masculin ; en quittant le lycée, les jeunes filles n'auront acquis aucune compétence particulière, mais elles seront capables de comprendre les hommes de leur classe, d'utiliser le même vocabulaire qu'eux. Les républicains veulent émanciper la femme ; pour y parvenir, il leur semble suffisant de lui donner l'égalité morale.

Ainsi s'explique le développement des revendications féministes : les lycées ne conduisent qu'à un diplôme de fin d'études parfaitement inutilisable ; les jeunes filles qui passent le baccalauréat se voient fermer la plupart des issues ; il leur faut attendre la fin du XIXe siècle pour obtenir le droit de passer le doctorat en médecine, d'entrer aux Beaux-Arts, de se faire inscrire au barreau. En 1910, les femmes constituent le tiers de la population active ; or, dans les carrières « bourgeoises » : administration, professions libérales, elles occupent le cinquième des places ; encore la proportion est-elle faussée par le nombre considérable des institutrices (70 000 en 1896, 90 000 en 1911) et des employées de commerce (95 000 en 1896) ; dans les cadres supérieurs, la prépondérance masculine demeure écrasante ; au début du XXe siècle, Paris compte vingt doctoresses et une avocate ; les créations d'emplois sont, proportionnellement, deux fois plus nombreuses pour les hommes que pour les femmes et la plupart des lycéennes qui désireraient se faire une situation n'y parviennent pas : en 1898, l'administration des Postes qui cherche 200 employées reçoit 5 000 demandes, tandis que 700 jeunes filles se disputent les 80 places proposées par le Crédit Lyonnais.

L'enseignement a beaucoup changé au XIXe siècle ; il serait pourtant faux de parler de « révolution scolaire » ; les fonctions de l'école se sont peu modifiées ; les rudiments sont maintenant accessibles à tous, mais l'instruction demeure réservée à une élite ; le lycée, la faculté accusent la prépondérance de la bourgeoisie au point que la noblesse, jadis dédaigneuse à l'égard des collèges, se prend à y envoyer ses enfants. Ouverte à la masse, l'école primaire n'est pas démocratique dans la mesure où l'issue en demeure fermée. Un fait nouveau, d'une portée essentielle, s'est néanmoins produit : les campagnes ont accepté l'école qui les aide à rompre leur ancien isolement.

La raison mise en doute

Au moment où l'esprit positif gagne les classes élémentaires, où le rationalisme triomphe dans les lycées, le primat de la raison commence à être battu en brèche.

Le naturalisme littéraire est volontiers bavard ; sa fidélité au réel cache mal un système d'explication aux allures scientifiques. L'art échappe vite à une semblable tentation ; les progrès décisifs de la photographie tuent le réalisme : aucun tableau ne fixera jamais l'instant comme le fait un cliché. L'impressionnisme se veut bien fidèle à la nature, mais il ne prétend ni la dominer ni l'expliquer ; il se soumet au contraire à ses leçons.

Sa première conquête est l'élimination du sujet ; il supprime l'anecdote encore chère à Courbet et ne prend aucun souci de la cohérence interne ; une toile lui apparaît comme une représentation destinée à être vue, non comme un sujet de discours : la peinture exprime ce qui échappe à la parole.

Indifférents aux choses, les impressionnistes ont la passion de la vie ; ils vont travailler en plein air, là où ils pourront contempler le monde dans toute son effervescence. Observateurs ingénus, ils sont sensibles au changement qui est la loi de la nature : le réalisme s'est enfermé dans une impasse en voulant donner une image durable de ce qui est fugitif. L'impressionnisme réintroduit le mouvement dans l'art ; tout ce qui fuit, l'eau, le vent, la lumière, les attire ; Pissarro, Sisley, Monet ne se lassent pas de regarder la Seine ; les gares et leurs trains prêts au départ, les rues en fête bordées de drapeaux claquants attirent Monet qui sait aussi, de jour en jour, revenir à un même spectacle, pour y saisir les jeux du soleil et de l'ombre. Les savantes combinaisons de couleurs, les mélanges, les dégradés, qui donnaient un sentiment de continuité, sont abandonnés ; les impressionnistes préfèrent des teintes franches, tranchées, ils juxtaposent les touches, laissant à l'œil le soin de faire lui-même la composition des différents tons. Les impressionnistes ne dédaignent pas, par principe, la figure humaine ; Manet est au contraire un grand portraitiste ; pourtant, l'exactitude des traits, le respect de la physionomie leur importent peu ; ils ne montrent pas un individu, ils suggèrent une présence.

Sous le Second Empire, les impressionnistes sont vivement critiqués ; ainsi naît la légende des peintres méconnus et dédaignés par le public. S'il en était ainsi, si leur art avait été ignoré de la France entière, ils ne trouveraient pas place dans une étude sur la société ; seulement, la tradition est ici manifestement erronée. Les jeunes peintres s'imposent rapidement ; les amateurs abandonnent l'académisme et se rallient aux nouvelles tendances. A partir de 1880, Manet, Monet, Pissarro ne sont plus discutés ; le public, d'abord surpris, s'est accoutumé à leur manière, ils obtiennent des récompenses officielles, leurs œuvres passent dans les ventes, ils ont des imitateurs.

Bien que les impressionnistes se veuillent d'abord naturalistes, le succès de leur expérience marque la première atteinte portée au rationalisme; sans en avoir pleinement conscience, les spectateurs finissent par admettre que la réalité ne saurait être réduite à quelques règles extérieures, qu'on ne peut l'atteindre sans se plier à sa perpétuelle évolution.

La vogue du scientisme tenait à la conviction qu'un nombre plus ou moins grand de « lois » permettraient d'expliquer l'univers. Les progrès de la recherche, à la fin du xixe siècle, font évanouir un tel espoir. Le perfectionnement des techniques accroît la confiance éprouvée à l'égard des savants; Pasteur obtient, de son vivant, une gloire à laquelle peu de ses prédécesseurs ont atteint; pourtant, c'est uniquement l'aspect pratique de ses découvertes qui lui vaut la notoriété. S'il est admis que la biologie rend la médecine moins incertaine, que la chimie organique, la physique trouvent des applications dans la vie courante, les certitudes définitives semblent au contraire s'éloigner. L'astronomie, qui avait peu évolué au milieu du siècle, élargit son champ d'observation, elle apporte la vision d'un univers infiniment étendu au-delà du système solaire; les théories de Laplace, autrefois suffisantes, apparaissent presque dérisoires et bonnes tout au plus pour le domaine restreint au sein duquel évolue la Terre. A l'extrême fin du xixe siècle, la découverte de la radio-activité remet en cause les notions admises sur la matière; l'atome, élément tenu pour indivisible, se trouve pulvérisé; alors que les corps donnent l'illusion d'être pleins et denses, force est bien d'admettre que le vide y est prédominant. A chaque avancée de la science, le mystère de la vie semble s'épaissir; les chercheurs, retirés dans leur spécialité, évitent de procéder à des généralisations; le seul d'entre eux qui se tourne vers la philosophie, Henri Poincaré, s'étend longuement sur le caractère conventionnel de l'hypothèse et sur les insuffisances de la connaissance.

La science établit des échelles et des comparaisons; or il n'y a de mesure que pour la quantité et l'esprit échappe aux précisions chiffrées. Toute une génération, que dominent Boutroux et Bergson, s'inscrit en faux contre le déterminisme. Ses démonstrations échappent au public qui, cependant, en retient les données essentielles : l'intelligence, instrument adapté aux nécessités quotidiennes, ne peut nous faire connaître la réalité; nous n'atteindrons celle-ci que grâce à l'intuition. Les horloges battent le temps, les thermomètres indiquent la montée de la fièvre, mais il s'agit là de notions abstraites, sans rapport avec le réel qui est la durée vécue ou la douleur ressentie; les mots, les concepts emprisonnent ce qui est par nature insaisissable et nous empêchent de suivre, dans ses variations incessantes, ce qui est avant tout un jaillissement continu.

L'étonnant succès du bergsonisme, dans la première décennie du xxe siècle, ne tient pas seulement au snobisme de certains milieux parisiens; il répond à une attente de l'opinion et il coïncide avec le renouvellement de l'art, de la littérature, sous l'influence du symbolisme.

Les impressionnistes partaient de l'idée que l'on ne peut fixer un visage déterminé de la nature, puisqu'elle est changement constant ; mais ils essayaient, par une technique audacieuse, de restituer ces transformations. Leur démarche n'est-elle pas encore trop intellectuelle ? Ne revient-elle pas à présenter comme « vrai » le point de vue d'un observateur ? Les symbolistes estiment impossible de connaître l'univers autrement que par son image reflétée en nous ; nous avons chacun une perception subjective, et c'est elle qu'il convient de transmettre.

La confiance aux lois générales de l'univers s'estompe ; les symbolistes se replient sur eux-mêmes, résolus à observer leur propre vie intérieure. Comment exprimer ce qui est fondamentalement confus, et souvent aux frontières de l'inconscient ? Le dessin, la grammaire, les mots eux-mêmes sont autant d'obstacles. Il faut renoncer aux usages familiers de la peinture et du langage, recourir à des symboles, établir une correspondance entre les moyens d'expression courants et les émotions perçues.

Le symbolisme a eu des aspects étranges et a donné lieu à des fantaisies qui ne relèvent que de l'histoire littéraire. En revanche, ses maîtres ont été vite reconnus. Au début du xxᵉ siècle, la place de Verlaine dans la poésie française n'est guère discutée ; les peintres ont peut-être moins d'audience, mais le nom de certains d'entre eux, Odilon Redon, Maurice Denis, Bonnard, s'est déjà imposé. Les romans à la mode, le théâtre s'efforcent de faire une place aux émotions de l'âme et aux méandres de la psychologie ; de façon parfois maladroite, ils s'attachent à suggérer un monde situé au-delà des apparences.

Le modern style, dont nous avons déjà souligné l'importance, éclaire les préoccupations de la classe moyenne : c'est un art fuyant, incertain et inquiet ; par le refus des contours nets, des constructions régulières, il annonce une quête sans objectif déterminé. Les certitudes rationnelles, durement remises en question, ont fait place à une sorte de vide angoissé.

Le début du xxᵉ siècle est à la recherche d'une croyance ; mais il ne s'attarde guère sur les convictions religieuses ; sur ce point au moins, les leçons du positivisme puis du scientisme ont porté ; quelques conversions, annoncées avec bruit, loin d'influencer le public, donnent l'impression que la foi est liée à un certain milieu : seuls des intellectuels « bourgeois » se tournent vers l'Église, dernier pilier de l'ordre. Dieu semble dépassé et d'une relative inutilité ; la science ne l'a certainement pas remplacé ; elle s'est révélée commode, utile, mais elle n'a pas donné de raisons de vivre. A la veille de la guerre, le débat spirituel, qui a été constant pendant toute la seconde moitié du siècle, aboutit à une grande interrogation.

8. L'âge des foules

Au milieu du xixᵉ siècle, la foule, masse anonyme d'êtres humains qu'un hasard a momentanément rassemblés, tient peu de place dans la peinture, qu'elle soit romantique ou réaliste. Les groupes de Delacroix n'ont pas été constitués fortuitement, ils participent à une action commune, comme d'ailleurs les villageois de Courbet. Ce sont les impressionnistes qui donnent une place à la foule ; chez Manet, Renoir, Degas, des visages un instant entrevus, des couples, des formes incertaines constituent un arrière-plan mouvant et vague ; les hommes sont là, mais ils n'ont pas de personnalité, ils se confondent dans un ensemble sans contours. Vers la fin du siècle, ces allusions deviennent encore moins précises ; Monet, Van Gogh, Marquet se contentent de silhouettes, ombres agitées, étroites lignes noires sans aucune densité : la foule a totalement absorbé les individus.

Dans les rapports de police, dans les comptes rendus de presse, une préoccupation nouvelle se fait jour : on cherche à évaluer, à dénombrer les foules ; après une cérémonie ou une manifestation, les témoins prétendent établir un compte. L'administration lance des enquêtes, réclame aux préfets des précisions chiffrées, dresse et publie des statistiques ; les syndicats, les organisations politiques font le relevé de leurs adhérents : la quantité est devenue une notion importante.

Nombre et foule

On se trouve là en présence d'une sorte de paradoxe. Il est normal que les Anglais, les Allemands se sentent à l'étroit sur leur territoire national ; en un sens, le surpeuplement menace bien le Reich au début du xxᵉ siècle et l'obsession du nombre y est une réaction compréhensible. Au contraire, la France s'est ancrée dans la stabilité ; de 1860 à 1910, sa population n'augmente que de 2 millions de

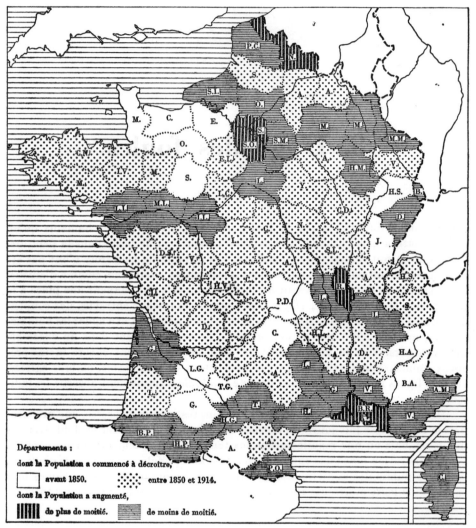

Départements :

dont la Population a commencé à décroître,

☐ avant 1850. ⠿ entre 1850 et 1914.

dont la Population a augmenté,

▥ de plus de moitié. ▤ de moins de moitié.

VIII. Concentration de la population française dans la seconde moitié du XIXe siècle.

personnes, ce qui représente un gain inférieur à 6 %. La densité au kilomètre carré s'est fixée autour de 70 personnes, alors qu'elle dépasse largement 200 en Grande-Bretagne.

Les moyennes sont évidemment trompeuses ; elles ne tiennent pas compte des changements locaux. Deux tiers des départements sont frappés d'hémorragie

La société française (1840-1914)

et se vident lentement (carte VIII) ; en revanche, des pôles d'attraction se sont constitués et la croissance y est comparable à celle que connaissent les pays noirs en Angleterre ou la Ruhr ; la densité kilométrique des départements du Rhône et du Nord approche celle de la Westphalie, celle de Paris dépasse celle de Londres. Les zones urbaines sont peu étendues en France, elles n'ont pas autant d'ampleur que chez nos grands voisins, mais, dans un certain périmètre, les phénomènes d'entassement sont absolument identiques.

La notion de foule n'est d'ailleurs pas simplement d'ordre comptable ; elle revêt un aspect qualitatif ; la foule, c'est le mouvement, l'agitation et le changement. Avant 1850, notre pays semble immobile ; chacun vit dans un cercle restreint, rencontre peu de physionomies inconnues ; dans les villes elles-mêmes, les divers quartiers sont autant de petits mondes clos.

La foule naît avec l'essor des moyens de communication. Le chemin de fer décuple la présence humaine en permettant à une seule personne d'être, en un court laps de temps, dans plusieurs endroits : les banlieusards sont, à la fois, habitants de leurs quartiers périphériques et citoyens des agglomérations dans lesquelles ils travaillent ; abandonnant quotidiennement leur domicile, ils ont une double existence. En 1850, les gares enregistrent deux fois moins de voyageurs qu'il n'y a d'habitants dans le pays ; c'est dire que la plupart des Français ne quittent pas leur localité ; en 1913, on arrive à une moyenne de treize trajets annuels par personne et ceux qui n'effectuent aucun déplacement constituent des exceptions. Dans les rues, on croise continuellement des figures inhabituelles ; les centres urbains abritent des touristes, des voyageurs, des curieux, bref un ensemble d'immigrants temporaires qui ne cesse de se renouveler.

Hiver comme été, boulevards et grandes artères sont envahis en fin d'après-midi. Durant les beaux jours, les bords de la Seine et de la Marne sont noirs de monde, partout où existe une petite station ferroviaire. Les voitures particulières se répandent : Paris compte 45 000 véhicules en 1891, 430 000 en 1910 ; en 1914, près de 100 000 automobiles sont déjà en service, ce qui suffit pour créer de vastes encombrements ; à la veille de la guerre, de longues files de véhicules s'immobilisent, à chaque fin de semaine, devant les sorties de la capitale. Un journaliste peut très sérieusement écrire, dans le Monde illustré du 14 décembre 1912 : « C'est un problème dont la gravité croît de jour en jour que celui de la circulation dans certains quartiers de Paris. D'ici quelque temps, la situation deviendra extrêmement périlleuse si on n'apporte aucune modification capable de changer radicalement ce fâcheux état de choses. »

Les goûts, la mode se plient aux lois du nombre. L'alimentation tend à s'uniformiser. Sous le Second Empire on note encore de grandes différences régionales ; la base de la nourriture varie d'une province à l'autre ; elle est constituée par le pain de froment en Provence, le pain de seigle et les pommes de terre dans le Nord, les pommes de terre et les châtaignes au sud du Massif central ; le paysan de la Vienne mange trois fois plus de viande que celui de la Corrèze. Au début du xxe siècle, le froment a presque partout triomphé, l'utilisation des légumes est à peu près identique dans les départements, l'écart entre les pays où l'on achète beaucoup de viande et ceux ou l'on en consomme le moins est de l'ordre de 30 %. Les conserves se répandent, les grandes marques de produits alimentaires sont vendues sur l'ensemble du territoire national.

Les transformations du vêtement sont aussi symptomatiques. Un examen des revues féminines montre un véritable tournant autour de 1890. Auparavant les modes impériales se perpétuent ; les robes portées par les femmes de la noblesse ou de la bourgeoisie sont adaptées à une existence inactive ; couvrant entièrement les pieds, elles sont prolongées par des traînes, surchargées de dentelles et de rubans ; elles exigent de longs métrages de tissus coûteux et ne peuvent être préparées que par des couturières expertes. Ouvrières et paysannes, portant jupe, corsage et tablier de confection grossière, sont tout de suite cataloguées par la simplicité de leur allure.

A la fin du xixe siècle, un double mouvement se produit. L'élégance devient simple ; les robes raccourcissent et laissent dépasser les chaussures ; les accessoires disparaissent, la taille se resserre, la rigueur, les lignes nettes remplacent la richesse et les ondulations ; seules les finitions laissent deviner la perfection du travail. De leur côté, les classes pauvres abandonnent les toiles sombres au profit d'étoffes colorées, et troquent les blouses pour des robes. En ville, les silhouettes féminines tendent à se ressembler.

Les loisirs évoluent à leur tour. Les plaisirs traditionnels ne disparaissent pas, mais ils se « démocratisent », c'est-à-dire qu'ils s'adaptent à une clientèle élargie. L'équitation cesse de constituer un privilège aristocratique ; les manèges se multiplient et offrent leurs services à la bourgeoisie. Longtemps, les propriétaires d'écurie ont été seuls à se retrouver sur les champs de courses ; puis les classes moyennes et les ouvriers s'y sont infiltrés ; certains hippodromes, comme celui d'Auteuil, demeurent des rendez-vous mondains ; en revanche, celui de Longchamp a pris un caractère nettement populaire.

Les sports ont d'abord constitué un passe-temps de gens riches ; certains d'entre eux, le yachting, l'aviation, le demeurent encore. Mais des activités moins coûteuses sont apparues. La bicyclette, définitivement mise au point en 1886, s'est vulgarisée ; en 1910, on compte un vélocipède pour quarante habitants ; ce moyen de locomotion est aussi un divertissement, un prétexte de rencontres et de sorties ; des groupes d'excursionnistes l'utilisent pendant les jours de fête. La bicyclette n'appartient à aucune classe ; même dans les milieux riches, on ne dédaigne pas de l'utiliser.

Les équipes sportives font leurs débuts. Jusqu'alors les exploits physiques étaient affaire d'entraînement et d'adresse personnelle ; les jeux de ballon, venus d'Angleterre, font d'abord appel au sens de la coopération, à l'esprit de groupe.

Les compétitions sont de moins en moins des tournois individuels ; elles opposent des associations, dont chaque membre pense surtout au succès collectif. Les courses ne se disputent pas seulement en champ clos : avec le Tour de France cycliste, inauguré en 1903, avec les circuits automobiles, des régions entières sont associées au concours, en suivent les péripéties, en commentent les détails.

Les réjouissances publiques n'échappent pas à la règle. Sous l'Empire, les grandes festivités sont encore celles qu'organise le régime ; un anniversaire, une victoire servent de prétexte à des parades, à un déploiement de faste destinés à prouver la force et la bienveillance du pouvoir ; la population y est associée par des bals publics, mais l'impulsion vient d'en haut.

La République prend une initiative d'une très grande portée quand elle fait du 14 juillet la fête nationale à partir de 1879. Le 14 juillet est le jour de la masse anonyme ; aucun nom propre n'y est associé : les Parisiens, indistinctement, ont mis fin à la monarchie absolue. Ce n'est plus le souverain qui organise les plaisirs de ses sujets, au jour qui lui convient ; les distractions sont préparées dans les divers quartiers des villes, dans les villages ; les concerts et les bals de carrefour, les feux d'artifice précèdent la revue qui devient non le point de départ, mais l'aboutissement de la fête.

Sur un autre plan, l'Empire a été mieux inspiré : il a inauguré les expositions universelles. La France n'avait jamais connu, auparavant, de spectacles attirant un aussi grand nombre de visiteurs. Une exposition est bien différente d'une foire, celle-ci eût-elle une importance mondiale : elle ne tend pas à faire vendre, à développer le commerce ; elle cherche simplement à plaire et à intéresser, elle fait appel à la curiosité et au désir de savoir. A cinq reprises, en 1855, 1867, 1878, 1889 et 1900, les Français se précipitent vers la capitale pour admirer en commun. La manifestation la plus réussie, celle de 1889, qui coïncide avec le centenaire de la Révolution, et qui a pour centre la toute nouvelle tour Eiffel, voit passer 25 millions de personnes. A ces diverses occasions, un effort est entrepris pour donner une impression de puissance, pour rassembler les badauds dans des enceintes gigantesques. Le Palais de l'industrie en 1878, la Galerie des machines en 1889, sont d'immenses bâtiments où le public a le loisir de se perdre. A l'exposition de 1878, on inaugure, au Trocadéro, une salle de concert prévue pour 6 000 personnes ; en 1900 on ouvre le Grand Palais, qui demeure, au sein de Paris, le plus important édifice consacré à des démonstrations publiques. Les responsables des différentes expositions ont compris qu'ils devaient adopter des proportions exceptionnelles et s'adapter aux caprices de la foule.

Les républicains interprètent en général assez bien les désirs d'un public désormais élargi aux dimensions de la nation. Ils exorcisent le souvenir napoléonien en associant le pays tout entier au culte des hommes utiles : au milieu d'un vaste concours de citoyens, le Panthéon reçoit tour à tour les dépouilles des généraux de la Révolution, des écrivains et des savants. D'autres cérémonies sont

L'âge des foules

dédiées à la démocratie : Paris, Lyon convient leurs habitants à inaugurer des statues de la République. Des manifestations particulièrement caractéristiques de l'état des esprits, à la fin du XIXᵉ siècle, sont les Banquets des maires : en 1889, en 1900, le gouvernement invite les premiers magistrats des 35 000 communes ; ces gigantesques agapes sont accueillies avec enthousiasme ; abasourdis de bruit, de chaleur et de discours, les maires quittent la capitale heureux et rassurés par ces démonstrations de masse.

Presse et information

Parmi les moyens de communication, le journal tient une place privilégiée ; le développement de la presse, parallèle aux progrès de l'instruction, est, du point de vue social, un des grands faits du XIXᵉ siècle.

Avant 1860, les publications périodiques ne sont que l'une des variétés de l'imprimerie. Les quotidiens, peu nombreux, font une carrière souvent rapide et disparaissent, faute de lecteurs. Les nouvelles ne vont pas vite : sous la Deuxième République seules quelques grandes villes reçoivent dès le lendemain les journaux de la capitale. L'impression, faite par des machines à plat, est lente, donc coûteuse, le papier absorbe l'encre et les feuilles jaunissent vite. En un mot, le journal a peu de choses pour plaire ; dans les périodes troublées, quand le public est anxieux, il se vend bien mais en temps normal ses débouchés demeurent limités : tirer à 5 000 exemplaires est honorable, dépasser 10 000 tient de l'exploit. Les hebdomadaires, les revues ont davantage de facilités : ils ont leurs abonnés qui constituent un public sûr. *La Revue des Deux Mondes*, lancée sous la Monarchie de Juillet, est particulièrement appréciée en province ; des clubs se fondent pour recueillir une souscription ; chaque livraison apporte un panorama politique qui date un peu, mais qui, à l'allure à laquelle circulent les informations, paraît suffisant ; au milieu du Second Empire, *la Revue*, dont 10 000 exemplaires sont régulièrement placés, atteint son point d'équilibre. *Le Figaro*, fondé en 1854, est, pendant une décennie, un hebdomadaire vivant lui aussi grâce à un fonds stable d'abonnés auxquels il fournit, sur un mode léger et humoristique, les derniers échos de la vie parisienne.

Une première mutation intervient vers 1865. Elle coïncide, pour une large part, avec le desserrement de la contrainte imposée par l'Empire : la censure se montre moins rigide, les rédacteurs jouissent d'une relative liberté. Parmi les feuilles qui montent et qui obtiennent une audience nationale, on trouve une forte proportion de journaux politiques : *la Lanterne*, pamphlet hebdomadaire rédigé par Henri Rochefort, débute avec 15 000 numéros en mai 1868, et dépasse 100 000 à la fin de l'année ; la verve de l'auteur, la violence des attaques qu'il dirige contre Napoléon III, lui ont valu ce succès. Rochefort n'est d'ailleurs que l'un des cent rédacteurs qui, au même moment, se lancent à l'assaut du gouvernement ; après des années de silence, les lecteurs sont avides de polémique. L'information cède ici le pas à la caricature ; les rédacteurs n'expliquent pas, ils attaquent et ils ensevelissent leurs adversaires sous les insultes ou les sarcasmes.

La presse satirique s'est désormais assuré un public qu'elle ne perdra pas. On peut ajouter qu'elle a, dès le départ, fait son plein ; après 1880, quand l'indépendance de la presse est totale, les lecteurs réagissent comme ils le faisaient durant les dernières années de l'Empire : leur fidélité à l'égard des journaux polémiques est épisodique ; si l'on découvre un scandale, ils se précipitent pour avoir des détails inédits ; le tirage monte, les rédacteurs s'essoufflent pour capter l'attention, mais assez vite les curieux se lassent, et les ventes s'amenuisent. Certains jours, *la Lanterne* a eu 160 000 acquéreurs ; au début du XXe siècle, les performances ne sont pas sensiblement meilleures : les amateurs de sensations fortes épisodiquement renouvelées constituent une clientèle assez peu variable.

Les journaux à sensation introduisent donc une note importante dans la presse française, mais leur apport n'est pas l'aspect dominant des années 1860. L'apparition des quotidiens d'information a une portée infiniment plus vaste. Le premier d'entre eux est *le Petit Journal* ; il naît en 1863 et, dès le départ, adopte une formule qui ne connaîtra guère de modifications par la suite.

Le Petit Journal n'a pas d'abonnés ; il est destiné à un public populaire qui ne disposerait pas de la somme nécessaire pour régler à l'avance. La rédaction n'a pas de fonds de roulement ; il lui faut chaque jour retrouver autant de lecteurs. Elle mise d'abord sur le bon marché : 5 centimes seulement, quand la majorité des autres publications valent au moins 10 centimes. Elle compte également sur une vaste diffusion : avec le chemin de fer, il est possible d'atteindre toutes les villes moyennes, où l'on constitue des dépôts. Surtout, *le Petit Journal* invente un style particulier. Il se veut politiquement neutre, se contente de communiqués anodins et ne donne pas d'opinion sur les événements du jour. Il respecte la propriété, la morale et l'ordre, rend régulièrement hommage aux autorités constituées. Son registre propre est le fait divers ; le moindre prétexte lui sert à raconter des billevesées et des anecdotes ; avec adresse, en un style clair et simple, il noie les faits importants sous les détails ; il a l'avantage immense de distraire en épargnant tout effort d'imagination ou de réflexion. S'il survient une crise politique, il la laisse passer ; en revanche, il ne perd rien d'un crime ou d'un incendie. En première page, il laisse une large place au feuilleton ; les aventures de Rocambole, dues à l'imagination délirante de Ponson du Terrail, alternent avec des récits sanguinolents consacrés aux bas-fonds des capitales ou aux jungles tropicales. En fait, le feuilleton poursuit la tradition immémoriale du roman populaire, mais, au lieu de paraître en livraisons vendues par des colporteurs, il sert, grâce à ses rebondissements indéfinis, à la diffusion du journal.

Contrairement à la presse satirique, la presse d'information n'atteint pas, d'entrée de jeu, son point maximum ; elle peut toujours progresser ; les catastrophes lui valent quelques succès exceptionnels, mais elle ignore les retombées brusques qui coulent les feuilles de polémique ; elle constitue une entreprise sûre : à la fin de l'Empire, avec 300 000 exemplaires, *le Petit Journal* domine de haut ses confrères ; on cherche à l'imiter, mais il n'est pas question de lui ravir ses positions. Partout, il s'est imposé ; dans des départements comme la Vienne, la Haute-Vienne, la Nièvre, il fait concurrence à la presse locale. Sous l'Ancien Régime, pendant la Révolution, la France avait déjà connu des pamphlets périodiques : Rochefort et ses émules n'inventent rien, ils ne font que moderniser. Au contraire, la naissance du *Petit Journal*, quotidien populaire, exclusivement destiné à une foule de lecteurs pressés et peu exigeants, constitue une nouveauté importante.

Les changements apparus avec *le Petit Journal* se précisent à la fin du siècle. L'information s'améliore grâce à l'utilisation systématique du téléphone et du télégraphe ; certaines rédactions ont un fil direct avec les capitales européennes et procèdent à des échanges de nouvelles avec d'autres journaux. Le reporter fait son apparition ; un homme comme Jules Huret inaugure en France le grand reportage ; explorant tour à tour l'Europe continentale, l'Angleterre, l'Amérique, il apporte des interviews, des descriptions qui donnent aux Français l'illusion de connaître l'étranger.

La question du tirage est bouleversée par la mise au point de la rotative qui sort jusqu'à 25 000 exemplaires à l'heure. Certes, les vieilles machines ne disparaissent pas ; revendues à bas prix, elles permettent de fonder d'éphémères publications ; leur survie explique le nombre considérable de périodiques qui voient le jour chaque année : en 1900, on ne recense pas moins de 6 000 feuilles et revues de diverses natures. Mais il existe un abîme entre les journeaux nés un jour, disparus le lendemain, et quelques très grands quotidiens qui ne comptent que par centaines de milliers de numéros et mettent en circulation trois ou quatre éditions successives.

Sans modifier ses recettes, *le Petit Journal* améliore sa diffusion ; il atteint 1 million d'exemplaires par jour au début du XXe siècle ; les résultats auraient peut-être été meilleurs encore, s'il n'avait commis une erreur : il a pris position sur l'affaire Dreyfus, ce qui a aussitôt inquiété son public.

Son expansion est d'ailleurs limitée par la concurrence. Au moment où les conditions d'édition s'améliorent, de nouveaux lecteurs apparaissent : vers 1890, la majorité des ruraux a reçu une instruction suffisante pour s'intéresser à un journal ; le réseau postal est assez dense pour que la presse parvienne rapidement au fond des campagnes. Dans les villes, la classe moyenne cherche des distractions que lui procure entre autres l'imprimé. La librairie traverse alors une période faste ; les éditeurs audacieux, tels Charpentier, Hetzel, Flammarion, se lancent dans les gros tirages ; on vend par dizaines de milliers certains romans de Zola, de Jules Verne. Les journalistes profitent naturellement d'un semblable mouvement de curiosité ; ceux qui découvrent une formule satisfaisant une fraction de l'opinion sont assurés de prospérer.

En 1876 naît *le Petit Parisien*, rival direct du *Petit Journal* ; de l'un à l'autre, les différences sont peu perceptibles. La présentation du benjamin est plus flatteuse, les rubriques sont mieux classées et mieux présentées ; surtout, la règle de l'abstention dans les affaires graves est respectée ; même quand son propre directeur devient ministre, *le Petit Parisien* reste à l'écart des passions publiques. Il atteint ainsi le million d'exemplaires au début du siècle, distançant définitivement son aîné.

Les quotidiens ne se condamnent pas tous à l'indifférence ; à côté d'une fraction de l'opinion qui entend ignorer les questions du moment, il en existe une autre qui désire comprendre. En 1884, *le Matin* introduit dans le concert une note originale. Son souci dominant est de ne rien laisser ignorer ; il se prétend universel et il s'acharne à paraître le premier informé. Il distribue également les récits à sensation et les nouvelles politiques ; mais, pour ces dernières, il adopte une méthode éclectique : ses colonnes sont ouvertes chaque jour à une opinion différente ; au cours de la semaine, un panorama complet est offert aux lecteurs. *Le Matin* a choisi une manière audacieuse, désinvolte, qui lui permet, en 1914, d'atteindre une diffusion identique à celle du *Petit Journal*.

D'autres journaux d'information paraissent en province. La presse française est loin d'être centralisée comme elle l'est devenue par la suite ; la majorité des publications voit le jour dans les départements où l'on imprime deux fois plus de quotidiens qu'à Paris ; chaque chef-lieu d'arrondissement a au moins un journal. Les positions sont souvent très tranchées : les quotidiens régionaux donnent des détails sur la vie locale, mais défendent également un point de vue politique. Dans *la Dépêche* de Toulouse, *la Tribune* de Saint-Étienne, *le Progrès* de Lyon, la première page est consacrée à l'éditorial, aux affaires gouvernementales, tandis que les pages suivantes recensent les accidents et les cérémonies familiales. Toute grande ville a généralement trois feuilles : une conservatrice, une modérée et une radicale ; on y trouve d'ailleurs des renseignements similaires, la page une étant seule différente.

Les quotidiens à fort tirage sont tributaires de la vente au numéro ; les annonces leur procurent peu d'argent ; industriels et commerçants ne croient guère à l'influence des périodiques et préfèrent les démarches directes ; les avis des particuliers sont confiés à des feuilles spécialisées, les *Petites Affiches*, qui existent dans la majorité des villes. Le budget publicitaire est ainsi fort réduit. Au-dessus de 200 000 exemplaires, les rentrées directes sont suffisantes ; *le Matin* assure à ses actionnaires des intérêts de 10 %. Mais les journaux qui n'ont pas atteint ce stade vivent péniblement ; ils en sont réduits à chercher des détails scabreux, ou à exploiter les coulisses du monde parlementaire ; pendant deux décennies, *la Libre Parole* de Drumont se tient à flot en éclaboussant la droite comme la gauche, et en exploitant de prétendues révélations.

Les subventions occultes constituent une autre ressource. Dans un régime d'opinion, comme l'est la Troisième République, il est tentant d'utiliser la presse pour faire triompher son point de vue. Des sociétés en difficulté, comme la Compagnie du canal de Panama, payent des rédacteurs pour obtenir quelques articles favorables au moment de lancer un emprunt. Au début du XXe siècle, des gouvernements étrangers ont eux aussi recours à cette méthode et des feuilles réputées pour leur sérieux acceptent cette forme de corruption.

Un certain nombre de journaux s'adressent plus spécialement à la bourgeoisie ; ils sont vendus 10 centimes, et ils ont un grand format, peu commode, qui ne permet pas de les parcourir dans les transports publics. *Le Journal des Débats, le Temps* se spécialisent dans le genre ennuyeux ; ils alignent, sur de longues colonnes compactes, une typographie pénible à déchiffrer ; du moins apportent-ils des nouvelles sérieuses et fournissent-ils des commentaires sur la situation. *Le Figaro* et *le Gaulois* sont des journaux mondains où l'on évoque la mode, les spectacles, les mariages princiers. Toutes ces feuilles ont un solide fonds d'abonnés qui leur permet de subsister sans atteindre 100 000 exemplaires.

D'innombrables revues voient le jour dans la capitale et en province ; chaque groupement amical, chaque association professionnelle peut se permettre de publier un bulletin et ce fait, banal aujourd'hui, marque alors un progrès ; les publications de toutes natures contribuent à rompre l'isolement, à préciser le sentiment d'appartenance à une communauté ; rendant visite à des cultivateurs du Bourbonnais et du Massif central, en 1912, Daniel Halévy aperçoit chez eux des exemplaires de revues agricoles et de périodiques politiques. Lors des grèves de 1900 et de 1907, les rapports de police signalent l'influence considérable des feuilles syndicales, qui ont tenu les ouvriers en éveil et propagé les mots d'ordre.

Le rôle politique des journaux n'est pas moins considérable ; ce sont eux qui ont, pour l'essentiel, transformé le procès d'un officier en affaire Dreyfus, révélé prématurément les soupçons du ministère de la Guerre, hâté la mise en accusation du capitaine, orchestré les rebondissements de la situation, propagé les fausses rumeurs qui ont embrouillé l'écheveau ; un quotidien, *l'Aurore*, a été lancé pour soutenir la cause des dreyfusards et, pendant dix-huit mois, n'a guère parlé que de l'Affaire ; les rédacteurs des deux bords ont mené leurs enquêtes, dont ils ont jour après jour publié les résultats ; sans la presse, il y aurait peut-être eu un scandale Dreyfus, des remous dans le monde politique, mais jamais la France entière n'aurait été à ce point bouleversée.

Les masses devant la politique

A travers l'Affaire se manifeste une autre donnée de la vie française : la vie publique est devenue une des préoccupations de la foule. Depuis le milieu du siècle, le suffrage universel a fait du nombre l'arbitre. Le Second Empire, régime autoritaire, né d'un coup de force, ne peut se passer de l'appui de l'opinion ; il dure aussi longtemps qu'une majorité de citoyens lui accorde sa confiance ; il commence à chanceler quand les électeurs se montrent réticents. Le régime attache tant d'importance aux sentiments du public qu'il oblige tous ses agents à établir périodiquement des rapports sur « l'état des esprits » ; l'empereur affecte de s'adresser au pays tout entier, par-dessus les états-majors politiques ; il se présente comme le défenseur des droits de la masse contre les prétentions des élites.

Quand ses adversaires reprochent à l'Empire son caractère plébiscitaire, ils soulignent ce phénomène essentiel. Le Second Empire, différent en cela du Premier Empire comme de la Monarchie censitaire, consacre l'ère des foules en politique. Le recours à la candidature officielle est dans la logique de ces prémices : le gouvernement indique pour qui l'on doit voter si l'on entend lui manifester sa confiance ; il sollicite de façon permanente l'acquiescement populaire.

La Deuxième République avait proclamé le suffrage universel, mais la bourgeoisie n'attendait qu'une occasion pour l'abolir ; Napoléon III, s'il en déforme l'usage, contribue à l'imposer définitivement ; en deux décennies, les Français s'habituent à l'usage du bulletin de vote ; ils en comprennent également les effets : chaque progression, même limitée, de l'opposition arrache à l'empereur de nouvelles concessions ; sur le plan local, les scrutins municipaux permettent d'éliminer les notables et de mettre en place des équipes plus jeunes.

Lorsque la République triomphe, les affaires publiques sont devenues un souci collectif. Les campagnes électorales sont généralement animées ; en 1877, les républicains ont fait un effort énorme pour créer des comités dans la plupart des arrondissements et pour organiser des réunions préparatoires ; dans la suite, leurs adversaires les imitent. Durant les semaines qui précèdent un scrutin, l'agitation est considérable ; les salles publiques sont prises d'assaut, les colleurs d'affiches se succèdent dans les rues. On a établi un relevé systématique de la place réservée aux élections dans la presse de la Haute-Loire en 1902 : quatre mois avant la date prévue, elles occupent déjà un tiers de la surface ; pendant le mois du vote, il n'est jamais question d'autre chose ; les candidats se répondent d'un bord à l'autre, les questions et les accusations fusent de toutes parts.

Les scrutins ont une fonction sociale évidente ; ils sont l'occasion d'un affrontement et d'une remise en question ; on leur attache une importance énorme, comme s'ils devaient entièrement changer le sort du pays. Les adversaires du suffrage universel se sont résignés ; s'ils condamnent cette pratique, ils s'y soumettent entièrement. Quand la période est calme, la participation n'est pas massive ; en revanche, dès que se présente une option bien tranchée, comme en 1877, en 1885 ou en 1902, on compte au moins 80 % de votants. Avec la succession des élections municipales, départementales et législatives, les Français sont amenés à exprimer un avis au moins une année sur deux ; or leur intérêt ne se relâche pas ; on entend souvent critiquer les candidats ou les querelles de tendance, mais le recours aux urnes n'est pas remis en question.

La foule intervient directement dans les deux crises qui secouent le régime à la fin du XIXe siècle. La fièvre boulangiste survient à un moment où l'usure du personnel parlementaire et le marasme économique ont provoqué un malaise sensible dans presque tous les milieux sociaux. Le mécontentement resterait diffus s'il ne trouvait le moyen de s'exprimer grâce à la presse et surtout grâce au bulletin de vote. Les plus violents des journaux parisiens, ceux qui savent profiter des colères du public, accablent le gouvernement ; à une Assemblée sans prestige, ils opposent un aventurier auquel ils ont inventé les mérites d'un grand soldat : le public s'enflamme, manifeste, acclame le héros du jour. Revenant au système plébiscitaire, Boulanger se présente à toutes les consultations partielles et les électeurs lui accordent massivement leur confiance. En eux-mêmes, le général et ses conseillers ne représentent rien ; leur éphémère succès tient uniquement à la violence des réactions populaires.

L'affaire Dreyfus a une autre portée ; ici encore, le prétexte initial est vite perdu de vue ; autour d'une erreur judiciaire, s'affrontent deux conceptions de la vie publique. Aux yeux des antidreyfusards, les élites de la nation, état-major, magistrature, doivent échapper à tout soupçon ; sur les détails, ils commettent parfois des bévues mais, pour l'ensemble, ils accomplissent une fonction indispensable et ils sont dans le vrai ; les critiquer aurait comme unique résultat de démoraliser le pays. Aux yeux des antidreyfusards, l'autorité de la chose jugée devient sacrée ; aucune preuve ne prévaudra là-contre ; le recours au faux sera légitime, s'il évite à la France de perdre confiance en ceux qui assurent sa défense.

Les dreyfusards n'attachent aucun prix à l'opinion des dirigeants ; ils voient dans les officiers, dans les juges, non les guides mais les gérants des affaires communes ; ils prétendent que les citoyens ont le droit de réclamer des comptes, dans la mesure où l'opinion est adulte et capable de juger sur pièces. Les antidreyfusards parlent technique : le dossier est compliqué, énorme, il faut des experts pour l'étudier ; les dreyfusards répondent par le bon sens : n'importe qui s'aperçoit qu'il y a des contradictions, des invraisemblances ; la lecture des pièces principales montre que les spécialistes se sont prononcés trop vite.

La campagne dreyfusiste met en question les milieux responsables ; elle constitue une telle rupture avec le passé que le monde politique en est effrayé ; qu'ils soient républicains, modérés ou radicaux, les leaders parlementaires n'osent pas aborder l'orage de front ; tous préféreraient l'oubli. Il faut un mouvement profond dans le public, une longue agitation pour obtenir enfin la révision.

Tous les Français se sentent directement concernés; des milieux ordinairement peu au fait de l'actualité se passionnent et se divisent : de l'automne 1898 à l'été 1899 il n'est question de rien d'autre dans les conversations. En apparence, l'ordre revient quand l'Affaire trouve son épilogue judiciaire. Pourtant, ses prolongements vont bien au-delà. Les élections suivantes sont marquées par un recul des partis modérés et une nette progression de la gauche. Cette évolution semble sans rapports avec le procès : les radicaux qui triomphent en 1902 ou en 1906 n'ont pas tous été d'ardents dreyfusards. En réalité, l'Affaire n'a été qu'une occasion; elle a donné aux électeurs une conscience plus nette de leur force, elle les a conduits à se détacher des responsables politiques qu'ils suivaient jusque-là; le monde parlementaire se trouve en grande partie renouvelé et de jeunes députés, ceux qu'on a appelés, par dérision, les « camarades », envahissent la Chambre.

Désormais, l'opinion influe directement sur le travail des élus. Tandis que les assemblées étudient les textes relatifs à l'avenir des congrégations, à la Séparation, ou, quelques années après, aux trois ans de service militaire, des pétitions circulent dans le pays, des motions sont expédiées à Paris, les ministres sont invités à aller exposer leurs projets dans des banquets et dans des réunions publiques. La Séparation, dont l'urgence n'est pas particulièrement sensible en 1905, est votée parce que la majorité du pays la réclame. La participation des masses à la politique perd son caractère épisodique; pour un demi-siècle, elle devient un des caractères de la vie publique en France.

Des citoyens responsables et actifs ont besoin de se concerter. Pendant longtemps, notre pays a ignoré les groupements politiques. Le gouvernement, qu'il soit monarchique ou impérial, a fait de son mieux pour les décourager; il ne s'est pas heurté à une forte résistance. Sous Louis-Philippe, les sociétés secrètes ont eu très peu d'adhérents. Pendant la Deuxième République, on a créé des comités électoraux, mais on n'a guère essayé de prolonger leur influence au-delà des périodes de scrutin. Après 1871, les Français se sentent, suivant le cas, royalistes ou républicains; ils connaissent ceux qui pensent comme eux, lisent les mêmes journaux, votent pour les mêmes personnes, sans que leur entente prenne une forme concrète. Nous avons déjà souligné la faiblesse des groupements syndicaux et des organisations socialistes aux premiers temps de la Troisième République : l'individualisme national s'accommode mal d'un cadre précis.

Ceux auxquels l'isolement semble trop pesant trouvent un centre de réunions et de discussions dans les loges maçonniques. Ainsi s'explique, probablement, le succès de la Maçonnerie, au moins dans le dernier tiers du XIXe siècle. Le Second Empire avait toléré cette société qui proclamait hautement son spiritualisme et sa volonté de concourir au progrès moral de l'humanité. Dans les premières années de la République, les différents « rites » avaient quelque 10 000 initiés; à la fin du XIXe siècle, ils dépassaient de peu 25 000 membres.

C'était apparemment assez peu, mais, en l'absence de toute autre formation, c'était déjà beaucoup.

L'étude de quelques loges, à Rennes, Rouen, Saint-Étienne, révèle une nette prépondérance de la petite bourgeoisie : détaillants, artisans, médecins de quartier, journalistes forment la majeure partie des effectifs. Souvent les réunions prennent la tournure de rencontres amicales. La politique y intervient également; depuis 1877, le « Grand Orient », c'est-à-dire la principale obédience française, a supprimé, dans ses statuts, toute allusion à la divinité; laïcisée, la Franc-Maçonnerie a, dans bien des cas, adopté une attitude anticléricale.

Autour de 1890, être franc-maçon consiste d'abord à figurer dans un cénacle réduit ; c'est, surtout en province, une sorte de distinction, une marque qui place au-dessus du commun de la population. La loge n'est pas toujours très fournie ; pourtant, elle réunit quelques personnalités en vue ; elle est, d'autre part, le seul club, la seule organisation permanente. Elle se trouve ainsi amenée à jouer un rôle important : on y choisit des candidats, on y prépare des campagnes de presse. Comme les francs-maçons sont peu favorables sinon hostiles au clergé, les ennemis de l'Église se groupent autour d'eux et les soutiennent.

Pendant deux ou trois décennies, la Maçonnerie devient une sorte de substitut : elle remplace les cénacles, les associations politiques, qui font à peu près complètement défaut. Son pouvoir lui vient alors de son quasi-monopole. Après 1900, quand le radicalisme triomphe, elle connaît une autre forme de succès : de nombreuses personnes sont persuadées que, pour réussir, pour obtenir un avancement, il faut avoir l'appui d'une loge. La fonction sociale de la Franc-Maçonnerie évolue, parce qu'elle ne répond plus aux mêmes nécessités depuis que se sont constitués des partis politiques.

Au Parlement, il existe, à l'aube de la République, des « groupes » ; ce ne sont guère que des formations de rencontre, sans discipline ni programme. Les députés se proclament « conservateurs », « opportunistes », « radicaux » sans attacher une grande valeur à l'étiquette ; au hasard des scrutins, les voix se partagent et chacun choisit la solution qui, sur le moment, lui semble préférable.

Les socialistes ont essayé de dépasser ce stade anarchique ; leurs divisions les ont empêchés d'aboutir, et ce sont les radicaux qui créent le premier véritable parti politique. A partir de 1894, de jeunes radicaux s'efforcent de nouer des relations avec la province ; ils ont des correspondants locaux, publient des appels dans la presse ; leur tentative répond certainement à un besoin, puisqu'ils mettent sur pied, en moins de deux ans, soixante-dix comités. En 1901, au cours d'un congrès national, se constitue le parti radical et radical-socialiste ; divisé en fédérations départementales, il trouve son unité dans une direction parisienne commune et dans la tenue d'assises annuelles.

Cette formation politique est spécifiquement française. Il ne s'agit pas simplement d'une machine électorale : les radicaux se sentent unis par un lien permanent ; ils condamnent l'individualisme de la société libérale et ressentent une profonde satisfaction à se retrouver entre eux. Pourtant, ils n'ont ni doctrine ni principe d'action ; les votes émis dans leurs assemblées ont un caractère vague et platonique ; ils redoutent les contraintes, en particulier celles de l'État et celle du nombre. Le parti constitue pour eux un moyen terme ; il est l'intermédiaire entre l'isolement de citoyens qui s'ignorent les uns les autres et les obligations que représente l'obéissance à une discipline de groupe.

Le refus de la centralisation apparaît jusque dans le mouvement socialiste. En 1905, les différents groupes socialistes sont obligés de s'unir, à la fois parce que la division interdit toute action efficace et parce que la France ne peut rester le dernier pays d'Europe où l'extrême-gauche se partage entre cinq tendances. La jeune S.F.I.O. accorde une réelle autonomie à ses fédérations ; elle tolère l'existence de fractions ayant, au sein du parti, leur appareil et leurs mots d'ordre propres ; les anciennes organisations ne disparaissent pas complètement ; elles ont toujours leurs partisans, elles dominent chacune un certain nombre de départements. Avec quelque 90 000 adhérents à la veille de la guerre, la S.F.I.O. représente une force imposante ; elle obtient des succès électoraux, bénéficie, en 1914, du sixième des suffrages exprimés. Pourtant, tout comme le parti radical, elle n'est pas devenue une formation de masse ; elle accorde à ses adhérents une grande liberté de critique et d'initiative.

Dans l'Allemagne de Guillaume II, un parti politique déclarant moins de 100 000 militants n'aurait guère de poids ; dans notre pays, ce nombre est suffisant pour placer la S.F.I.O. avant tous les autres groupements. La France répugne aux trop grands nombres. Il importe de souligner que les « ligues » n'y réussissent pas avant la guerre. La première d'entre elles, la Ligue des patriotes, est née en 1882, au temps des grands débats scolaires ; républicaine d'inspiration, elle s'est donné pour tâche de développer le patriotisme à l'école ; dépourvue d'organisation, elle s'est bornée à mettre sur pied quelques cérémonies. En 1888, elle se lance dans le boulangisme, ce qui lui vaut d'abord la fuite d'une grande partie de ses membres, puis la dissolution par voie judiciaire. Les passions nées de l'affaire Dreyfus provoquent d'autres tentatives. Les dreyfusards lancent la Ligue des droits de l'homme, qui survit à ses débuts parce qu'elle n'est pas une vraie ligue mais un petit comité d'intellectuels et d'hommes politiques. Les antidreyfusards se partagent entre une éphémère Ligue antisémitique, une Ligue des patriotes remise à flot et une Ligue de la patrie française. Cette dernière rappelle, par son recrutement, la Ligue des droits de l'homme ; elle s'oriente surtout vers l'action politique et finit par se confondre avec les groupes parlementaires de la droite. Seule la Ligue des patriotes réussit à se perpétuer, mais elle attend les années qui précèdent directement le conflit pour atteindre, à Paris seulement, un nombre important de sympathisants.

L'insertion des foules dans la vie politique est loin d'être achevée au début du XXᵉ siècle. Le suffrage universel fonctionne régulièrement, à tous les échelons de la vie publique ; les Français ont conscience de leur responsabilité en ce domaine, pourtant, ils préfèrent encore l'assumer seuls ; partis, syndicats, ligues commencent à peine à se former et leur influence demeure médiocre.

Variations du sentiment national

Le seul mouvement de masse qui rassemble la grande majorité des citoyens est celui du patriotisme. Certes, la France semble divisée, surtout vers 1910, entre nationalistes et internationalistes ; mais le pays est au-dessus de ces querelles ; le conflit porte sur les méthodes, non sur le fond : pour chacun, qu'il s'agisse de la droite ou de la gauche, l'essentiel est de servir la patrie.

Pour saisir les origines du mouvement national, il faudrait remonter bien au-delà du milieu du XIXᵉ siècle ; la France est alors une nation anciennement constituée et les événements politiques dont elle est le théâtre sous la Monarchie censitaire, l'influence qu'elle exerce en Europe, les transformations qu'imposent le développement des transports et l'essor économique ne font que renforcer son unité. Au long du siècle, notre pays est en Europe à peu près le seul qui ne soit pas secoué par l'agitation d'un groupement régional minoritaire.

De 1815 à 1854, la France ne participe à aucun conflit important ; les expéditions qu'elle entreprend dans la décennie suivante semblent bien lointaines. Les succès remportés en Crimée et en Italie, l'annexion de la Savoie, s'ils provoquent une satisfaction évidente dans l'opinion, n'ont pas de répercussions durables.

Après cinquante années paisibles, la soudaine victoire remportée par la Prusse sur l'Autriche crée un véritable affolement ; c'est bien le « coup de tonnerre de Sadowa ». Les Français ne se sentent pas à l'abri ; la fierté nationale est oubliée : on craint une guerre ruineuse, un long blocus qui réduirait à néant les progrès économiques réalisés depuis deux décennies. Le pays ne parvient pas, ensuite, à retrouver son calme ; l'opinion, anormalement nerveuse, balance entre la crainte et l'espoir et, lassée, accepte l'aventure dans laquelle le gouvernement impérial jette la nation durant l'été 1870.

Lorsque le conflit s'engage, bien rares sont ceux qui n'attendent pas une issue favorable ; il semble évident que notre pays, fort de ses traditions militaires, viendra à bout des Prussiens. Les premiers désastres suscitent deux réactions opposées. Pour certains, l'affaire est trop mal engagée ; les fautes accumulées par Napoléon III nous ont mis devant une situation sans issue ; il convient d'arrêter les frais, les pertes inutiles, de parer au risque de révolution intérieure, en signant rapidement la paix. Il serait injuste de ne voir là qu'une réaction de lâcheté ; les témoignages dont on dispose sur l'armée enfermée à Metz et conduite à capituler après une longue inaction sont, à cet égard, révélateurs. Au début, les soldats manifestent un réel enthousiasme, et récriminent contre l'inaction qu'on leur impose; puis la résignation s'installe; quand l'issue devient évidente, très peu d'hommes songent à tenter une percée pour rejoindre les troupes combattantes; 80 000 prisonniers, accablés, convaincus qu'ils payent les erreurs du gouvernement, se laissent emmener en Allemagne.

L'attitude inverse est également fréquente. Des milliers de volontaires viennent se mettre au service des autorités; on improvise en hâte des officiers, des régiments qui opposent à l'ennemi une résistance imprévue; nous l'avons déjà noté, la longue défense de Paris, et les troubles du printemps 1871, ont pour origine un sursaut d'orgueil national.

La guerre a coûté très cher. Le pays en sort diminué, isolé dans le concert européen, contraint au recueillement. Un effondrement sans précédent, l'occupation étrangère, laissent de longues traces dans l'esprit public. Si la France est gravement divisée, du point de vue politique, jusqu'en 1879, l'unanimité est facilement réalisée dès qu'il s'agit des questions de défense. Jusqu'au boulangisme et même jusqu'à l'affaire Dreyfus, l'armée semble au-dessus des querelles partisanes : elle est l'instrument de la nation, quel que soit le régime; le ministère de la Guerre, celui de la Marine sont à peu près toujours confiés à des officiers supérieurs et entourés d'un respect qui permet à leurs titulaires de conduire à leur gré les états-majors.

En moins de quatre ans, l'Assemblée nationale mène à son terme la réorganisation militaire; la bourgeoisie n'est guère satisfaite par l'instauration du service obligatoire, mais elle n'ose pas y faire obstacle et se contente d'aménagements : personne ne peut s'opposer de front à des changements que la presse et le public suivent de près.

Les conservateurs acceptent, sur ce plan, l'œuvre de la République à laquelle ils ont d'ailleurs contribué. Beaucoup de nobles, qui avaient méprisé les régiments impériaux, peuplés de parvenus, reprennent du service; dans les unités de cavalerie, on trouve un nombre croissant de noms aristocratiques.

L'armée n'appartient à personne. Cependant, la gauche lui accorde une attention toute particulière. Elle voit, dans les casernes, le complément des écoles; elle considère que les bons citoyens doivent être à la fois instruits et patriotes. La patrie et la République sont désormais confondues; il faut les aimer assez pour être prêt à les protéger; comme l'écrit en 1882 Jean Macé, l'un des propagateurs de l'enseignement laïque : « L'important, c'est de commencer tout de suite et de donner aux campagnes de France le spectacle de leurs enfants se préparant, dès l'école, à défendre le sol de la patrie, si jamais l'étranger essayait de venir le fouler. »

A travers la littérature enfantine, à travers les livres populaires, on retrouve l'image de la France telle qu'elle apparaît alors dans la masse. Un des ouvrages les plus souvent réédités, le Tour de France par deux enfants (1877), fait une minutieuse description du pays : il est beau, varié, harmonieux, il mérite qu'on lui voue un amour sans mesure. Nombreux sont les écrivains qui s'interrogent sur la défaite ; tous, qu'ils s'appellent Zola, Daudet, Victor Margueritte, arrivent à la même conclusion : la nation n'a pas failli à son devoir, ce sont les chefs qui ont trahi. Mais la France est capable de surmonter l'épreuve ; de nombreux historiens se penchent sur l'œuvre du Consulat et du Premier Empire ; malgré le discrédit qui frappe le bonapartisme, Napoléon reste admiré : il est celui qui a montré comment la France savait se relever.

Jules Verne, dont la célébrité est alors considérable, célèbre, de façon souvent naïve, les mérites des Français : bernant les méchants Anglais avides et déloyaux, ils font triompher le bon droit et obtiennent d'éclatants succès ; la vue du drapeau tricolore suffit à faire rentrer un égaré dans le droit chemin, car, comme le souligne l'auteur, le citoyen, « avant de s'appartenir, appartient à son pays ».

Il existe donc une sorte de culte de la grandeur nationale ; Déroulède, poète républicain, s'en est fait le chantre ; dans son journal, *le Drapeau*, il note, en juillet 1883 :

« Le Patriotisme qui est aussi une religion, a ses symboles et ses rites, comme il a ses apôtres et ses martyrs.

« Tous les ans, au 14 juillet, une foule nombreuse vient en pèlerinage au pied de la statue de Strasbourg.

« On pavoise la Madone de la Patrie, on la pare et on la décore...

« Elle est l'image du deuil et de l'espoir. Jeunesse des écoles, gymnastes français, fils d'ouvriers ou de bourgeois, toute la France adolescente et déjà virile courbe devant elle son front ému et lui consacre son cœur et ses bras. »

Le pays a besoin d'un dévouement silencieux ; dans le recueillement, les générations montantes se préparent à le servir. Pendant une quinzaine d'années, les Français entretiennent le souvenir de leur déconfiture et, sans se risquer à le dire trop haut, préparent la revanche.

L'expansion coloniale, lancée vers 1881 en Tunisie et au Tonkin, apparaît à ses protagonistes comme un moyen de rompre avec cette psychologie de vaincu. A cette date, les territoires d'outre-mer intéressent peu les continentaux ; seuls de rares économistes parlent des débouchés extérieurs, des marchés exotiques. Les débats qui s'instaurent à ce sujet sont instructifs : pour les uns, la France doit se lancer à l'aventure, sans objectif défini, mais avec le désir d'affirmer à nouveau sa présence dans le monde ; pour d'autres, une expansion périlleuse, favorable aux seuls hommes d'affaires, n'effacera pas la honte de 1870, qui doit toujours être réparée. Le second point de vue semble, à cette date, celui de la majorité, les expéditions coloniales sont jugées avec sévérité et la situation européenne demeure la grande préoccupation.

Le boulangisme, qui est décidément un des moments essentiels de cette histoire, doit être envisagé de ce point de vue. Tous ceux qui refusent l'acceptation resignée, qui reprochent au gouvernement parlementaire d'endormir les énergies, se retrouvent derrière un général tapageur. La France se sent de nouveau chatouilleuse sur son honneur et veut que les Allemands le sachent. Le mouvement nationaliste prend ainsi un double aspect : à l'intérieur, il exige un redoublement d'énergie ; à l'extérieur il entend prouver que la France est à nouveau debout. La première de ces revendications l'emporte sur la seconde ; en suivant la presse au long des années 1886-1889, on constate que les rédacteurs gardent en général leur sang-froid ; ils redoutent un conflit dont l'issue demeurerait bien incertaine ; s'ils insistent sur la détermination des Français, ils s'attachent également à calmer les esprits. Leur ardeur, contenue aux frontières, se tourne donc contre le « régime parlementaire qui [...] n'a donné que des preuves d'impuissance et de corruption». L'élan national finit en querelle d'institutions, la vague boulangiste s'enlise dans de minables antagonismes individuels.

Après l'explosion, le courant nationaliste semble refluer. La génération qui entre dans la vie publique autour de 1895 a peu de souvenirs de la défaite ; elle constate que notre pays tient à nouveau son rang dans le concert européen ; les pourparlers engagés avec la Russie donnent confiance aux Français ; la république la plus démocratique du vieux continent s'éprend d'une soudaine et étrange amitié pour l'empire le moins libéral ; les Russes, le tsar sont à la mode, parce que l'on attend d'eux une illusoire protection.

La question coloniale cesse de diviser le public. L'expansion s'est poursuivie, la France dispose d'un Empire qui lui est maintenant un sujet de fierté. Jules Verne est, ici aussi, un témoin précieux ; dans ses romans apparaissent Tombouctou, le Dahomey, la mystérieuse et attirante Afrique centrale. Quelques hommes d'argent trouvent, outre-mer, d'importantes sources de profit ; ils agissent sur l'opinion par la presse, par des expositions, par la propagande dont se charge une puissante association, l'Union coloniale. Pourtant, l'intérêt n'a qu'une faible part dans l'entreprise impérialiste ; les Français émigrent peu, sauf en Algérie ; ils laissent en friche la majeure partie de leur domaine africain. La colonisation est d'abord une opération à usage interne ; elle donne à chacun un sentiment d'orgueil serein : la nation rayonne sur le monde entier, elle apporte la civilisation aux contrées lointaines. Une imagerie pieuse montre les médecins militaires vaccinant des villages entiers, les missionnaires ouvrant des écoles. Même à gauche, une telle conviction prévaut ; comme le note Henri Brunschwig, l'impérialisme français est en son essence une vertu ; il est, théoriquement, humanitaire, désintéressé ; il rachète les erreurs passées, il fournit au pays la justification dont il avait besoin depuis 1870.

Vers 1900, la nation envisage de nouveau avec optimisme sa destinée ; l'unanimité se fait pour souhaiter la continuation de l'effort colonial ; des incidents mineurs comme celui de Fachoda suffisent pour provoquer des accès de fierté patriotique face à l'étranger. Ainsi, dans l'affaire Dreyfus, la fonction propre de l'armée, la nécessité de défendre le territoire en cas d'agression, ne sont-elles pas un instant remises en question. Nous avons défini ci-dessus l'enjeu réel : le conflit se noue autour d'une certaine conception de l'ordre social. Les tenants de la tradition défendent l'état-major, comme ils défendent toutes les hiérarchies ; leurs adversaires ne s'en prennent pas aux militaires en général, mais à ceux des officiers qui s'accrochent aux prérogatives de leur grade.

Comme la crise se prolonge, des deux côtés on finit par tomber dans l'excès. Quelques dreyfusards développent un antimilitarisme sommaire ; partant de faits exacts, ils dépeignent les casernes comme des bagnes où l'on ne songe qu'à martyriser les conscrits. A y regarder de près, on s'aperçoit vite que ces pamphlets ne mettent généralement pas en question la notion de patrie ; ils opposent au contraire le chauvinisme, admiration béate d'un seul pays, mépris pour les autres peuples, au vrai patriotisme qui est la reconnaissance des valeurs propres à chaque nation ; ils reprochent aux généraux de vouloir former des machines et non des citoyens libres, prêts à se sacrifier volontairement si la France en a besoin.

Le courant internationaliste qui, au lendemain de l'Affaire, se développe largement dans les milieux ouvriers, n'est donc pas simplement un mouvement pacifiste. Certes, les ouvriers se sentent plus proches des prolétaires allemands que des hommes d'affaires français. Témoins des rivalités économiques entre grandes puissances, ils affirment que ces conflits ne les intéressent pas et ils refusent de mourir pour le capitalisme. A son congrès de Bourges, en 1904, la C.G.T. précise : « Les travailleurs doivent se tenir rigoureusement en dehors des conflits entre nations et garder précieusement leur énergie pour le vrai combat syndicaliste contre le capitalisme. » Lorsqu'une forte tension oppose la France à l'Allemagne, en 1911, à propos du Maroc, les ouvriers, conformément à ces principes, assurent qu'ils ne se sacrifieront pas pour une cause qui leur est étrangère et parlent ouvertement de sabotage.

Il en irait autrement si la patrie était directement menacée ; les socialistes veulent éviter toute espèce de provocation, instaurer le recours à l'arbitrage, mais ils n'entendent pas laisser le pays sans défense ; Jaurès propose au contraire la mise sur pied d'une « armée nouvelle », d'une armée de citoyens qui serait la meilleure des protections. L'internationalisme prolétarien n'est donc pas sans nuance. A cause de l'affaire Dreyfus, il s'exprime de façon souvent abrupte et violente, mais il ne contrarie pas la permanence du sentiment national. L'hostilité des ouvriers à la guerre est conditionnelle, elle dépend de la forme que doit prendre le conflit.

Les antidreyfusards n'ont pas été regardants, quant à eux, sur le choix des moyens ; ils ont eu recours à la xénophobie, puis à l'antisémitisme ; s'adressant d'abord aux classes moyennes, toujours hostiles à la concurrence étrangère et sensibles au prestige social du clergé, ils ont fait du Juif un bouc émissaire ; la méfiance à l'égard d'Israël, latente dans l'opinion française, connaît un renouveau fulgurant à la fin du XIXe siècle ; les légendes médiévales sur l'usure, les meurtres rituels, la soif de domination mondiale réapparaissent et assurent le succès de journaux avides de scandale. La conspiration juive devient une explication universelle, qui évite de réfléchir : les Israélites sont partout, payent les socialistes, les politiciens, les francs-maçons ; il convient de les chasser pour sauver la patrie. Cette résurgence semble plus bête que dangereuse ; en réalité, c'est un nouvel antisémitisme qui naît au moment du procès Dreyfus ; contenu au début du siècle, il chemine lentement, pour exploser quarante ans après.

Au lendemain de l'Affaire, le nationalisme semble d'ailleurs vaincu. Indifférente à la situation extérieure, la France s'engage dans la longue querelle domestique qui accompagne la séparation de l'Église et de l'État. Les risques de conflit s'estompent ; les esprits avisés soulignent les progrès de la conciliation, les chances de compromis, et rappellent que l'imbrication des intérêts économiques rend presque impossible une guerre entre puissances industrielles. Vers 1908, Barrès constate avec amertume que l'idée de revanche semble bien oubliée.

Or, entre 1912 et 1914, les sentiments nationalistes opèrent une bruyante réapparition. La Ligue des patriotes multiplie les manifestations, organise des défilés de ligueurs rangés militairement. De jeunes écrivains célèbrent les beautés du dévouement à la patrie et quelques-uns de leurs devanciers, parfaitement à l'abri du péril de la mobilisation, soulignent la grandeur du sacrifice consenti volontairement à la communauté nationale.

Pour être comprise, cette résurrection doit être placée dans son contexte. Elle intervient d'abord durant une période où l'atmosphère internationale est chargée ; une crise éclate chaque année, tantôt en Afrique, tantôt dans les Balkans ; à plusieurs reprises, la guerre a été évitée de justesse ; l'angoisse gagne peu à peu, et chacun finit par s'attendre à ce qui paraît difficilement évitable. Dans le calme des années 1900, l'agitation nationaliste aurait rencontré peu d'écho ; au début de 1914, elle souligne des périls qui ne sont pas imaginaires.

La crainte est si réelle que les Français s'interrogent sur leur armée : est-elle prête ? Le débat sur la loi de trois ans, institué en 1913, n'a pas d'autre sens. Les adversaires du projet ne méconnaissent pas le péril ; ils estiment simplement que la tension européenne est suffisante et qu'il ne convient pas de l'aggraver par une mesure peu efficace. Leurs raisonnements n'atteignent pas le gros de l'électorat ; les élections de 1914 se font essentiellement sur la réforme militaire et le pays se prononce en majorité pour l'allongement du service.

Est-ce à dire que les « patriotes » l'ont emporté ? En examinant les résultats du scrutin de 1914, on constate que les nationalistes n'ont pas progressé ; leurs positions restent les mêmes qu'aux élections précédentes. Ils ne touchent en fait que des milieux restreints ; une enquête publiée en 1913 prétend montrer *les Jeunes gens d'aujourd'hui* et souligner la profondeur de leur abnégation au service du pays : il est très caractéristique qu'on y évoque uniquement le cas d'intellectuels appartenant aux classes aisées. Le nationalisme agressif est le propre de cercles étroits qui savent mettre à profit la situation.

L'opinion publique, elle, n'est pas belliqueuse. Une légende pieusement entretenue a présenté le peuple français se précipitant dans la guerre avec joie ; quelques bandes filmées — les premières actualités — ont montré des régiments quittant Paris, au début d'août 1914, sous les acclamations délirantes de la foule. L'étude de la presse, durant tout le mois de juillet, donne une impression bien différente. C'est la crainte qui y domine ; le pays réalise soudain ce que signifierait un conflit et il souhaite passionnément l'éviter. Quelle que soit leur nuance, les journaux s'attachent à relever les signes encourageants. Le pays semble prostré ; de jour en jour, il espère moins. Parfois, l'incertitude devient intolérable ; on préférerait le drame à cette sorte d'agonie. Ainsi s'explique le faux enthousiasme du 2 août : la déclaration de guerre apporte une détente et les applaudissements ne font que traduire la résignation à ce que l'on avait fini par admettre.

Le ministère de la Guerre avait prévu des désertions : elles sont extrêmement rares. La mobilisation a lieu dans le calme et cela n'a rien de surprenant ; seule une fausse évaluation de la situation avait pu faire prévoir une autre issue. Pendant tout le demi-siècle précédent, nous avons constaté à quel point le patriotisme demeurait vivant ; ses manifestations étaient certes différentes, mais l'internationalisme véritable avait très peu d'adeptes. Séparés par bien des questions politiques ou économiques, les Français partageaient une commune fidélité à leur pays que l'Église, l'école, la presse leur présentaient d'ailleurs comme le plus démocratique, le plus accueillant, le plus varié de toute l'Europe. La foule a rarement été aussi unanime dans ses réactions ; pendant plusieurs semaines, elle a partagé une même angoisse, puis elle s'est soumise à cette apothéose de la masse anonyme qu'est la constitution d'une grande armée moderne.

Conclusion

Fête impériale, Belle Époque : les clichés ont la vie dure. Avec le temps, le malaise rural, les crises, la colère ouvrière, les grèves, la guerre, la Commune apparaissent comme de simples accidents qui troublent, pour un court moment, cinq décennies de stabilité et de paix.

Les contemporains sont pour une bonne part responsables de cette déformation. Il faut chercher loin les doléances des pauvres, dans une presse syndicale mal imprimée, dans des rapports de commissaires de quartier ou des comptes rendus d'institutions charitables. La misère n'est pas voyante ; ce qui attire, d'abord, c'est l'image claire et heureuse que nous ont laissée les peintres. Impressionnistes et fauves font jouer des couleurs franches, vivantes, qui traduisent un élan enthousiaste. De Manet à Cézanne, les artistes ne mènent qu'un combat, celui de l'art nouveau ; aucun d'eux ne remet en cause la société. Danseurs de Manet, baigneuses de Renoir, promeneuses de Boudin et de Monet évoluent dans une atmosphère chaude où l'on ne perçoit ni ombre ni aspérité. Les réticences d'un Degas, d'un Van Gogh sont purement individuelles ; elles traduisent une insatisfaction personnelle et ne tournent jamais au réquisitoire. Une note grinçante se fait jour, vers 1910, avec le cubisme : elle est presque étrangère à son époque et préfigure la catastrophe qui vient.

Il est difficile de récuser en bloc le témoignage de la peinture, de ne pas admettre qu'elle nous révèle un monde tranquille et certain de son avenir. Pour ceux qui disposaient d'assez d'argent, c'est-à-dire d'assez de temps, les dernières années du XIXe siècle étaient certainement plus agréables, moins oppressantes que ne l'est notre époque ; on n'y craignait pas véritablement la guerre, on n'y redoutait aucun changement profond.

La France manifeste alors un surprenant équilibre. Elle s'est engagée, comme la plupart de ses voisins, dans une vaste transformation. Mais l'industrie l'a conquise lentement ; il a même fallu les pressions du pouvoir, les grands travaux de l'Empire, le plan Freycinet, pour accélérer le mouvement ; dans des domaines importants comme la construction, les petites entreprises familiales ont survécu. Le prolétariat urbain s'est constitué petit à petit par un glissement des campagnes vers les villes ; les banlieues n'ont pas été submergées par un flot d'immigrants, elles se sont élargies par auréoles successives, progressant à la même allure que les transports périphériques.

Des paysans sont devenus ouvriers. Néanmoins, le terme d'exode rural n'a guère de sens en ce qui concerne notre pays ; des cultivateurs sont partis, beaucoup d'autres sont restés. La France rurale avait connu, durant la première moitié du siècle, un fort accroissement démographique. Dans l'absolu, on y était très loin du surpeuplement : de larges espaces restaient à défricher, on pouvait gagner beaucoup sur les rendements. Pourtant, une rénovation des campagnes, une meilleure adaptation des ressources aux besoins auraient exigé une véritable révolution mentale ; il aurait fallu instaurer une forme de collectivité agricole d'autant plus difficile à réaliser que les exploitants n'avaient en général qu'un objectif : devenir propriétaires et s'assurer une solide indépendance. Les villages auraient peut-être connu des temps difficiles si n'était intervenu, à point nommé, l'appel de l'industrie ; déjà, un courant d'émigration s'était dessiné avant 1850 ; il ne cesse ensuite de grossir sans jamais devenir un torrent.

Campagne et ville se font contrepoids. La terre l'emporte encore, au moins dans les mentalités. Si les valeurs foncières ont perdu de leur attrait, toute famille désire posséder un coin de terroir, ne fût-ce qu'un simple jardinet ; les racines paysannes ne sont jamais complètement coupées, dans un pays où plus de la moitié des habitants vit dans des centres de moins de 2 000 âmes. Les crises elles-mêmes prennent une allure particulière, elles sont d'interminables périodes de langueur, et non de brusques contractions ; le malaise persiste, mais il est supporté avec la résignation de ceux qui croient fatale la succession des bonnes et des mauvaises années.

L'industrialisation de l'Angleterre s'est faite dans la hâte ; celle de l'Allemagne a, très vite, atteint au gigantisme. En France, la mesure semble avoir été la règle. Malgré cette lenteur qui fait, aux yeux de beaucoup, figure de sagesse, le pays s'est enrichi considérablement ; le capitalisme a connu d'aussi beaux jours qu'au-delà des frontières ; le loyer de l'argent est élevé, les capitaux assurent de solides intérêts ; la spéculation sur les valeurs, sur les terrains, constitue un passe-temps rentable.

L'optimisme bourgeois, la tranquille satisfaction que traduisent les peintres et bon nombre d'écrivains reposent sur des bases inébranlables. La monnaie paraît sûre, constante ; elle fournit une sorte de mesure-étalon qui permet de jauger la valeur sociale, l'influence, l'avenir de chacun ; le franc-or, solide depuis un siècle, est devenu une référence quasi universelle.

Parfois, ceux qui sont pourvus s'inquiètent : on parle trop d'injustice et d'inégalité autour d'eux. Pourtant, ils se rassurent en pensant que l'ascension sociale est relativement aisée dans une nation où la naissance n'est pas une garantie de succès : avec l'école obligatoire, l'analphabétisme semble condamné ; des emplois se créent dans l'administration, dans le commerce ; fonctionnaires, représentants, secrétaires sont des bourgeois en puissance, des candidats à la fortune et à la considération.

Les difficultés de la classe laborieuse ne sont pas ignorées ; simplement, on les tient pour de tristes survivances d'un passé qui s'évanouit peu à peu. Les ouvriers sont mécontents parce qu'il leur manque ce à quoi ils ont droit : leur part de fortune ; qu'on s'arrange pour la leur donner et ils se montreront satisfaits. Chez ceux qui veulent bien réfléchir, cette évidence se fait jour, de façon continue, pendant l'ensemble du demi-siècle. En août 1875, un conservateur, Armand de Melun, note, dans un rapport à l'Assemblée nationale : « La propriété porte avec elle une qualité précieuse : elle rend celui qui la possède plus rangé, plus laborieux, elle l'éloigne des distractions funestes, le retient près de son foyer, au sein de sa famille et occupe utilement ses loisirs. » La richesse est une chose bonne en elle-même, il convient donc de la propager. Ainsi, comme l'assure l'économiste M. Pittié en 1899 : « La solidarité s'établit forcément entre le capital et le travail par l'avantage qu'ils tirent tous deux de la production. » Vers 1840, les disponibilités étaient insuffisantes pour qu'une bonne répartition fût concevable ; maintenant, l'expansion économique permet d'envisager l'avenir avec confiance.

Les bourgeois au pouvoir sont rarement égoïstes et indifférents. Ils admettent que de grands progrès sont encore à réaliser, font confiance pour cela aux mécanismes naturels, et se montrent foncièrement optimistes en ce qui concerne le sort des autres classes. Ils se sentent investis d'une certaine mission ; dépositaires de la fortune du pays, ils s'efforcent de la gérer au mieux de leurs intérêts, qui leur paraissent se confondre avec ceux du pays.

Le progrès des institutions est leur sujet de fierté. La liberté, longtemps contenue, est devenue une réalité. La France s'est accoutumée à une forme de démocratie que certains trouvent illusoire mais qui, du moins, satisfait la majorité ; les citoyens tiennent à leur bulletin de vote, ils lui attribuent une immense importance et savent l'employer. Sous la pression du suffrage universel, les élites traditionnelles se sont effacées, les notables ruraux ont laissé leur place à la classe moyenne ; les nombreuses fonctions électives sont largement ouvertes, des ouvriers, des paysans parviennent à s'y établir.

Les institutions républicaines sont l'image de cette société. Mieux, la Troisième République n'existe que par et pour cette société. Elle est le régime idéal d'un monde à moitié paysan, prudent, frondeur en paroles et conservateur dans ses décisions. Elle donne leurs chances à ceux qui ont quitté les rangs du prolétariat et qui savent limiter leurs ambitions. Elle maintient l'ordre avec fermeté mais sans excès et elle rassemble toutes les classes dans la célébration d'une unanimité à la fois sentimentale et patriotique.

Au milieu de ce tranquille bonheur, la guerre, une guerre dont on avait beaucoup parlé mais que l'on souhaitait éviter, intervient comme une catastrophe. Elle rompt l'équilibre, crée une profonde, une irrémédiable cassure.

Ici se révèle la faille : le conflit est-il bien ce coup de tonnerre qui détruit l'harmonie préexistante ? Sans les hostilités, la France aurait-elle poursuivi son idylle ? La guerre, en fait, brouille toutes les perspectives. C'est par rapport à elle, par rapport à ces longues années de souffrance que le début du XXᵉ siècle nous semble souriant ; la « Belle Époque » n'est devenue belle que par la suite, quand on a connu son tragique épilogue. Mais la conflagration européenne n'aurait jamais eu de telles conséquences si la société française avait connu un réel équilibre ; simplement, la guerre a précipité une évolution déjà engagée.

En 1900, les campagnes sont très peuplées ; elles le restent même trop. Tandis que les produits agricoles se vendent mal, que le prix du terrain baisse, la condition des ruraux tend à se dégrader. Les paysans ne partent pas parce qu'ils s'accrochent au passé et parce que les villes leur offrent bien peu d'espoir. Quelques gros fermiers du Bassin parisien ou de Normandie ont réussi à mettre sur pied des exploitations modernes qui leur assurent de gros profits : ils font figure d'exceptions en face d'une multitude de moyens cultivateurs gagnant péniblement leur vie. Les villages ont toujours abrité un vaste prolétariat de manouvriers que les pratiques communautaires et l'entraide paysanne aidaient à subsister ; au début du XXᵉ siècle, les journaliers ont perdu ce cadre traditionnel ; ils subsistent misérablement avec, comme seule perspective possible, l'entrée dans un atelier.

Les campagnes restent silencieuses ; elles votent bien, ne manifestent pas. Pourtant, elles sont déjà emportées par un vaste courant de transformation. Sur ce plan, en dépit des apparences, la France n'échappe pas à la règle européenne ; elle n'a pas plus de stabilité que ses voisins, mais seulement une force d'inertie particulièrement accentuée. Depuis le XVIIIᵉ siècle, les cultivateurs ont lutté pour posséder le sol ; au moment où ils le détiennent enfin, ils sont contraints de l'abandonner ; pour rester fidèles aux leçons de leurs ancêtres, ils mènent un combat d'arrière-garde.

Le prolétariat ouvrier est moins nombreux, moins concentré qu'ailleurs ; la France n'a ni sa Ruhr, ni son Lancashire. Elle commence à recruter, pour les tâches vraiment ingrates, une main-d'œuvre étrangère, surtout italienne, qui se révèle extrêmement souple. Les ouvriers français ne se montrent pas trop remuants ; s'ils votent pour les socialistes, ils soutiennent mal les syndicats qui restent des groupements minoritaires. Parfois, les travailleurs font grève, puis, assez vite, ils rentrent dans le rang ; les manifestations réellement graves sont le fait des employés des grandes compagnies ferroviaires, ou des fonctionnaires ; mineurs, métallurgistes, tisserands, ouvriers de la chimie et du bâtiment, l'immense majorité du prolétariat semble se résigner à son sort.

De là provient sans doute l'indifférence des gouvernements. La France est l'un des pays où l'on se préoccupe le moins des conditions du travail en usine ; une législation sociale incomplète et dérisoire n'y est souvent pas même appliquée. Les prolétaires sont les victimes de cet équilibre si souvent évoqué entre villages et cités : ils ne représentent pas un nombre, une force suffisants pour que leur pression devienne dangereuse. Les villes ignorent leurs monstrueux appendices, les banlieues ; manque d'hôpitaux, d'écoles, de logements, de moyens de transport : les problèmes que le XXᵉ siècle n'arrive pas à résoudre datent du XIXᵉ siècle ; derrière une façade d'optimisme s'accumule un retard qu'il sera, dans les décennies suivantes, impossible de rattraper.

Les débats spirituels, les conflits d'idées retiennent plus l'attention que les réalités quotidiennes ; catholicisme, rationalisme, idéal républicain sont l'objet d'âpres querelles qu'ignorent la plupart de nos voisins. Les Français sont-ils particulièrement soucieux des grandes vérités ? En fait, il semble surtout qu'ils évitent de poser clairement les questions. L'instauration de la République, le conflit entre l'Église et l'État ne font que traduire le changement de la société et les progrès de la moyenne bourgeoisie ; mais jamais les choses ne se manifestent en pleine lumière. De la même manière, ni l'industrialisation, ni l'urbanisation ne sont franchement envisagées comme des phénomènes irréversibles ; on affecte de croire que l'« équilibre » durera longtemps encore. Le passé est déjà révolu, l'avenir ne semble pas encore engagé ; les Français vivent, durant un demi-siècle, une période intermédiaire.

Là réside sans doute un des caractères les plus étranges et les plus particuliers de notre pays. La société française a été l'une des premières, en Europe, à sortir de l'économie d'Ancien Régime ; mais, loin de profiter de cette avance, elle est demeurée, pendant une longue période, dans une sorte d'adolescence prolongée, éludant les problèmes qu'une guerre effroyable finira par lui révéler. Aujourd'hui, le monde du début du XXᵉ siècle nous semble infiniment lointain. Reconnaissons au moins que nous lui devons une bonne part de nos difficultés et de notre retard.

Documents

1. Paul Gauguin :
Paysanne au puits, au Pouldu (1890).
Collection Emery Reves, New York.

Gauguin vient d'avoir quarante-deux ans. Déçu par un voyage en Amérique centrale, il s'est enfermé dans un village breton où il travaille solitaire. L'attirance qu'il a ressentie, pendant longtemps, pour l'impressionnisme, est encore sensible : l'arbre, au fond de la cour, est comme une tache posée sur la toile ; le ciel et les nuages constituent un jeu dégradé de couleurs. L'année précédente, un nouveau groupe s'est manifesté : c'est l' « École de Pont-Aven », dont Gauguin est l'un des principaux représentants. La toile porte la marque du « synthétisme » qui est une annonce du symbolisme : le soin des formes, la délimitation précise de l'espace permettent de dépasser les impressions immédiates ; une construction très stricte — elle l'est même rarement à ce point chez Gauguin — suggère, au-delà d'une vision directe, un univers qui s'exprime à travers une de ses parties. Bien que le peintre ait travaillé d'après nature, le tableau échappe complètement à l'anecdote ; on voit à peine qu'il s'agit d'une ferme et d'une paysanne, rien ne rappelle la Bretagne.

2. Jean-François Millet :
Bûcherons dans la forêt.
Collection Rouart, Paris.

A Barbizon, où il s'est installé en 1849, Millet est devenu le patient observateur de la vie paysanne. Plus que ses tableaux aux couleurs médiocres, ses dessins, fermes et rigoureux, évoquent, comme autant d'instantanés, l'effort perpétuel du cultivateur ; le mouvement est absent ; seule l'immobilité traduit un labeur qui ne connaît pas de fin. Les formes semblent à peine esquissées ; elles sont pourtant d'une extrême précision ; trois silhouettes suffisent pour montrer le ramassage des branches, la confection puis le transport du fagot ; quelques traits mettent en place le cos-

tume de la paysanne : lourde robe en grosse étoffe, bonnet, capuche.

3. Vincent Van Gogh :
La Méridienne (1889).
Musée du Louvre.

Depuis un an, Van Gogh est dans le Midi. Il y a découvert le soleil, qui écrase ce tableau comme la plupart de ses œuvres à l'époque ; la lumière est totale, implacable, elle ne laisse aucune place pour l'ombre. Le peintre a renoncé à l'impressionnisme qui l'avait tenté pendant son séjour à Paris ; son dessin est rigoureux, sa touche précise. Il conserve ce goût de l'observation directe, cette affection pour les petites gens qui avaient marqué ses débuts et qui disparaîtront peu à peu avec la folie. La scène, réaliste et sans mystère, traduit le calme, l'acceptation de la vie la plus naturelle. Déjà, cependant, l'allongement des corps, l'insistance sur certaines courbes annoncent l'angoisse que révèleront les toiles suivantes.

4. Le marché de Meaux en 1890.

Les paysannes sont venues vendre quelques paniers de fruits ; immobiles, elles attendent les clients. Trois générations sont ici présentes, mais on les distingue d'abord mal : costumes, attitudes sont à peu près identiques. L'animation est faible. La campagne a, pour le marché, envahi la ville ; la paille jonche le sol, s'entasse au long des trottoirs ; pour quelques heures, les ruraux occupent la cité.

5. Sisley : Vue de Montmartre.
Grenoble, Musée de peinture.

Un ciel pâle et transparent, une prairie traitée par petites touches visibles, presque sensibles, les taches que font quelques maisons et un chemin : dans son extrême simplicité, le tableau est presque un manifeste impressionniste. Le Montmartre des années 1870 marque la limite de la capitale ; les constructions y ont déjà un caractère urbain ; pourtant, on y voit toujours des prés et des terrains vagues, on y soigne des arbres fruitiers ; des paysans y viennent en carriole.

6. Sisley : la Place du marché à Marly (1876). Mannheim, Kunsthalle.

Comme tous les impressionnistes, Sisley aime la campagne ; Marly, où il séjourne pendant cinq ans, est encore vers 1875 une bourgade de province avec de petites maisons basses, des rues sans pavés, peu de véhicules. Le tableau, dégagé des conventions classiques, témoigne d'une extrême liberté ; la construction est lâche, les perspectives comptent peu ; seules les teintes et les rapports entre plages de couleur ont de l'importance.

7. La Bourse de Marseille et la Canebière en 1872.

La transformation urbaine a déjà eu lieu. La Bourse a été installée dans un temple néo-classique. Les vieux immeubles bas, au toit en pente, aux fenêtres étroites, font place à de hautes constructions percées de larges baies. Un confectionneur industriel, qui occupe deux étages d'une maison de rapport, déploie ses enseignes publicitaires. Les chaussées, conçues largement, semblent excessives pour une circulation réduite où dominent les transports en commun (tramways à chevaux).

8. Le boulevard des Italiens, à Paris, en 1909.

Quarante ans plus tard. La rue a revêtu un nouvel aspect ; affiches et réclames s'étalent sur les murs, sur les kiosques. Le trafic est devenu dense à cause des innombrables voitures particulières qui encombrent la rue, stationnent au long des trottoirs ; automobiles et bicyclettes demeurent rares.

9. La gare du Midi à Bordeaux, en 1857.

La nécessité de protéger les voyageurs a imposé une utilisation habile, sinon très esthétique, du fer et du verre. Les wagons, bas, larges, peu aérés, apparaissent comme de vastes diligences. L'activité très réduite ne pose aucun problème de triage ou de garage.

10. Galerie des machines à l'Exposition universelle de 1889.

Le triomphe de l'architecture métallique (c'est également l'année de la tour Eiffel). L'armature, intelligemment conçue, permet un éclairage excellent. Les jambages de fer sont à peine visibles. Le système est parfait pour une grande démonstration publique ; il ne laisse cependant apercevoir aucune issue nouvelle : il faut le reprendre indéfiniment, ou changer de matériau.

11. Le premier « Bon Marché », 1852.

C'est simplement un grand magasin de modes et de nouveautés qui attire la clientèle par la variété de ses collections et la régularité de ses prix.

12. Percement de la place de l'Opéra, 1867.

La place actuelle était entièrement couverte de maisons et de ruelles étroites. Dès 1854, l'administration commença à dégager les principaux monuments de la capitale : Tuileries, Hôtel de Ville, Notre-Dame ; les immeubles furent expropriés puis démolis. Le document évoque bien l'importance des travaux et met en relief les énormes problèmes posés par le transport des gravats. Simultanément, Haussmann fait entreprendre des constructions nouvelles : Halles, églises (Saint-Augustin), théâtres (Châtelet, Opéra). Garnier, chargé de l'Opéra, conçoit sa façade comme un décor antique plaqué sur une salle aménagée de façon moderne et commode ; en 1867, les structures sont achevées mais elles n'ont pas encore reçu les sculptures qui doivent les agrémenter ; le fronton excessif, les trous béants qu'encadrent mal de pâles colonnes, dénoncent la médiocrité d'une architecture dominée par les souvenirs d'école.

13. Immeuble du Phénix aux Champs-Élysées (1900).

Après la belle période du fer, les architectes, depuis 1880, reviennent à la pierre. Les immeubles des grandes villes répondent désormais à un type fixé pour quatre décennies : entresol écrasé, deuxième et troisième étages mis en valeur, balcons aux niveaux supérieurs, chambres de service au sixième, sous les combles. L'extérieur prend une importance particulière ; sa richesse, son caractère solennel, montrent comment se voit la bourgeoisie au début du xxᵉ siècle. Le pastiche, le mélange arbitraire des styles (tel est le fond de l'éclectisme qui règne alors aux Beaux-Arts) sont ici particulièrement sensibles : évocation florentine pour le soubassement, éléments antiques dans la partie médiane, rappel des châteaux de la Loire au sommet. L'assemblage est nécessairement impersonnel et indifférent.

14. Van Gogh : le Café de nuit (1888). Collection Clark, New York.

Le « café » est devenu, à la fin du xixᵉ siècle, un point de rencontre, un des foyers de la vie collective. Les impressionnistes ont peint d'agréables guinguettes, rendez-vous de promeneurs et d'amoureux. Van Gogh montre, au contraire, un misérable débit de boissons en Arles : plancher nu, lumière crue et pauvre, clients falots, accablés de fatigue et d'ennui. Dans ses lettres, le peintre a commenté cette œuvre — ce qui, de sa part, est un fait exceptionnel. Il note : « J'ai cherché à exprimer que le café est un endroit où l'on peut se ruiner, devenir fou, commettre des crimes. J'ai cherché à exprimer comme la puissance des ténèbres d'un assommoir. » Van Gogh est parfaitement maître de sa toile. Les couleurs violentes et contrastées, la perspective rigoureuse, la convergence des lignes vers le vide de la porte ouverte suggèrent un univers implacable.

15. Albert Marquet : la Fête foraine au Havre (1906). Bordeaux, musée des Beaux-Arts.

La Normandie, mise à portée de Paris par le chemin de fer, est un but d'excursion pendant l'été. En 1906, Marquet et Dufy y font ensemble un voyage, au mois de juillet. Ils sont l'un et l'autre séduits par le caractère vivant et spontané des réjouissances organisées à l'occasion de la fête nationale. Cette peinture simple, sans effets, montre le changement de valeurs qui s'est opéré au début du xxᵉ siècle ; le fauvisme naissant a déjà trouvé sa pleine forme ; le sujet est simplifié, réduit à l'essentiel ; le trait, solide et exigeant, domine l'espace ; le jeu des tons exprime la joie de peindre — et derrière elle la joie de vivre qui est un aspect fondamental de l'art à cette date.

16. Soldats sur les fortifications pendant le siège de Paris, 1870.

Décidée en 1834, la construction d'une enceinte fortifiée autour de Paris a été menée à bien en 1840-1841. La ville est pratiquement imprenable ; assiégée pendant trois mois et demi (19 octobre 1870-4 février 1871), elle capitule faute de ravitaillement. Le tableau, postérieur au siège, montre le souvenir que la guerre laisse aux Parisiens : froid implacable, maigre nourriture, atmosphère sombre et tendue.

17. Août 1914.

Un détachement d'artilleurs qui va partir au front défile dans les rues de Grenoble. L'intérêt de cette photographie d'amateur, confirmant l'impression donnée par certains clichés pris à Paris par des professionnels, est de montrer, dans une importante ville de province, l'absence d'exaltation patriotique.

18. Salon de peinture, 1874.

Simple exposition annuelle largement ouverte à l'origine, le Salon est devenu, sous la Monarchie censitaire, le rendez-vous de l'académisme ; il se perpétue au long du siècle, même après que l'impressionnisme ait reçu droit de cité. On y entasse pêle-mêle des œuvres mythologiques, mystiques ou historiques que l'académie des Beaux-Arts vient scrupuleusement comparer et récompenser.

19. Jacques Grüber :
salle-à-manger (1900). Nancy.

Rompant avec l'éclectisme et avec le pastiche, l'« École de Nancy » a cherché à renouveler le décor de la vie par une association logique de tous les matériaux (ici, bois, métal, verre, étoffe, cuir), et par le recours à des formes courbes, ondulantes, évoquant les végétaux. Elle a voulu partir de l'ensemble, non des détails ; ainsi le maître-verrier Grüber a-t-il été amené à concevoir un mobilier complet.

20. Gravure de mode, 1876.
Paris, Musée du costume.

Surabondance de rubans et de dentelles, traîne interminable. Le buste émerge d'une sorte de soubassement où se perd le reste du corps. Une femme du monde a-t-elle des pieds ? Qu'en ferait-elle dans une existence consacrée aux conversations de salon ?

21. Aux courses d'Auteuil, 1910.

22. Élégantes à Deauville. 1912.

En un demi-siècle, la silhouette a complètement changé. La taille est moins marquée ; les garnitures se sont allégées ; la toilette est dessinée en pensant d'abord à l'extérieur.

23. Commission de direction
du Comité des Forges, 1914.

Le Comité a été créé en 1864, pour aider les maîtres de forges à se protéger contre la concurrence anglaise. Rassemblant tous les métallurgistes, il est devenu, sous la Troisième République, la plus importante des organisations patronales. En principe, sa compétence se limite aux questions techniques et commerciales ; cependant, il permet aux industriels d'organiser leur résistance aux syndicats.

24. Intérieur bourgeois.

Tentures et papiers à ramages ; abondance de bibelots, de tableaux. La bourgeoisie moyenne affirme sa richesse, son installation dans l'existence.

25. Couple bourgeois dans la rue, 1902.

26 et 27. Mobilier Second Empire.
Musée de Compiègne.

Le mobilier n'est pas épargné par le goût de la copie : Renaissance, XVIIIe siècle, sont pastichés avec une lourde insistance sur tout ce qui marque l'opulence et l'amour du confort.

28. Inauguration de la tour Eiffel, 1889.

L'apogée de la France bourgeoise et républicaine.

29. Réception mondaine, 1880.

Une autre société ; les derniers feux de l'aristocratie.

30. Claude Monet : le Déjeuner (1872).
Musée du Jeu de Paume.

Construction légère, suggérant, sans l'imposer, le sentiment de profondeur ; touche fine et nuancée qui abolit les détails dans l'ensemble. Le soleil traverse et anime le tableau ; il est partout, jusque dans l'ombre ; ses reflets multipliés font de la toile une grande variation sur des moments lumineux. L'aspect heureux, chaud, coloré de l'impressionnisme est ici particulièrement sensible. La bourgeoisie s'est d'abord insurgée contre cet art nouveau, peut-être parce que, délaissant le bouclier impersonnel de l'académisme, les impressionnistes révélaient le sens profond de l'existence et de l'insouciance bourgeoises.

31. Atelier de bonneterie, 1902.

Grande pièce sous les combles, sommairement aménagée avec de grandes tables et un petit poêle. La lumière électrique, surajoutée, est mal utilisée. Faute d'adaptation, l'ensemble est peu commode. La fabrication des vêtements demeure un artisanat ; les confectionneurs ne se distinguent des tailleurs ou bonnetiers en chambre que par le nombre des personnes employées.

32. Usines Dunlop d'Argenteuil, 1908.

L'éclairage bien réparti, les établis suffisamment hauts témoignent d'un effort d'imagination. On n'a oublié que les problèmes du personnel : station debout en permanence, entassement dans un espace réduit, difficulté des déplacements.

33. Atelier de peignage de laine, Reims, 1863.

L'élargissement du marché, les difficultés passagères du coton ont permis aux filateurs de laine de se moderniser. La pièce est exceptionnellement vaste ; les métiers sont automatiques, les ouvrières n'ont qu'une tâche de surveillance. Les courroies sans protection constituent le principal risque d'accident.

34. Ateliers métallurgiques Pétin et Gaudet à Saint-Chamond, 1862.

Installation déjà ancienne, modifiée au gré des besoins, sans plan directeur. Le marteau-pilon de conception moderne contraste avec l'enchevêtrement des poutres et des palans posés au hasard. Le travail se fait presque entière-ment à la main, dans des conditions extrêmement dangereuses.

35. Affaire de Decazeville, 26 janvier 1886.

Des mineurs exaspérés passent par la fenêtre l'ingénieur qu'ils tiennent pour l'agent d'exécution de la compagnie. L'incident dévoile la violence des conflits sociaux. La scène a été reconstituée, après coup, par un dessinateur qui insiste sur l'excitation et l'acharnement des ouvriers.

36. Grèves d'Anzin, 1884.

Les grèves sont particulièrement dures dans les mines. Les mineurs se connaissent bien ; ils sont fortement liés par la double solidarité d'un passé commun et d'un danger vécu journellement. Pour « garantir la liberté du travail », les autorités ont fait garder les puits par la troupe. Les grévistes sont venus manifester à la sortie de ceux qui ont pris le poste.

37. Grève générale à Marseille, 1901.

Vers 1880, l'agitation sociale se limitait à certains secteurs. A la fin du siècle, elle prend une ampleur nouvelle avec l'extension des syndicats. Des arrêts de travail paralysent toute une industrie ou toute une ville. Les grévistes se sentent plus sûrs d'eux ; ils n'hésitent pas à organiser des manifestations de rue, à paralyser la circulation par des défilés.

38. La grotte de Lourdes, 1870.

Les premières apparitions datent de 1854. En 1870, le sanctuaire n'est pas encore très connu et attire seulement des personnes de la région. Les grands pèlerinages nationaux commenceront après la défaite, pendant la période de l' « Ordre moral ».

39. Marcelin Berthelot.

2

3

4

9

11

10

12

13

20

21

22

23

24

25

26

27

28

31

33

32

34

38

Tableaux
chronologiques

ANNÉES	SOCIÉTÉ	ÉCONOMIE
1841	22 mars. Loi réglementant le travail des enfants : un enfant ne peut être employé avant huit ans et ne peut faire de travail de nuit avant treize ans.	Premier marteau-pilon au Creusot.
1842		11 juin. Loi sur les chemins de fer : l'État établit les tracés, se charge de l'infrastructure et concède l'exploitation à des sociétés.
1844		Inauguration d'une ligne télégraphique Paris-Rouen. Exposition de la première machine-outil.
1845	Maladie de la pomme de terre ; début d'une crise économique.	Fin du recensement industriel commencé en 1840.
1846	Mauvaise récolte de céréales.	Création des Forges de Basse-Indre. Maladie du mûrier. Voie ferrée Paris-Lille.
1847	Janvier-mars. Le prix du pain augmente de façon importante.	Mise en exploitation de la houille dans le Pas-de-Calais.
1848	25 février. Proclamation du « droit au travail ». 27 février. Création des Ateliers nationaux. 2 mars. Limitation de la journée de travail à dix heures à Paris, onze heures en province. Mars. Troubles dans les campagnes méridionales. 21 juin. Fermeture des Ateliers nationaux. 23-26 juin. Insurrection parisienne et répression. Juin. Mouvement de peur en province 9 septembre. Abolition du décret du 2 mars sur la journée de travail.	7 mars. Création d'un Comptoir d'escompte destiné à favoriser les opérations de portefeuille. 18 mars. Impôt supplémentaire de 45 centimes par franc.

La société française (1840-1914)

VIE SPIRITUELLE ET INTELLECTUELLE	POLITIQUE INTÉRIEURE ET PROBLÈMES INTERNATIONAUX	ANNÉES
	Période du gouvernement Guizot.	1841
A. Comte achève la publication du *Cours de philosophie positive.* Louis Veuillot fait de *l'Univers* le principal journal catholique. Hugo : *le Rhin.*		1842
		1844
Littré : *De la philosophie positive.* Burnouf : *Introduction à l'histoire du bouddhisme.*		1845
G. Sand : *la Mare au diable.* Michelet : *le Peuple.*		1846
Lamartine : *Histoire des Girondins.*	Juillet. Début de la « Campagne des banquets ».	1847
	22-24 février. Révolution à Paris, fuite du roi, proclamation de la République. 2 mars. Instauration du suffrage universel. 23 avril. Élection d'une Assemblée constituante au suffrage universel. 10 décembre. Louis-Napoléon Bonaparte est élu président de la République. Mouvements révolutionnaires en Italie, dans l'Empire d'Autriche et en Allemagne.	1848

Tableaux chronologiques

ANNÉES	SOCIÉTÉ	ÉCONOMIE
1849		Achèvement de la voie ferrée P. L. M. Création des Forges de Denain-Anzin et des Hauts Fourneaux de Maubeuge.
1850		
1851	Agitation rurale dans la région alpine.	Création des Messageries maritimes. L'oïdium commence à atteindre les vignes.
1852	Mars. Décret imposant aux sociétés de secours mutuels le contrôle de l'État. Développement des comices agricoles.	Mars. Création du Crédit foncier. Novembre. Création du Crédit mobilier. Ouverture des magasins *Au Bon Marché*. Enquête agricole. Décembre. Loi autorisant le gouvernement à décider par décret des travaux d'utilité publique.
1853	Instauration d'une caisse de retraites pour les fonctionnaires.	Création de la Compagnie des houillères et hauts fourneaux de Commentry et Imphy. La production de fonte au coke dépasse la production de fonte au bois.
1854	Juin. Renouvellement de l'obligation du port du « livret » pour les ouvriers.	L'État lance un emprunt qui peut être souscrit aux guichets du Trésor. Création de la Compagnie des hauts fourneaux, forges et aciéries de la marine et des chemins de fer. Sainte-Clair Deville met au point la fabrication industrielle de l'aluminium.
1855	Mauvaise récolte céréalière, dernière crise des subsistances en France.	Création de la Société générale maritime (Compagnie transatlantique) et des Magasins du Louvre. Exposition internationale à Paris.
1856	Percement de la rue de Rivoli, construction d'une aile du Louvre.	Fondation de la Belle-Jardinière.
1857		Crise financière.
1858		

La société française (1840-1914)

VIE SPIRITUELLE ET INTELLECTUELLE	POLITIQUE INTÉRIEURE ET PROBLÈMES INTERNATIONAUX	ANNÉES
	13 mai. Élection à l'Assemblée législative. Les voix se partagent entre les conservateurs et la gauche avancée. La réaction l'emporte dans toute l'Europe.	1849
15 mars. Loi Falloux établissant la liberté de l'enseignement secondaire.		1850
Courbet : *Un enterrement à Ornans*; *les Casseurs de pierres*.	2 décembre. Coup d'État de Louis-Napoléon Bonaparte.	1851
Leconte de Lisle : *Poèmes antiques.*	Février. La presse est soumise au régime de l'autorisation préalable. 2 décembre. Louis-Napoléon Bonaparte devient empereur des Français sous le nom de Napoléon III.	1852
Hugo : *les Châtiments.*	Haussmann préfet de Paris. Mise en route des transformations de la capitale.	1853
Berthelot réalise la synthèse de la glycérine. Lancement du *Figaro*.		1854
	Guerre de Crimée. La Russie est vaincue par la France et l'Angleterre.	1855
Flaubert : *Madame Bovary*. Pasteur montre qu'il n'y a pas de génération spontanée.		1856
Baudelaire : *les Fleurs du mal.* Millet : *les Glaneuses.*	Juin. Élections législatives, premier succès de l'opposition.	1857
Apparitions de Lourdes.		1858

Tableaux chronologiques

ANNÉES	SOCIÉTÉ	ÉCONOMIE
1859	Louis Reybaud : *Étude sur le régime des manufactures*. Paris annexe une partie de sa banlieue.	Juin. Convention entre l'État et les compagnies ferroviaires ; l'État garantit un intérêt minimum aux emprunts lancés pour la construction de nouvelles voies. Création de la Société générale de crédit industriel et commercial.
1860	Lavergne : *l'Économie rurale de la France*.	23 janvier. Traité de commerce entre la France et l'Angleterre abaissant les tarifs douaniers. Début d'un recensement industriel. Invention du moteur à explosion. Premier essai du convertisseur Bessemer en France.
1861		Création des Magasins du Printemps. Le réseau ferré dépasse 10 000 kilomètres.
1862		Enquête agricole. Les industriels sont gênés par la guerre de Sécession qui interrompt les importations de coton.
1863	Les ouvriers parisiens présentent une « candidature ouvrière » aux élections législatives.	Le phylloxera commence à atteindre les vignes. 23 mai. Loi autorisant la fondation de sociétés à responsabilité limitée. Juillet. Fondation du Crédit Lyonnais.
1864	17 février. Manifeste des Soixante. 2 mai. Le gouvernement autorise les grèves ouvrières. 28 septembre. Fondation de la Iʳᵉ Internationale ouvrière.	Création de la Société Générale et des Aciéries et Forges de Firminy. Mise au point du four Martin. Organisation du Comité des forges pour défendre la métallurgie contre la concurrence anglaise.
1865		
1866		
1867	1ᵉʳ avril. Ouverture de l'Exposition universelle. Mauvaise récolte céréalière.	Juillet. Loi dispensant les sociétés anonymes de l'autorisation gouvernementale. Effondrement du Crédit mobilier.

La société française (1840-1914)

VIE SPIRITUELLE ET INTELLECTUELLE	POLITIQUE INTÉRIEURE ET PROBLÈMES INTERNATIONAUX	ANNÉES
Mistral : *Mireille*.	La France soutient l'unité italienne.	1859
Difficultés entre le gouvernement et les catholiques.	23 avril. La Savoie est rattachée à la France. 24 novembre. L'Empire rend une certaine initiative à la Chambre.	1860
Inauguration des Concerts Pasdeloup. Création du *Temps*.	1861-1865. Guerre de Sécession aux États-Unis.	1861
	La France envoie une expédition au Mexique.	1862
Renan : *Vie de Jésus*. Début du *Dictionnaire de la langue française* de Littré. Fondation du *Petit Journal*. Création du Salon des Refusés qui permet aux impressionnistes de toucher le public. Manet : *le Déjeuner sur l'herbe*.	31 mai. Élections législatives, l'opposition a trente-deux élus.	1863
Le Play : *la Réforme sociale en France*.		1864
Claude Bernard : *Introduction à l'étude de la médecine expérimentale*. Taine : *De la nature de l'œuvre d'art*.		1865
Hugo : *les Misérables*. Verlaine : *Poèmes saturniens*.	Guerre austro-prussienne. L'Autriche est vaincue à Sadowa.	1866
Monet : *Femmes dans un jardin*. Fondation de la Ligue de l'enseignement. Création dans les lycées d'un enseignement spécial sans latin.		1867

Tableaux chronologiques

275

ANNÉES	SOCIÉTÉ	ÉCONOMIE
1868	Grèves à Paris.	
1869	16 juin. Grève à La Ricamarie, la troupe fait treize morts. 7 octobre. La troupe fait quatorze morts parmi les ouvriers.	Création des Magasins de La Samaritaine.
1870	Janvier. Grève au Creusot.	
1871	Fondation de l'œuvre des Cercles ouvriers.	Fusion Saint-Gobain-Perret-Ollivier.
1872	Juillet. Échec d'un projet d'impôt sur le revenu. Nouveaux impôts sur les produits de luxe et les valeurs mobilières.	Mai. Début d'une enquête sur les conditions du travail industriel. Fondation de la Banque de Paris et des Pays-Bas.
1873	Récolte céréalière exceptionnelle.	Début d'une période de baisse des prix. Enquête industrielle.
1874	Loi interdisant d'employer les enfants avant douze ans. Création de l'Inspection du travail.	
1875		Disparition de la garance.
1876	Fondation d'un syndicat de mineurs dans la Loire. Premier congrès ouvrier à Paris dominé par les coopérateurs.	
1877		Création du comptoir de Longwy pour écouler la production métallurgique. Le phylloxéra atteint tout le Midi. Premiers essais d'éclairage électrique.

La société française (1840-1914)

VIE SPIRITUELLE ET INTELLECTUELLE	POLITIQUE INTÉRIEURE ET PROBLÈMES INTERNATIONAUX	ANNÉES
	9 mars. Suppression de l'autorisation pour les journaux.	1868
Daudet : *Lettres de mon moulin.*	24 mai. Élections législatives ; gros succès de l'opposition.	1869
Taine : *De l'intelligence.*	8 mai. Plébiscite, les ruraux votent pour l'Empire. 19 juillet. La France déclare la guerre à la Prusse. 4 septembre. Proclamation de la République.	1870
Janvier. Apparition de la Vierge à Pontmain. Début des *Rougon-Macquart* de Zola.	28 janvier. Paris capitule. 18 mars. Début de la Commune. 10 mai. Traité de Francfort. La France perd 1 500 000 Alsaciens et Lorrains. 21-28 mai. Semaine sanglante, répression de la Commune.	1871
Début des pèlerinages à La Salette. Bizet : *l'Arlésienne.* Jules Verne : *le Tour du monde en 80 jours.*	27 juillet. Réorganisation militaire. Service obligatoire de cinq ans avec nombreuses dispenses.	1872
		1873
Monet : *Impression. Soleil levant.*		1874
Achèvement de l'Opéra de Paris. Manet : *Argenteuil.* Broca : *Instructions craniologiques.* Consécration du Sacré-Cœur de Paris.	Vote des lois constitutionnelles. Création de l'École supérieure de guerre.	1875
Renoir : *le Moulin de la Galette.* Fondation du *Petit Parisien.*	Février-mars. Élections législatives. Victoire des républicains.	1876
Pasteur établit le rôle pathogène des microbes. Le Grand Orient supprime de ses statuts toute référence à la divinité. Zola : *l'Assommoir.* *Tour de France par deux enfants.*	Reconstitution du parti socialiste. Octobre. Élections législatives. Victoire républicaine. Élimination des monarchistes.	1877

ANNÉES	SOCIÉTÉ	ÉCONOMIE
1878	Exposition universelle.	
1879	Congrès ouvrier de Marseille dominé par les collectivistes.	Juillet. Vote du plan Freycinet, qui prévoit la construction de 16 000 kilomètres de voies ferrées et la modernisation du réseau de canaux. Première installation téléphonique.
1880	12 juillet. Suppression du repos dominical obligatoire. La population de Paris dépasse 2 millions d'habitants.	La valeur vénale de la terre atteint son point maximum.
1881	Les religieuses remplacées par des laïques dans les hôpitaux de Paris.	Fondation de la société De Wendel.
1882	Août. Manifestations ouvrières à Montceau-les-Mines.	18 janvier. Krach de la Banque de l'Union générale. Début d'une crise économique. Enquête agricole. Première expérience de transport d'électricité sur une longue distance.
1883	Août. Réforme de la magistrature. Le personnel conservateur est liquidé. Fondation de la Fédération nationale des mineurs.	Nouvelles conventions entre l'État et les compagnies ferroviaires ; l'État renonce à son droit de rachat.
1884	Février-mars. Grève des mineurs à Anzin. Mars. Liberté syndicale. Choléra à Marseille.	
1885		Début de l'utilisation du procédé Thomas-Gilchrist. Un dirigeable vole au-dessus de Paris.
1886	Janvier-juin. Grève de Decazeville.	Premiers lampadaires électriques à Paris.
1887	Interdiction aux fonctionnaires de se syndiquer. Première bourse du travail à Paris.	Nouveaux tarifs douaniers ; élévation des droits frappant l'importation de la viande et des céréales.
1888		Première utilisation de l'essence pour un moteur à explosion.

La société française (1840-1914)

VIE SPIRITUELLE ET INTELLECTUELLE	POLITIQUE INTÉRIEURE ET PROBLÈMES INTERNATIONAUX	ANNÉES
		1878
		1879
Création d'un enseignement secondaire de jeunes filles.	Dissolution des congrégations non autorisées.	1880
16 juin. Enseignement primaire gratuit. 29 juillet. Liberté de la presse.	Intervention française en Tunisie. Août. Élections législatives.	1881
29 mars. Enseignement primaire obligatoire et laïque.	Fondation de la Ligue des patriotes. Scission du parti socialiste entre marxistes et réformistes.	1882
Loti : *Mon frère Yves.*	Occupation du Tonkin.	1883
Fondation du *Matin.*	24 juillet. Loi autorisant le divorce. Enquête de la Chambre sur la crise économique.	1884
Zola : *Germinal.* Maupassant : *Contes.* Juillet. Pasteur applique à un homme le traitement de la rage.	Octobre. Élections législatives ; recul des républicains.	1885
Constitution de l'Action catholique de la jeunesse française. V. d'Indy : *Symphonie cévenole.*	Création d'un groupe socialiste à la Chambre.	1886
	Tension franco-allemande.	1887
Zola : *la Terre.* Fondation de l'Institut Pasteur.	Élections municipales. Les socialistes conquièrent plusieurs municipalités. Le général Boulanger se lance dans l'action politique.	1888

Tableaux chronologiques

ANNÉES	SOCIÉTÉ	ÉCONOMIE
1889	Fondation de la Société des habitations à bon marché. Exposition universelle.	Faillite de la société de Panama et du Comptoir d'escompte.
1890	1er mai. Première manifestation nationale des travailleurs. Juillet. Abolition du livret ouvrier. Fondation de la Fédération des cheminots. Fondation du Touring Club.	
1891	Fondation de la IIe Internationale ouvrière. 1er mai. La troupe fait neuf morts parmi des ouvriers qui manifestent à Fourmies. Création de l'Office du travail. Conventions d'Arras réglementant les salaires dans toutes les exploitations minières du Nord.	
1892	Fédération des bourses du travail. Épidémie de choléra à Paris, de typhus au Havre et à Rouen. Grève des mineurs de Carmaux pour soutenir un mineur élu maire. Repos hebdomadaire obligatoire pour les femmes et les enfants.	Création du Comité central des houillères pour la vente du charbon. Relèvement des tarifs douaniers; remplacement des traités commerciaux par des conventions plus souples. Enquête agricole.
1893		Aménagements du port de Marseille.
1894	Juin. Loi réglementant la retraite des mineurs.	Début des taxis automobiles dans Paris.
1895	Fondation de la C. G. T.	
1896	Échec d'un projet d'impôt sur le revenu.	La bicyclette mise au point sous sa forme définitive. Enquête industrielle.
1897		

La société française (1840-1914)

VIE SPIRITUELLE ET INTELLECTUELLE	POLITIQUE INTÉRIEURE ET PROBLÈMES INTERNATIONAUX	ANNÉES
Van Gogh : *les Blés jaunes.* Bergson : *Essai sur les données immédiates de la conscience.* Inauguration de la tour Eiffel.	Dissolution de la Ligue des patriotes. Banquet des maires. 15 juillet. Service militaire de trois ans. Septembre. Élections législatives, effondrement du boulangisme.	1889
	Fondation du Comité de l'Afrique française.	1890
	Accord diplomatique franco-russe, prélude au rapprochement des deux pays. Novembre. Information judiciaire ouverte à propos de l'affaire de Panama.	1891
Debussy : *Prélude à l'après-midi d'un faune.* Invention du four électrique.	Février. Le pape invite les catholiques à accepter la République. Accord militaire franco-russe. Mars. Nouveau succès socialiste aux élections municipales. Début de la crise anarchique.	1892
Congrès des cercles d'études ouvriers, début du mouvement démocrate chrétien.	Août. Élections législatives, cinquante socialistes à la Chambre. Conquête du Dahomey.	1893
	Premiers comités radicaux en province. Décembre. Condamnation du capitaine Dreyfus.	1894
Premières projections cinématographiques en public.		1895
Congrès ecclésiastique à Reims. Découverte de la radio-activité.	Madagascar devient colonie française.	1896
Gide : *les Nourritures terrestres.* Richepin : *le Chemineau.*		1897

Tableaux chronologiques   **281**

ANNÉES	SOCIÉTÉ	ÉCONOMIE
1898	Mars. Une loi impose aux patrons la charge des accidents du travail. Échec d'une tentative de grève générale.	
1899	Mars. Journée de travail limitée à dix heures pour les femmes et les enfants.	
1900	Crise de surproduction dans le vignoble. Exposition universelle.	Début du métropolitain à Paris.
1901	Première coopérative vinicole dans le Midi. Impôt sur les successions.	
1902	Réglementation de la construction privée. Adhésion de la Fédération des bourses du travail à la C. G. T.	
1903	Premier tour de France cycliste.	
1904		
1905	Instauration du concours de la magistrature. Juillet. Loi prévoyant l'assistance aux vieillards et aux nécessiteux.	
1906	Mars. Catastrophe de Courrières et grèves dans le Pas-de-Calais. Juillet. Repos hebdomadaire obligatoire. Juillet. Grèves d'ouvriers agricoles dans le Bassin parisien.	Le nombre des personnes employées dans l'industrie dépasse 6 millions. Exposition coloniale à Marseille.

La société française (1840-1914)

VIE SPIRITUELLE ET INTELLECTUELLE	POLITIQUE INTÉRIEURE ET PROBLÈMES INTERNATIONAUX	ANNÉES
Découverte du radium.	L'affaire Dreyfus devient une affaire politique. Violente tension franco-anglaise à propos du haut Nil. Mai. Élections législatives. Fondation de la Ligue des droits de l'homme. Résurrection de la Ligue des patriotes.	1898
	Septembre. Révision du procès Dreyfus; fin de l'Affaire.	1899
Congrès ecclésiastique de Bourges. Nouvelle façade de la gare de Lyon.	Banquet des maires.	1900
	Fondation du parti radical. Loi autorisant les associations et imposant un contrôle aux congrégations.	1901
Réforme de l'enseignement secondaire, développement de la part faite aux sciences. Poincaré : *la Science et l'Hypothèse.* Renouvier : *le Personnalisme.* Debussy : *Pelléas et Mélisande.* Loisy : *l'Évangile et l'Église*; début de la crise moderniste.	Mai. Élections législatives, succès radical.	1902
	Nouvelle dissolution des congrégations non autorisées.	1903
Enseignement interdit à toutes les congrégations.	Décembre. Unification du parti socialiste. Accord franco-britannique.	1904
	Mars. Service militaire de deux ans; suppression de toutes les exemptions. Décembre. Séparation des Églises et de l'État. Crise franco-allemande à propos du Maroc.	1905
Février-mars. Incidents dans diverses régions rurales à l'occasion des inventaires d'églises.	Mai. Élections législatives, victoire radicale.	1906

Tableaux chronologiques

ANNÉES	SOCIÉTÉ	ÉCONOMIE
1907	**Février.** Échec d'un projet d'impôt sur le revenu. **Mars.** Grève des électriciens de Paris. **Mai.** Grève des ouvriers des ports et des ouvriers du bâtiment. **Juin.** Incidents dans le Midi vinicole.	
1908	**Juillet.** Grève du bâtiment, fusillade à Vigneux et à Draveil. Échec d'une tentative de grève générale. La Fédération des mineurs adhère à la C. G. T.	
1909	**Mars et mai.** Grève des postiers.	
1910	**Avril.** Loi sur les retraites ouvrières; retraite à 65 ans; participation de l'État. **Octobre.** Grève des cheminots et des inscrits maritimes.	Relèvement des tarifs douaniers.
1911	Grève du bâtiment.	
1912	Retraite ouvrière à soixante ans.	
1913	Grève des métallurgistes de la Seine et des mineurs du Pas-de-Calais.	
1914		

VIE SPIRITUELLE ET INTELLECTUELLE	POLITIQUE INTÉRIEURE ET PROBLÈMES INTERNATIONAUX	ANNÉES
Bergson : *l'Évolution créatrice.*		1907
Boutroux : *Science et religion dans la philosophie contemporaine.*	Crise internationale à propos des Balkans.	1908
Blériot traverse la Manche en avion. Monet : *les Nymphéas.*		1909
	Mai. Élections législatives, succès socialiste, recul radical.	1910
	Affaire d'Agadir. Crise franco-allemande à propos du Maroc. La France obtient la liberté d'action au Maroc.	1911
	1912-13. Guerre entre les États balkaniques. Nouvelle période de tension.	1912
Proust : début de *la Recherche du temps perdu.* Agathon : *les Jeunes Gens d'aujourd'hui.*	Juillet. Service militaire de trois ans.	1913
	Avril-mai. Élections législatives, les socialistes ont 1 400 000 voix. 3 août. L'Allemagne déclare la guerre à la France.	1914

Bibliographie

Cette bibliographie est limitée à cent cinquante titres. Le nombre est arbitraire : il fallait choisir une moyenne et celle-là paraissait raisonnable, au moins pour une orientation générale. Les histoires de la France au XIXᵉ siècle, les ouvrages d'ensemble sont généralement connus ; il n'a pas semblé utile de les rappeler. Sauf pour les statistiques, on n'a retenu que des livres publiés au XXᵉ siècle, et l'on a laissé de côté les articles de revues souvent difficiles à trouver. Les ouvrages qui ne comportent aucune indication de lieu ont été édités à Paris.

Documents

Statistique générale de la France

Annuaire statistique de la France, publication annuelle, 1874-1914.
Annuaire statistique. Résumé rétrospectif, 1911.
Annuaire statistique. Rétrospectif, 1961.
    Ces deux volumes contiennent un condensé commode de l'essentiel des données importantes pour le XIXᵉ siècle.
Statistique agricole décennale de 1852, 2 vol., 1858 et 1860.
Agriculture. Résultats généraux de l'enquête décennale de 1862, 2 vol., Strasbourg, 1868.
Stastistique agricole. Résultats généraux de l'enquête décennale de 1882, Nancy, 1887.
Stastistique agricole. Résultats généraux de l'enquête décennale de 1892, Nancy, 1897.
    Il s'agit d'enquêtes menées au niveau des départements. Elles donnent des renseignements sur les surfaces utilisées, les modes de tenure, la main-d'œuvre et le matériel, les prix.
Industrie en 1840-1845, 4 vol., 1847-1852.
Industrie. Résultats généraux de l'enquête effectuée dans les années 1861-1865, Nancy, 1873.
Statistique sommaire des industries principales en 1873, Nancy, 1874.
Résultats Statistiques du recensement des industries et professions en 1896, 4 vol., 1899-1901.
    Ces enquêtes portent sur le nombre des établissements, des ouvriers, des machines et sur les salaires, celle de 1873 est très incomplète.

Ministère du Commerce et de l'Industrie

Évaluation de la production, 2 vol., 1917.
Rapport général sur l'industrie française, sa situation, son avenir, 2 vol., 1919.
　　Élaborés pendant la guerre, par une enquête auprès de l'administration et des chambres de commerce, ces volumes donnent un tableau de l'industrie entre 1910 et 1913.

Ministère des Finances

Nouvelle évaluation du revenu foncier des propriétés non bâties en France, 1883.

Travaux

　　Il convient de rappeler deux synthèses récentes, conçues de manière différente, mais abordant les mêmes questions que le présent ouvrage :
DUPEUX, Georges : *la Société française, 1789-1960*, 296 p., fig,. tabl., A. Colin, 1964.
MAYEUR, Jean-Marie : *La France bourgeoise devient républicaine et laïque (1875-1914)*, in PARIAS, *Histoire du peuple français*, t. V, p. 43-244, 1964.

Évolution économique

AUGE-LARIBE, Michel : *l'Évolution de la France agricole*, XVII-304 p., A. Colin, 1912.
BAUD, Paul : *l'Industrie chimique en France*. Étude historique et géographique, 418 p,. cartes et fig., Masson, 1932.
BIGO, Robert : *les Banques françaises au cours du XIXᵉ siècle*, 304 p., Sirey, 1947.
BOUVIER, Jean : *le Crédit Lyonnais de 1863 à 1882. Les années de formation d'une banque de dépôts*, 937 p. en 2 vol., tabl., cartes, P.U.F., 1961.
CAMERON, Rondo E. : *France and the economic development of Europe, 1800-1914. Conquest of peace and seeds of war*, XVIII-586 p., fig., cartes, Princeton University Press, Princeton, 1961.
CAVAILLES, H. : *la Route française, son histoire, sa géographie*, 400 p., A. Colin, 1946.
Comité des Forges : *la Sidérurgie française, 1864-1914*, XII-626 p., graph., cartes, 1920.
DUPONT-FERRIER, P. : *le Marché financier de Paris sous le Second Empire*, X-246 p., Alcan, 1925.
FOLHEN, Claude : *l'Industrie textile au temps du Second Empire*, 535 p., fig., cartes, Plon, 1956.
GIRARD, Louis : *la Politique des travaux publics du Second Empire*, XXXII-415 p., A. Colin, 1952.
LABROUSSE, E. et coll. : *Aspects de la crise et de la dépression de l'économie française au milieu du XIXᵉ siècle*, XXIV-357 p., Imprimerie centrale de l'Ouest, La Roche-sur-Yon, 1956.
LEVAINVILLE, J. : *l'Industrie du fer en France*, VI-211 p., cartes, A. Colin, 1922.
LEVASSEUR, Émile : *Histoire du commerce de la France*, t. II, *De 1789 à nos jours*, XLV-871 p., graph., Rousseau, 1912.

Markovitch, Tihomir J. : *l'Industrie française de 1789 à 1864* : I. *Sources et méthodes* ; II et III. *Analyse des faits* ; IV. *Conclusion* ; 259, 277, 196, xii-336 p., fig., tabl., I.S.E.A., 1965-1966.

Russo, F. et coll. : *Sidérurgie et croissance économique en France et en Grande-Bretagne, 1735-1913*, 271 p., fig., tabl., I.S.E.A., 1965.

Toutain, J.-C. : *le Produit physique de l'agriculture française de 1700 à 1950* ; t. II : *la Croissance*, 295 p., I.S.E.A., 1961.

Prix, revenus, salaires

Aconin, Maurice : *le Prix des objets de première nécessité depuis cinquante ans*, 382 p., 1912.

Bouvier, Jean, Furet, François, Gillet, Marcel : *le Mouvement du profit en France au XIXe siècle*. Matériaux et études, 465 p., fig., tabl., Mouton, Paris-La-Haye, 1965.

Combe, Paul : *Niveau de vie et progrès technique en France, 1860-1938*, 618-xli p., P.U.F., 1956.

Cornut, Paul : *Répartition de la fortune privée en France par département et nature de biens au cours de la première moitié du XXe siècle*, 659 p., fig., cartes, A. Colin, 1963.

Fourastié, Jean : *Documents pour l'histoire et la théorie des prix*. Séries statistiques réunies et élaborées, t. I, xxxviii-577 p., A. Colin, 1961.

Marchal, Jean et Lecaillon, Jacques : *la Répartition du revenu national* : I. *Les Salaires* ; II. *Les Entrepreneurs, Agriculteurs, Prêteurs, Bénéficiaires de transferts* ; III. *Le Modèle classique, le Modèle marxiste* ; 669, 389, 395 p., tabl., fig., Génin, 1958.

Perroux, François : *la Croissance du revenu national français depuis 1780*, 125 p. dactyl., I.S.E.A., 1952.

Simiand, François : *le Salaire, l'évolution sociale et la monnaie*, xxix-586, 621, xliv-152 p., pl. h. t. Alcan, 1932.

Simiand, François : *le Salaire des ouvriers des mines de charbon en France*, 520 p., graph., Cornély, 1907.

Singer-Kerrel, Jeanne : *le Coût de la vie à Paris de 1840 à 1954*, 560 p., tabl., graph., A. Colin, 1957.

Démographie

Aries, Philippe : *Histoire des populations françaises et de leurs attitudes devant la vie depuis le XVIIIe siècle*. 573 p., fig., cartes, S.E.L.F., 1948.

Huber, Michel, Bunle, Henri, Boverat, Fernand : *la Population de la France*. Son évolution et ses perspectives, x-366 p., rééd., Hachette, 1965.

Pinchemel, Philippe, *Structures sociales et dépopulation rurale dans les campagnes picardes de 1836 à 1936*, 236 p., fig., cartes h. t., A. Colin, 1957.

Toutain, J.-C. : *la Population de la France de 1700 à 1959*, x-254 p., fig., tabl., I.S.E.A., 1963.

Études régionales

ARMENGAUD, André : *les Populations de l'Est aquitain au début de l'époque contemporaine*. Recherches sur une région moins développée (vers 1845-vers 1871), 589 p., cartes, graph., Mouton, 1961.

BABONAUX, Yves : *Villes et régions de la Loire moyenne, Touraine, Blésois, Orléanais*. Fondements et perspectives géographiques, 743 p., fig., cartes, pl. h. t., Aubenas, S.A.B.R.I., 1966.

BARRAL, Pierre : *le Département de l'Isère sous la Troisième République (1870-1940)*. Histoire sociale et politique, 597 p., cartes, A. Colin, 1962.

BERNARD, Ph. : *Économie et sociologie de la Seine-et-Marne, 1850-1950*, 303 p., cartes, A. Colin, 1953.

BLANCHARD, Raoul : *la Flandre. Étude géographique de la plaine flamande en France, Belgique et Hollande*, VIII-539 p., cartes, Danel, Lille, 1906.

BLANCHARD, Raoul : *la Densité de population du département du Nord au XIXe siècle*. Étude de dix recensements de population, 79 p., fig., Danel, Lille, 1906.

BOIS, Paul, *Paysans de l'Ouest*. Des structures économiques et sociales aux options politiques depuis l'époque révolutionnaire dans la Sarthe, XIX-716 p., carte, H. Vilaire, Le Mans, 1960.

BONNAMOUR, Jacqueline : *le Morvan. La terre et les hommes*. Essai de géographie agraire, VIII-455 p., fig., cartes, pl., P.U.F., 1966.

BRUNET, Pierre, *Structure agraire et économie rurale des Plateaux tertiaires entre la Seine et l'Oise*, 552 p., pl., cartes, Caron, Caen, 1960.

CHOLLEY, André : *les Préalpes de Savoie (Genevois, Bauges) et leur avant-pays*. Étude de géographie régionale, IV-755, pl., carte, A. Colin, 1925.

CHOMBART DE LAUWE, Jean : *Bretagne et pays de la Garonne. Évolution agricole comparée depuis un siècle*, 188 p., cartes, graph., P.U.F., 1946.

DEFFONTAINES, Pierre : *les Hommes et leurs travaux dans les pays de la moyenne Garonne (Agenais, Bas-Quercy)*, XXXIII-462 p., fig., pl., Lille, 1932.

DEMANGEON, Albert : *la Picardie et les régions voisines. Artois, Cambrésis, Beauvaisis*, 496 p., fig., pl. h. t., A. Colin, 1905.

DERRUAU, Max : *la Grande Limagne auvergnate et bourbonnaise*, 541 p., fig., pl. h. t., Delaunay, Clermont-Ferrand, s. d.

DUGRAND, Raymond : *Villes et campagnes en Bas-Languedoc. Le réseau urbain du Bas-Languedoc méditerranéen*, XII-638 p., cartes, tabl., pl. h. t., P.U.F., 1963.

DUPEUX, Georges : *Aspects de l'histoire sociale et politique du Loir-et-Cher, 1848-1914*, XII-631 p., cartes, graph., Mouton, 1962.

Enquête sur le Jura depuis cent ans. Étude sur l'évolution économique et sociale d'un département français de 1850 à 1950, XI-448 p., fig., cartes, pl. h. t., Lons-le-Saulnier, 1953.

GIBERT, André : *la Porte de Bourgogne et d'Alsace*. Étude géographique, XIV-639 p., fig., Jacques et Demontrond éd., Besançon, 1930.

GEORGE, Pierre : *la Région du Bas-Rhône*. Étude de géographie régionale, XX-691 p., cartes, pl. h. t., J.-B. Baillière, 1935.

HALÉVY, Daniel : *Visites aux paysans du Centre, 1907-1934*, 353 p., Grasset, 1935.

LAURENT, Robert : *les Vignerons de la Côte-d'Or au XIXe siècle*, 2 vol., 572 et 281 p., Les Belles-Lettres, 1958.

LÉON, Pierre : *la Naissance de la grande industrie en Dauphiné (fin du XVIIIe siècle-1869)*, XVIII-968 p. en 2 vol., cartes, fig., pl., P.U.F., 1954.

Levainville, J. : *le Morvan*. Étude de géographie humaine, 306 p., fig., cartes, pl., A. Colin, 1909.

Livet, Roger : *Habitat rural et structures agraires en Basse-Provence*, 465 p., cartes, pl. h. t., Orphys, Gap, 1962.

Lizerand, Georges : *Un siècle de l'histoire communale rurale. Versigny*, 138 p., cartes, Delalain, 1949.

Moreau, J.-P. : *la Vie rurale dans le sud-est du Bassin parisien entre les vallées de l'Armençon et de la Loire*. Étude de géographie humaine, 339 p., pl., cartes, Dijon, 1958, Les Belles-Lettres, Paris.

Musset, René : *le Bas-Maine*. Étude géographique. 496 p., cartes, pl. h. t., A. Colin, 1917.

Rambaud, Placide et Vincienne, Monique : *les Transformations d'une société rurale. La Maurienne (1561-1962)*, 285 p., fig., pl., cartes, A. Colin, 1964.

Sion, Jules : *les Paysans de la Normandie orientale. Pays de Caux, Bray, Vexin normand, Vallée de la Seine*. Étude géographique, viii-544 p., fig., A. Colin, 1909.

Vigier, Philippe, *Essai sur la répartition de la propriété foncière dans la région alpine*, 275 p., cartes, P.U.F., 1963.

Vigier, Philippe : *la Seconde République dans la région alpine. Étude politique et sociale* : I. *Les Notables* (vers 1845-fin 1848) ; II. *Les Paysans* (1849-1853) ; 530 p., P.U.F., 1963.

Monographies urbaines

Bastie, Jean : *la Croissance de la banlieue parisienne*, 624 p., fig., pl. h. t., P.U.F., 1964.

Beaujeu-Garnier, Jacqueline et Bastie, Jean : *Atlas de Paris et de la région parisienne*, 600 p. et album de 85 pl., Berger-Levrault, 1967.

Blanchard, Raoul : *Grenoble*. Étude de géographie urbaine, 163 p., pl., cartes, A. Colin, 1910.

Chambre de Commerce et d'Industrie de Marseille : *Marseille sous le Second Empire*, x-251 p., cartes, pl. h. t., 1961.

Chevalier, Louis : *la Formation de la population parisienne au XIXᵉ siècle*, 312 p., P.U.F., 1950.

Chevalier, Louis : *Classes laborieuses et classes dangereuses à Paris pendant la première moitié du XIXᵉ siècle*, xxvii-566 p., cartes, graph., P.U.F., 1958.

Daumard, Adeline : *Maisons de Paris et propriétaires parisiens au XIXᵉ siècle*, 1809-1880, 285 p., fig., pl. tabl., Cujas, 1965.

Dechelette, Charles, *l'Industrie cotonnière à Roanne*, 176 p., Roanne, 1910.

Dutacq, F. et Latreille, A. : *Histoire de Lyon* : III. *De 1814 à 1940*, 347 p., fig., pl. h. t., Masson, Lyon, 1952.

Laurent, Robert : *l'Octroi de Dijon au XIXᵉ siècle*, viii-174 p., fig., 1955.

Levainville, J. : *Rouen*. Étude d'une agglomération urbaine, 418 p., cartes, pl. h. t., A. Colin, 1913.

Marnata, F. : *les Loyers des bourgeois de Paris*, 1860-1958, ix-118 p., graph., A. Colin, 1961.

Pierrard, Pierre : *Lille et les Lillois*. Essai d'histoire collective contemporaine (de 1815 à nos jours), 325 p., pl. h. t., Bloud et Gay, 1967.

Pinkney, D. : *Napoléon III and the Rebuilding of Paris*, xii-245 p., pl. h. t., Princeton University Press, Princeton, 1958.

Rambert, Gaston : *Marseille. La formation d'une grande cité moderne*. Étude de géographie urbaine, 536 p., fig., cartes, Le Sémaphore, Marseille, 1934.

Classe ouvrière

BRUHAT, J., DAUTRY, J., TERSEN, E. et coll. : *la Commune de 1871*, 436 p., fig., port., Éditions Sociales., 1960.

BRUHAT, Jean et PIOLOT, Marc : *Esquisse d'une histoire de la C.G.T. (1895-1965)*, 384 p., Éditions de la C.G.T., 1966.

DUVEAU, Georges : *la Vie ouvrière en France sous le Second Empire*, XIX-607 p., Gallimard, 1946.

GUERRAND, Roger : *les Origines du logement social en France*, 360 p., Éditions Ouvrières, 1967.

HALÉVY, Daniel : *Essai sur le mouvement ouvrier français*, 300 p., Société nouvelle de Librairie, 1901.

JULLIARD, Jacques : *Clemenceau briseur de grèves*, 208 p., pl. h. t., Julliard, 1965.

KRIEGEL, Annie et BECKER, Jean-Jacques : *1914. La guerre et le mouvement ouvrier français*, 244 p. ill., A. Colin, 1964.

LEFEBVRE, Henri : *la Proclamation de la Commune, 26 mars 1871*, 493 p., pl. h. t., Gallimard, 1965.

LEFRANC, Georges : *le Mouvement socialiste sous la Troisième République (1875-1940)*, 445 p., Payot, 1963.

LEFRANC, Georges : *le Mouvement syndical sous la Troisième République*, 452 p., Payot, 1967.

LEROY, Maxime : *la Coutume ouvrière*. Syndicats, Bourses du travail, fédérations professionnelles, coopératives. Doctrines et institutions, 934 p. en 2 vol., Giard, 1913.

LEVASSEUR, Émile : *Questions ouvrières et industrielles sous la IIIe République*, LXXII-968 p., Rousseau, 1907.

L'HUILLIER, Fernand : *la Lutte ouvrière à la fin du Second Empire*, 84 p., cartes, A. Colin, 1957.

PIERRARD, Pierre : *la Vie ouvrière à Lille sous le Second Empire*, 532 p., fig., tabl., Bloud et Gay, 1965.

RICHE, Jean : *l'Évolution sociale des mineurs de Ronchamp au XIXe et XXe siècles*, 280 p., tabl., Éditions Jacques et Demontrond, Besançon, 1964.

Bourgeoisie

BARRAL, Pierre : *les Périer dans l'Isère au XIXe siècle, d'après leur correspondance familiale*, 247 p., pl., tabl., P.U.F., 1964.

BEZARD-FALGAS, Pierre : *les Syndicats patronaux de l'industrie métallurgique en France*, 428 p., tabl., Éditions de la Vie universitaire, 1922.

BOUDET, Jacques et coll. : *le Monde des affaires de Louis-Philippe au plan Monnet*, 768 p., ill., 1952.

DAUMARD, Adeline : *la Bourgeoisie parisienne de 1815 à 1848*, XXXVIII-661 p., fig., cartes, P.U.F., 1963.

FOLHEN, Claude : *Une affaire de famille au XIXe siècle. Méquillet-Noblot*, 142 p., A. Colin., 1955.

LAMBERT-DANSETTE, Jean : *Quelques familles du patronat textile de Lille-Armentières, 1789-1914*. Origines et évolution d'une bourgeoisie, XXII-813 p., Raorest, Lille, 1954.

MOTTEZ, Bernard : *Systèmes de salaires et politique patronale*. Essai sur l'évolution des pratiques et idéologies patronales, 267 p., Éditions du C.N.R.S., 1966.

PERROT, Marguerite : *le Mode de vie des familles bourgeoises, 1873-1953*, VIII-300 p., A. Colin, 1961.

THUILLIER, Guy : *Georges Dufaud et les débuts du grand capitalisme dans la métallurgie en Nivernais au XIXe siècle*, XII-254 p., pl., cartes, Paris, S.E.V.P.E.N., 1959.

Cadres sociaux

CHALMIN, Pierre : *l'Officier français de 1815 à 1870*, 408 p., H. Rivière, 1957.

DUVEAU, Georges : *les Instituteurs*, 192 p. ill., Éditions du Seuil, 1957.

GERBOD, Paul, *la Condition universitaire en France au XIXe siècle*, 720 p., cartes, graph., P.U.F., 1965.

GIRARDET, Raoul, *la Société militaire dans la France contemporaine, 1815-1939*, 333 p., Plon, 1954.

MONTEIL, Vincent : *les Officiers*, 192 p. ill., rééd. Éditions du Seuil, 1964.

ROUSSELET, Marcel : *Histoire de la magistrature française*, 2 vol., VI-448 et 437 p., Plon, 1957.

Vie religieuse

GADILLE, Jacques : *la Pensée et l'action politique des évêques français au début de la IIIe République, 1870-1883*, 2 vol., 351 et 334 p., cartes, graph., Hachette, 1967.

HOOG, Georges : *Histoire du catholicisme social en France de l'encyclique « Rerum Novarum » à l'encyclique « Quadragesimo Anno »*, 376 p., Domat-Monchrestien, 1942.

LE BRAS, Gabriel : *Études de sociologie religieuse : I. Sociologie de la pratique religieuse dans les campagnes françaises*; *II. De la morphologie à la typologie*; XX-820 p., P.U.F., 1955-56.

MARCILHACY, Christiane : *le Diocèse d'Orléans sous l'épiscopat de Mgr Dupanloup, 1849-1878*, XXX-593 p., Plon, 1962.

MAYEUR, Jean-Marie : *la Séparation de l'Église et de l'État (1905)*, 202 p., carte, pl. h. t., Julliard, 1966.

MONTUCLARD, Maurice : *Conscience religieuse et démocratie*, 285 p., Éditions du Seuil, 1965.

OZOUF, Mona : *l'École, l'Église et la République, 1871-1914*, 304 p., A. Colin, 1963.

POULAT, Émile (présenté par) : *Journal d'un prêtre d'après-demain*, 333 p., Casterman, 1961.

ROLLET, Henri, *l'Action sociale des catholiques en France* : I. *1871-1901*, 725 p., Boivin, 1947 ; II. *1901-1914*, 405 p., Desclée de Brouwer, 1958.

Vie intellectuelle

CLOUARD, Henri : *Histoire de la littérature française du Symbolisme à nos jours* : I. *1885-1914*, 669 p., 1947.

COGNIAT, Raymond : *la Peinture française au temps des Impressionnistes*, 164 p., fig., pl. h. t., A. Michel, 1950.

LALOU, René : *Histoire de la littérature française contemporaine*, XI-934 p. en 2 vol., P.U.F., 1946.

LANGEVIN, Paul : *la Physique depuis vingt ans*, 465 p., Doin, 1923.
LEYMARIE, Jean : *l'Impressionnisme*, 2 vol., 117 et 137 p., pl. h. t., Skira, 1955.
RAYNAL, Maurice : *Histoire de la peinture moderne* : I. *De Baudelaire à Bonnard. Naissance d'une vision nouvelle*, XXII-155 p., pl. h. t., Genève, 1949, Skira, Paris.
REY, Robert : *la Peinture française à la fin du XIXe siècle*, II-166 p., pl. h. t., 1931.
THIBAUDET, Albert: *Histoire de la littérature française de 1789 à nos jours*, XI-587 p., Stock, 1936.

Attitudes mentales et politiques

BRUNSCHWICG, Henry : *Mythes et réalités de l'impérialisme colonial français (1871-1914)*, 205 p., A. Colin, 1960.
CASE, Lynn M. : *French Opinion on War and Diplomacy during the Second Empire*, XII-339 p., University of Pennsylvania Press, Philadelphie, 1954.
DIGEON, Claude : *la Crise allemande de la pensée française (1870-1914)*, VIII-568 p., P.U.F., 1959.
GIRARDET, Raoul : *le Nationalisme français, 1871-1914*, 277 p., A. Colin, 1966.
GOGUEL, François : *Géographie des élections françaises de 1870 à 1951*, 144 p., cartes, A. Colin, 1951.
HEADINGS, Mildred J. : *French Freemasonry under the Third Republic*, 314 p., J. Hopkins Press, Baltimore, 1948.
GRIFFITHS, Richard : *The Reactionary revolution. The catholic revival in French literature, 1870-1914*, x-393 p., Constable, Londres, 1966.
NÉRÉ, Jacques : *la Crise industrielle de 1882 et le mouvement boulangiste*, 2 vol. dactyl., LIII-293 et 637 p., graph., 1959.
NÉRÉ, Jacques, *le Boulangisme et la presse*, 240 p. ill., A. Colin, 1964.
RÉMOND, René et coll. : *Atlas historique de la France contemporaine, 1800-1965*, 234 p., 463 cartes, A. Colin, 1966.
WEBER, Eugen : *The National Revival in France, 1905-1914*, x-237 p., University of California Press, Los Angeles, 1959.

Index

La société française (1840-1914)

M

Macé (Jean), 1815-1899, 251.
Mackau, p., 88.
Mâcon, 87, 142.
Madagascar, 281.
magistrats, 93, 94, 278, 282.
Mahieu, b., 145, 146.
Maine, 32, 33, 63, 64, 84, 87.
Maine-et-Loire, 57.
Maison de la Bonne Presse, 210.
Maisons-Laffitte, 116.
Malesherbes, 79.
Malot (Hector), 1830-1907, 56.
Manche, d., 41, 226.
Manet (Édouard), 1832-1883, 231, 234, 257, 275, 277.
Manosque, 83, 94.
maraîchers, 36.
Marcère (Émile de), p., 92.
marchandage, 181.
Marche, 42.
Marès, b., 24.
Margueritte (Victor), 1866-1942, 252.
mariage, 28.
Marly, **265.**
Marmande, 89, 90.
Marne, d., 135.
Marne, r., 45, 237.
Maroc, 254, 285.
Marquenterre, 39.
Marquet (Albert), 1875-1947, 234, **266.**
Marquion (Somme), 69.
Marseille, 103, 104, 105, 106, 108, 109, 110, 111, 121, 124, 125, 126, 157, 167, 168, 181, 197, 214, **265, 268,** 280, 282.
Martenot, i., 43.
Martin (le four), 166, 274.
Martin (Léon), p., 85.
Marx (Karl), 1818-1883, 15.
Massif armoricain, 30, 33, 38, 41, 52, 54, 57, 61, 135, 226.
Massif Central, 25, 31, 37, 41, 48, 54, 60, 61, 68, 71, 103, 135, 155, 174, 180, 185, 194, 199, 210, 221, 225, 237, 244.
matériel agricole, 29-30, 49, 52.
Mathieu, m., 200.
Matin (le), j., 243, 278.
Maupassant (Guy de), 1850-1893, 279.
Maurienne, 48.
Mayenne, 30, 56, 62, 65, 221.
Mayeur (Jean-Marie), 59.
Mazamet, 75, 88.
Meaux, **264.**
Médaré (Edmond), a., 85.

médecins, 88-91.
Meignan (Mgr), 220.
Méline (Jules), 1838-1925, 150.
Melun, 69.
Melun (Armand de), 259.
Ménard, p., 153.
Méquillet-Noblot, i., 146-147.
Mer (L. et C.), 69.
Mérimée (Prosper), 1803-1870, 77.
Messageries Maritimes, 272.
métallurgie, 164, 166, 180, 182.
Metz, 250.
Meurthe-et-Moselle, 174.
Meuse, d., 135.
Mexique, 275.
Michelet (Jules), 1798-1874, 24, 72, 271.
Millescamps, i., 149.
Millet (Jean-François), 1814-1875, 72, **264,** 273.
mines, 164, 182, 199-200.
Mirès, b., 123.
misère, 105, 122.
Mistral (Frédéric), 1830-1914, 72, 275.
mode féminine, 238, **267.**
Modern style, 154, 233, **267.**
modernisation de l'équipement industriel, 146-148, **268.**
modernisme, 216.
Moissac, 75.
Monarchie censitaire, 19, 21, 23, 26, 29, 33, 38, 76, 77, 81, 83, 87, 101, 104, 122, 140, 157, 164, 169, 208, 218, 222, 224, 240.
Monchy-le-Preux (P. de C.), 65.
Monde illustré (le), j., 237.
Monet (Claude), 1840-1926, 231, 234, 257, **267,** 275, 277, 285.
Montagne Noire, 23, 54, 63, 68.
Montargis, 79.
Montataire, 175.
Montauban, 75.
Montbrison, 76, 77, 79, 82.
Montceau-les-Mines, 150, 180, 193, 278.
Mont-de-Piété, 172.
Montpellier, 24, 47, 60, 82, 87, 88, 136, 141.
Montrouge, 112, 116.
Monts Dore, 50.
Morbihan, 22, 27, 28, 134.
Morlaix, 36.
Morsang-sur-Orge (S. et O.), 193.
mortalité urbaine, 102.
Moselle, d., 174.
Motte, i., 148, 150.
Mulhouse, 149, 197.
Mun (Albert de), 1841-1914, 222.

N

Nancy, 87, 104, 154, 177.
Nantes, 104, 105, 108, 120, 175, 228.
Napoléon Ier, 1769-1821, 252.
Napoléon III, 1808-1873, 23, 24, 32, 42,
   43, 57, 80, 87, 91, 105, 136, 139, 141,
   157, 162, 169, 196, 240, 245, 250, 271, 273.
Narbonne, 38.
nationalisme, 250-255.
Naturalisme, 231.
Naudet (l'abbé), 223.
Méré (Jacques), 198.
Neuilly, 112, 116.
Nice, 104, 121.
Nièvre, d., 42, 242.
Nîmes, 77, 82, 87, 88, 141, 143, 172.
Nivernais, 220.
Nord, d., 58, 59, 71, 137, 147, 166, 167,
   168, 174, 177, 180, 182, 183, 185, 188,
   194, 198, 199, 200, 202, 210, 222, 237.
Normandie, 21, 26, 27, 41, 42, 52, 56, 57,
   60, 69, 70, 80, 83, 85, 135, 164, 168, 171,
   174, 177, 182, 194, 220, 260.
notables, 43-44, 86-88.
notaires, 88-90.

O

officiers, 95-96.
officiers de santé, 90.
Oise, d., 46, 68, 71, 87.
Oise, r., 45.
Orléans, 79, 80, 81, 82, 94, 97, 116.
Ornain, r., 34.
Orne, r., 21, 26, 56, 92.
ouvriers, 161-203.
ouvriers agricoles, 34-36, 67-71, 214.

P

Pamiers, 79.
Panama (canal de), 193, 244, 280, 281.
Panhard, i., 117, 136-137.
Pantin, 113, 117.
Paris, 16, 21, 37, 76, 77, 78, 79, 80, 81,
   82, 84, 88, 91, 103, 104, 105, 107, 108,
   109, 111, 112-115, 116, 117, 119, 120,
   121, 123, 124, 126, 135, 136, 137, 138,
   139, 140, 141, 150, 157, 164, 165, 168,
   174, 185-187, 189-192, 197, 217, 221,
   226, 228, 237, 239, 240, 247, 249, 251,
   255, 270, 272, 273, 276, 277, 278, 280, 284.
Pas-de-Calais, 59, 71, 149, 175, 176, 177,
   180, 182, 188, 199, 200, 202, 270, 282, 284.
Passy, 222.

Pasteur (Louis), 1822-1895, 232, 273, 279.
patentes, 128.
pèlerinages, 211.
Perche, 31.
Péreire (Émile), 1800-1875, 123.
Périgord, 55.
Perret-Olivier, i., 147, 276.
Perrot (Marguerite), 151, 153.
Pétin, i., 148, **268.**
Petit Journal (le), j., 241, 242, 243, 275
Petit-Quevilly, 144.
Petit-Parisien (le), j., 243, 277.
Petites Affiches (les), j., 243.
Peugeot, i., 145, 149, 150, 166, 168, 182, 192.
Pèzenas, 56.
pharmaciens, 91.
photographie, 213.
phylloxera, 46, 47, 54, 274, 276.
Picardie, 20, 26, 31, 37, 39, 49, 54, 80, 172.
Pithiviers, 79.
Pissaro (Camille), 1831-1903, 231.
Pittié (Alfred), 1854-1912, 232, 238.
Poincaré (Henri), 1854-1912, 232, 238.
Poincaré (Raymond), 1860-1934, 123.
Poitiers, 77, 80, 81, 86, 90, 95.
Poitou, 42, 220.
Poligny, 79.
pomme de terre, 31.
Ponson du Terrail (Pierre), 1820-1871, 241.
Pontivy, 84.
Pontmain, (Isère), 221, 277.
population, 10-13, 20 ; population rurale,
   39-40, 54-56 ; population urbaine, 77-78,
   104-111.
positivisme, 91, 211-215.
Potel et Chabot, b., 123.
Poulenc, b., 117.
Pralon (Léopold), i., 151.
pratique religieuse, 218-222.
préfets, 93.
Premier Empire, 19, 21, 28, 136, 207, 209,
   245, 252.
presse, 98, 240-244, 273, 277, 279.
Printemps (Magasins du), 274.
prix agricoles, 37.
produit national, 13.
professeurs, 94.
profit des valeurs mobilières, 144-145.
Progrès (le), j., 243.
progrès scientifique, 211-212, 244.
propriété foncière, 19, 21-27, 48-49, 52, 83,
   136.
protectionnisme, agricole, 58-59, 278 ; industriel, 150, 280.
Proudhon (Pierre), 1809-1865, 172.
Proust (Marcel), 1871-1922, 88, 94, 123, 285.

Relevé photographique

Les photographies illustrant cet ouvrage sont dues pour les numéros suivants à **Éditions Arthaud** : nº 17 (archives), nᵒˢ 18, 35, 36, 37 (Bibliothèque Nationale, Paris), nᵒˢ 20, 26 (exclusivité opérateur A. Martin) ; **Roger Viollet** : nᵒˢ 4, 13, nᵒˢ 9, 23, 32, (coll. Viollet), nº 31 (Boyer-Viollet) ; **Coll. G. Sirot** : nᵒˢ 11, 12, 28, 38, 39 ; **Bulloz** : nᵒˢ 2, 16, 29 ; **Coll. Y. Christ** : nᵒˢ 7, 10, 25 ; **Giraudon** : nᵒˢ 1, 3, 30 ; **Bibliothèque Nationale, Paris** : nᵒˢ 33, 34 ; **J. Alliman, Nancy** : nº 19 ; **Coll. Cherel** : nº 21 ; **Coll. R. Dazy** : nº 22 ; **M. Hesse, Berne** : nº 14 ; **Hutin, Compiègne** : nº 27 ; **Kunsthalle, Mannheim** : nº 6 ; **Monde et Caméra** : nº 8 ; **Musée des Beaux-Arts, Bordeaux** : nº 15 ; **Piccardy, Grenoble** : nº 5 ; **Touring-Club de France** : nº 24.

Table

Table **307**

Deuxième partie. ...Vers une France moderne

Table   309

Achevé d'imprimer le 17 octobre 1969
sur les presses de l'Imprimerie Bussière
à Saint-Amand-Montrond pour le texte,
sur celles de la S. A. D. A. G.
à Bellegarde pour l'héliogravure,
sur celles de l'Imprimerie Tournon
à Paris pour la couverture.
Papier bouffant « Taillefer » des Papeteries du Domeynon,
Papier hélio mat des Papeteries Arjomari,
Foldingbox-Kromekote de la SO. RO. PA.
Clichés de la couverture par
les Établissements Marcel Lagrue à Paris.
Reliure par l'Atelier du Livre
à Châtillon-sous-Bagneux.
Nᵒ d'édition : 1132. Nᵒ d'impression : 2523.
Dépôt légal : 3e trimestre 1969.
Imprimé en France.